Word 2007

Word 2007

Pedro Jareño Algobia

GUÍAS PRÁCTICAS

Responsable editorial:
Lorena Ortiz Hernández

Diseño de cubierta:
Narcís Fernández

Realización de cubierta:
Cecilia Poza Melero

Primera edición, enero 2007
Primera reimpresión, julio 2007

© EDICIONES ANAYA MULTIMEDIA (GRUPO ANAYA, S.A.), 2007
Juan Ignacio Luca de Tena, 15. 28027 Madrid
Depósito legal: M-33.152-2007
ISBN: 978-84-415-2165-0
Printed in Spain
Impreso en: Lavel, S.A.

Índice

Introducción 11

I.1. Word, el procesador de textos universal 11
I.2. ¿Por qué actualizarse a Word 2007? 12
I.3. ¿A quién va dirigido este libro? 15
I.4. ¿Qué es este libro? 16

Cómo usar este libro 17

1. Historia e instalación 19

1.1. La evolución de los procesadores de texto 19
     1.1.1. La primera revolución: WordPerfect 20
     1.1.2. Llega Windows 21
     1.1.3. Los orígenes de Word 21
     1.1.4. La época moderna 21
1.2. Las alternativas a Word 22
     1.2.1. WordPerfect 22
     1.2.2. OpenOffice Writer 23
     1.2.3. Abiword 24
1.3. Word en Microsoft Office 2007 24
     1.3.1. Acces 2007 26
     1.3.2. Excel 2007 27
     1.3.3. Groove 2007 27
     1.3.4. InfoPath 2007 28
     1.3.5. OneNote 2007 29
     1.3.6. Outlook 2007 29

1.3.7. PowerPoint 2007 29
1.3.8. Project 2007 30
1.3.9. Publisher 2007 30
1.3.10. SharePoint Designer 2007 30
1.3.11. Visio 2007 31
1.4. Instalación 31
1.4.1. Requisitos mínimos 31
1.4.2. Instalando Word 2007 32
1.5. La nueva interfaz 35
1.6. Las pestañas 36
1.6.1. Inicio 36
1.6.2. Insertar 36
1.6.3. Diseño de página 37
1.6.4. Referencias 37
1.6.5. Correspondencia 37
1.6.6. Revisar 37
1.6.7. Vista 38
1.7. Botón de Office 38
1.8. Los ficheros Word 49
1.8.1. Formatos 49

2. Pestaña de Inicio 53

2.1. Introducción 53
2.2. El "copy-paste" 53
2.3. Cómo editar textos 55
2.3.1. La fuente 55
2.4. Los párrafos 60
2.5. Ponga estilo en su texto 64
2.6. Búsquedas y correcciones rápidas 65
2.6.1. Búsquedas y correcciones rápidas 65
2.6.2. Afinar la búsqueda 67
2.6.3. Dar el salto 69
2.6.4. Buscar y reemplazar 70
2.7. El arte de la selección 71
2.8. Deshacer y rehacer los cambios 76

3. Mucho más que textos 79

3.1. Pestaña de Insertar 79
3.2. Añadir páginas 79
3.3. Crear tablas 81

3.4. Llene de color su texto 83
   3.4.1. El lienzo 83
   3.4.2. Insertar ilustraciones 84
3.5. Cree documentos interactivos 90
3.6. Personalice su documento 93
3.7. Otro tipo de texto 95
3.8. Símbolos 102
   3.8.1. Los caracteres 102
   3.8.2. Los símbolos 103
   3.8.3. Especiales 104
3.9. Propiedades de los gráficos 104
   3.9.1. Tamaño y ángulo 105
   3.9.2. Bordes y rellenos 105
   3.9.3. Alineación con el texto 106
   3.9.4. Colores y transparencias
        en las imágenes 107
   3.9.5. Ordenación de las diferentes capas 108
   3.9.6. Efectos especiales 109
3.10. Formatos gráficos 109

4. Una página a medida 111

4.1. Introducción 111
4.2. Temas 111
4.3. Configurar la página 112
4.4. Adornar la página 117
4.5. Los párrafos 117
4.6. Superposición de capas 118
4.7. Configurando la página 118
   4.7.1. Los márgenes y la orientación
        de la página 119
   4.7.2. Tamaño del papel 120
   4.7.3. Sangrías y demás espacios 122
   4.7.4. Líneas y saltos de página 125
   4.7.5. Tabulaciones 125
   4.7.6. Los Estilos 129
   4.7.7. Guardar el formato: creación
        de una plantilla 135

5. Otros elementos útiles 137

5.1. Introducción 137
5.2. Las referencias 137

5.2.1. Crear tablas de contenido 138
5.2.2. Escribir notas al pie 139
5.2.3. Citas y bibliografía..139
5.2.4. Crear títulos específicos 140
5.2.5. Crear índice 140
5.2.6. Tabla de autoridades 142
5.3. La correspondencia...142
5.3.1. Crear sobres y etiquetas 143
5.3.2. Combinar correspondencia 145
5.4. Trucos para abrir y guardar documentos 151
5.4.1. Abriendo documentos.................................151
5.4.2. Guardando documentos 155
5.5. Cartas, faxes, currículos:
plantillas predefinidas 156
5.5.1. ¿Dónde están las plantillas? 156
5.5.2. Las plantillas 157
5.5.3. Ejemplo de uso de una plantilla:
la carta de equidad 159
5.5.4. Plantillas online 162

6. Revisiones y ortografía 163

6.1. Corrector ortográfico y gramatical 163
6.1.1. Automático 164
6.1.2. Manual 166
6.1.3. La escritura perfecta: autocorrección 169
6.1.4. Mi diccionario 171
6.2. Diccionario de sinónimos 172
6.2.1. El botón derecho 173
6.2.2. El panel de Referencia 173
6.3. Buscar referencias 174
6.4. Utilidades varias 176
6.4.1. Contar palabras 176
6.5. Word trabaja por nosotros:
funciones automáticas 177
6.5.1. Autoformato 177
6.6. Nuestro documento sufre cambios 178
6.6.1. Control de cambios 179
6.6.2. Comparar dos documentos a la vez 183
6.7. Compartir documentos.....................................185
6.7.1. Creación de un área de documentos 186

6.8. Proteger documentos 186
6.9. Otras funciones útiles 189

7. Páginas Web y Blogs 193

7.1. Una página Web sencilla 193
7.1.1. Temas 195
7.2. Insertar elementos 196
7.2.1. Línea horizontal.. 196
7.2.2. Hipervínculos 197
7.2.3. Marcadores 201
7.3. Documentos para blogs 202
7.3.1. La revolución de los blogs 202
7.3.2. ¿Qué tiene que ver Word con esto? 205
7.3.3. Configurando Word para blogs 206
7.3.4. Creando una entrada para un blog 208

8. Entorno de trabajo e impresión avanzada 231

8.1. Vistas 232
8.1.1. Para escribir 233
8.1.2. Para leer 235
8.1.3. Para navegar 240
8.1.4. Para organizar 240
8.2. Esquemas 242
8.3. Mapa del documento 243
8.3.1. Vistas en miniatura 245
8.4. Personalización 246
8.5. Acelerar el trabajo repetitivo: las macros 249
8.5.1. Grabar una secuencia de acciones............... 250
8.5.2. Asignar teclas 252
8.5.3. Editar 254
8.5.4. Ejemplo de macro avanzada 256
8.6. Impresión avanzada 261
8.6.1. Vista preliminar... 262
8.6.2. Otras formas de imprimir 264
8.6.3. Opciones de impresión 264

9. Cree tablas en Word 269

9.1. No se asuste, es fácil.. 269
9.1.1. Creación 270
9.1.2. Eliminación 272
9.1.3. Moverla y cambiarla de tamaño 272

9.1.4. Dividir una tabla en dos 273
9.1.5. Propiedades 273
9.1.6. Los elementos que la componen.................275
9.1.7. Formatos: bordes y sombreados 284
9.1.8. Conversión de una tabla 286
9.1.9. Ordenación de celdas 288
9.1.10. Opciones de estilo de tabla 290
9.1.11. Fórmulas 291
9.1.12. Tamaño de celda 292

10. Probando, probando 293

10.1. Un repaso 293
10.2. Un documento sencillo 294
10.2.1. El papel en blanco 294
10.2.2. El título 296
10.2.3. Alineando el texto 298
10.2.4. Las viñetas 300
10.2.5. Dando color al texto 302
10.2.6. Insertando objetos..306
10.2.7. Textos multimedia 321
10.2.8. Encabezados y pies de página....................323
10.2.9. Una portada rápida 324
10.2.10. Vista del documento 325
10.3. Unos últimos trucos 326
10.3.1. La ventana flotante de formato 327
10.3.2. Los atajos 328

Índice alfabético 331

Introducción

I.1. Word, el procesador de textos universal

Las herramientas informáticas han supuesto todo un avance en nuestras vidas y se han convertido en parte y realidad de nuestro día a día. A la hora de escribir textos, cada vez son menos las personas que deciden utilizar un papel y un lápiz o un bolígrafo. Y es que resulta cada vez más fácil, más cómodo y más rápido preparar un documento directamente en el ordenador.

Porque los ordenadores ya no están sólo en las oficinas. Cada vez es más común tener uno, o varios, en las casas, convirtiéndose su uso en algo cotidiano y necesario. Utilizamos el ordenador para un montón de cosas que nos facilitan la vida. Y, cómo no, entre esas cosas se encuentra la escritura: escribimos textos, trabajos, notas, documentos, artículos, tesis, diarios, blogs... Y todo, casi siempre, con el ordenador. Porque es sencillo de usar, porque nos permite almacenarlo sin ocupar espacio y editarlo mil y una vez, porque podemos añadirle imágenes, fotografías, dibujos, gráficos..., porque podemos compartir nuestros escritos en Internet y enviárselo a nuestros amigos o a nuestros familiares...

Por todo esto, los procesadores de textos se han convertido por derecho propio en una herramienta básica para todos nosotros. Un procesador de textos es un programa informático o software que permite escribir textos, editarlos y almacenarlos en el ordenador de forma rápida, sencilla y casi intuitiva.

Y de todos los procesadores de textos que existen en el mercado, sin lugar a dudas, Word se ha ganado un puesto entre los más populares y utilizados siendo, indiscutiblemente, el número uno de su sector.

La mayoría de los ordenadores suelen llevar instalado por defecto (o incluyen un CD para hacerlo) el software necesario para hacer funcionar Word en el ordenador, por lo que los usuarios han ido decantándose, con el paso de los años, por el uso de este producto de Microsoft. Su compatibilidad con otros productos de la casa, su integración en el popular paquete Office y su sencillez han hecho que Word sea el máximo referente de los procesadores de textos en el ámbito internacional.

I.2. ¿Por qué actualizarse a Word 2007?

Como decíamos en un párrafo anterior, la mayoría de los usuarios de los ordenadores utilizan Word como único procesador de textos. Por eso, son pocos los usuarios de informática que no han utilizado nunca alguna de las versiones anteriores de este producto.

Sin embargo, al contrario de lo que suele ocurrir con otros productos de software, habitualmente no existe mucha expectativa en los usuarios con respecto a las actualizaciones y a las nuevas versiones de Word. Quizá porque se suele pensar que es más de lo mismo y que no ofrecerá muchas opciones nuevas.

Pero, afortunadamente, en esta ocasión no es así. Word 2007 presenta muchas novedades y de tal calado que estamos seguros de que, en el futuro próximo, terminará convirtiéndose en el procesador más utilizado en los hogares y en las oficinas de todo el mundo.

Porque Word 2007 es mucho más interesante en todos los aspectos: es más visual, es más sencillo de usar, es más inteligente, es más adaptable a cada texto en particular, es más moderno, está más integrado en el paquete Office y en el mundo de las nuevas tecnologías permitiendo la exportación de archivos de forma intuitiva hacia Internet y, en definitiva, es un producto altamente recomendable.

A continuación, vamos a enumerar brevemente (ya se irán explicando más pormenorizadamente durante el resto del libro) las principales novedades que convierten a Word 2007 en un producto atractivo y necesario:

- **Nueva interfaz gráfica:** El lavado de cara de Word en el aspecto gráfico es brutal. Desde ahora, Word ha dejado de ser ese programa aburrido que no dice nada. Word es ahora un bonito programa bien diseñado con colores azulados y formas interesantes.

- **Nuevos menús en pestañas:** Estamos en la era de las pestañas. Internet está evolucionando a pasos agigantados y todas las costumbres que están haciendo furor en la Red están empezando a empapar aquellos productos que, en general, suelen ser utilizados por los internautas. Ahora, el tradicional menú en cascada de Word, ese desplegable que se cerraba cuando menos se lo esperaba uno y que hacía perder demasiado tiempo a la hora de buscar algún elemento que se desconocía ha pasado a mejor vida. Las pestañas son la base fundamental de la nueva cara de Word. Mediante este inteligente formato, el usuario sólo tendrá que seleccionar la pestaña deseada para descubrir, sin tener que seguir buscando y trasteando, todas las opciones que se pueden llevar a cabo con este procesador de textos. Todo un avance.

- **Comandos fáciles de encontrar:** Antes, en el Word de toda la vida, ese al que nos hemos acostumbrado casi todos, no era fácil encontrar muchas de las opciones que se buscaran. Desplegables, menús, submenús... Ahora, Word 2007 ha agrupado los comandos dejándolos fijos en la parte superior de la pantalla y haciéndolos bastante grandes y visualmente atractivos, para que nadie se pierda. Menos buscar y más escribir.

- **Menos comandos:** Sólo los comandos más útiles, los más utilizados, han permanecido en esta nueva versión de Word. ¿Para qué ocupar espacio con opciones que nadie utiliza? Eso han debido pensar los ingenieros de Word y eso es lo que han hecho: agrupar los comandos más utilizados en pestañas que representan las tareas principales: Inicio, Insertar, Diseño de página, Referencias, Correspondencia, Revisar y Vista.

- **Adiós a las barras de herramientas:** Las barras de herramientas eran útiles, la verdad. Pero eran incómodas. La pantalla se llenaba de ellas y había que aprenderse los iconos de memoria para optimizar el tiempo. Además eran inestables y no era fácil perderlas de vista. Ahora, mediante la agrupación de los comandos y su presentación visual, todo es mucho más fácil.

- **Barra de herramientas de acceso rápido:** Sí, es cierto; acabamos de decir que Word ya no incluye las dichosas barras de herramientas. No mentimos. Sólo hay una excepción, la que confirma la regla: la barra de herramientas de acceso rápido. Esta sencilla barra, situada en la parte superior izquierda de la pantalla, permite acumular aquellas acciones más comunes que siempre han de estar a la vista del usuario sin necesidad de que hayan de ser buscadas en cada una de las pestañas.

- **Cambiar vistas:** Es muy habitual en el usuario de Word el interés en cambiar las vistas de su documento para saber bien cómo ha quedado. Ahora, en lugar de tener que desplegar menús, todo es mucho más fácil. En la parte inferior derecha de la pantalla, se han integrado unos pequeños iconos que permiten activar la vista deseada en un solo clic.

- **Crear documentos PDF:** Los usuarios más avanzados de los paquetes ofimáticos ya sabrán de lo que estamos hablando. Para los que no, hay que decir que los archivos PDF (se leen con el popular programa Adobe Acrobat Reader) son los más habituales a la hora de presentar un documento digital por su sencilla y elegante apariencia, porque quedan bloqueados salvo autorización y porque son perfectos para maquetar y ser impresos. Pues bien, en el nuevo Word 2007, todos los documentos pueden ser guardados en este formato directamente sin necesidad de tener que convertirlos con otro programa de por medio.

- **Facilidades en la revisión:** La revisión de documentos de Word siempre ha sido muy útil, especialmente en el ámbito profesional. Los documentos creados en Word pueden ser enviados a otras personas para su revisión y los cambios quedan almacenados para conocer exactamente el documento original y el modificado. En Word 2007, esta comparación es mucho más práctica y la revisión de los documentos es ahora coser y cantar.

- **Proteger documentos con firma digital:** Es verdad que todavía no es algo muy difundido en España, pero las firmas digitales son el futuro. Con Word 2007 se pueden firmar digitalmente todos los documentos creados y asegurar así que ese documento no ha sido modificado posteriormente sin intervención del autor.

- **Escribir directamente una entrada en un blog:** Los blogs son la nueva herramienta de comunicación que está causando furor en Internet. Un blog o weblog (o bitácora en castellano) es una especie de diario personal que puede ser creado por cualquier persona que tenga un ordenador y un acceso a Internet, de forma gratuita, y sin ningún conocimiento informático, y que le permite escribir de forma cronológica sobre el tema que más le plazca y que pretende generar interés, conversación e interactividad con los usuarios. Con Word 2007, es posible escribir directamente en el procesador de textos (aprovechando todas las posibilidades que eso supone) y mandarlo de forma facilísima hacia el blog que le indiquemos al programa, ahorrando así la necesidad de entrar en el panel de administración del blog cada vez que se quiera escribir.

I.3. ¿A quién va dirigido este libro?

Esta Guía Práctica para usuarios de Word 2007 es un libro orientado a un doble público objetivo: el recién llegado al mundo de la informática y los procesadores de texto y aquél que es ya usuario de los ordenadores y de Word pero pretende dar un paso más y conocer de una forma amena, distendida y práctica el funcionamiento de este programa.

Además, la idea fundamental de este libro es convertirse en un modesto manual de utilización de esta nueva edición del popular procesador de textos incluido en el paquete Microsoft Office y descubrir a los nuevos usuarios y a los conocedores de las versiones anteriores, las novedades, los cambios, las nuevas funcionalidades, los trucos y todo aquello que necesita saber para que su experiencia con Word sea lo más productiva posible.

I.4. ¿Qué es este libro?

Esta Guía Práctica no es un manual al uso; no es un libro de instrucciones incomprensible y mal estructurado; no. Esta Guía Práctica, como toda esta colección, es una aproximación al Word de una forma distinta: sin complejidades, sin palabras incomprensibles, sin dar conocimientos por asumidos, sin explicaciones superficiales.

Es un libro que puede ser leído de una vez pero que, perfectamente, puede quedarse como libro de consulta para cuando surjan dudas con respecto al uso de este procesador de textos.

Además, está construido siguiendo la buena estructura que esta vez han presentado en el propio programa Word 2007, para que el lector pueda seguir de forma sencilla cada uno de los capítulos que lo componen.

Así, el principio del libro es una primera toma de contacto con los procesadores de texto y el propio Word y, más adelante, se muestran más detenidamente cada uno de los procesos que se pueden llegar a realizar con este potente software.

Poco a poco, los lectores pueden ir consultando todo lo que puede dar de sí esta nueva edición de Word de forma entretenida y dinámica, ayudada con muchas imágenes y ejemplos prácticos para que no quede ninguna duda final.

Cómo usar este libro

Seguramente ya conocerá el funcionamiento y la utilidad de las Guías Prácticas de Anaya. Ésta no es una excepción. Este libro pretende convertirse en un manual de introducción para el procesador de textos más famoso y más utilizado de todos los tiempos, en su última versión: Microsoft Office Word 2007. Y es que se puede decir que este manual tiene dos tipos de público objetivo: usuarios inexpertos de ordenadores que quieren comenzar a hacer sus pinitos con Word y conocer sus características y funciones básicas, y aquellos que ya conocen Word pero que desconocen el amplísimo abanico de opciones que incluye y quieren conocerlo más a fondo.

A lo largo de estas páginas, irá descubriendo, paso a paso, todo lo que tiene que hacer para que su experiencia con Word 2007 sea lo más satisfactoria posible.

El libro está estructurado, más o menos, de forma creciente en complejidad: es decir, mientras que las primeras páginas introducen al lector en el mundo de Word (su apariencia, sus funciones más básicas, etc.), conforme se va avanzando se comienza a conocer otro tipo de funciones más complicadas o complejas. Pero es que, además, ésa es la propia configuración de este nuevo Word que viene integrado, una vez más, en el popular paquete Microsoft Office y que ha vivido en esta nueva revisión toda una revolución visual y estructural: tanto ha sido así que los habituales menús y las barras de herramientas de toda la vida han sido sustituidas por pestañas que, en general, siguen esa estructura creciente en complejidad.

Así, el lector de esta Guía Práctica de Word 2007 se encontrará con una pequeña introducción en la que conocerá los editores de texto y su utilidad y, posteriormente, pasará a conocer en detalle algunas de las funciones que conforman este útil software que permite escribir, compartir, guardar e imprimir documentos de texto (y de otros muchos elementos integrados).

Comenzará aprendiendo la historia de Word y sus alternativas, pasará a saber, a grandes rasgos, los elementos de los que se compone el paquete Office, y, poco a poco, irá sabiendo más del nuevo Word.

Se aproximará a su nueva estructura visual y funcional, conocerá las características básicas del formato: las fuentes, los párrafos, los estilos, etc., tendrá acceso detallado a las distintas posibilidades de inserción de objetos que permiten convertir un documento de Word en algo mucho más avanzado que un documento plano de texto, podrá conocer todos los elementos que permiten personalizar al máximo los diseños de página, tendrá acceso a características avanzadas como las referencias y la combinación de la correspondencia, conocerá al detalle las nuevas funcionalidades de revisión ortográfica y las distintas vistas que existen para ver en pantalla sus documentos, aprenderá a crear tablas y podrá ver, al final, algunos ejemplos prácticos que convertirán su lectura en un divertido aprendizaje.

Y es que este manual no pretende ser una biblia de Word sino que aspira a convertirse en un libro de ayuda que permita orientar al usuario que utiliza Word de primeras o de forma casual. Una guía que puede leerse de seguido o que puede ser consultada cuando se quiere hacer algo más que lo habitual y que no se recuerda cómo. Una Guía Práctica de Word. Disfrútela.

Historia e instalación

1.1. La evolución de los procesadores de texto

¿Qué es un procesador de textos? Esta es la primera pregunta que se tiene que hacer un neófito, una persona que descubre por primera vez Word u otro tipo de software similar, o alguien que aún no ha comenzado a utilizar un ordenador de forma habitual y quiere ir familiarizándose con todas sus posibilidades.

Pues un procesador de textos es un programa informático o software que permite escribir, editar, guardar, retocar, compartir e imprimir documentos en un ordenador. En definitiva, se puede decir que es el sustituto natural de la máquina de escribir. Una herramienta fácil de usar, sencilla, rápida y que permite crear documentos de la forma más intuitiva posible en formato digital para poder ser impresos o no, dependiendo del uso que se le vaya a dar.

Hasta hace pocos años, era muy habitual escribir a mano, con papel o lápiz y sobre un papel, todo tipo de documentos: personales e incluso profesionales. Sin embargo, con el paso del tiempo, cada vez iba siendo más común utilizar la máquina de escribir para realizar documentos más serios, especialmente los profesionales o los dedicados a la creación de un trabajo para la escuela o la Universidad e, incluso, muchos de los documentos caseros que muchas personas utilizan en su día a día, más allá de su desempeño labora.

A día de hoy, la máquina de escribir ha pasado a mejor vida y el boli o el lápiz sólo se utilizan para documentos simples, anotaciones, notas de recuerdo, toma de apuntes o agendas.

Porque ya la mayor parte del mundo avanzado utiliza el ordenador y los procesadores de textos para realizar la mayor parte de sus escritos. Y es que no hay nada como las ventajas que ofrece este tipo de soporte: fácil edición e impresión, sencillez a la hora de imprimirlo y tenerlo en papel, comodidad al poder ser almacenado sin ocupar espacio, posibilidad de compartirlo con cualquier parte del mundo de la forma más sencilla gracias a su posible envío sencillo y directo a través de correos electrónicos o Internet...

Por eso, los procesadores de texto se han convertido en algo totalmente imprescindible en todos los lugares, no sólo en los sitios de trabajo sino también en los propios hogares.

A continuación veremos cuál ha sido el proceso natural que ha llevado a la situación actual en la que Word es, sin lugar a dudas, el referente número dentro de este tipo de aplicaciones.

1.1.1. La primera revolución: WordPerfect

Aunque, hoy, indudablemente, Word es el líder indiscutible de los procesadores de texto y su uso se ha convertido en cotidiano en todos los rincones del planeta, el culpable del ascenso de la popularidad de los procesadores de texto para los ordenadores fue su hoy competencia: WordPerfect.

Cuando los ordenadores aún no funcionaban bajo Windows y su sistema operativo, mucho más prehistórico, era conocido como MS-DOS, las ventanas y los gráficos brillaban por su ausencia y la pantalla era apenas un conjunto de líneas y columnas de texto, este programa, WordPerfect, revolucionó el mundo de la edición de textos.

Su versión 5.1, la que ocasionó su despegue mundial, vio la luz en 1989 y supuso toda una revolución. A pesar de que si algún joven que no conoció la época ve hoy una pantalla con WordPerfect y puede pensar que aquello es imposible que funcionara bien y que creara documentos, lo cierto es que lo hacía bien. Tan bien que fue uno de los detonantes del progresivo interés de los ciudadanos por los ordenadores para uso doméstico y que influyó enormemente en el boom que la informática ha alcanzado en la edad actual.

1.1.2. Llega Windows

Pero a WordPerfect le duró poco su reinado. Lo que tardó en aparecer en escena Windows, el sistema operativo de Microsoft que popularizó masivamente el uso de los ordenadores y que, gracias a su salto de calidad brutal y a su monopolio ha conseguido establecerse en un porcentaje excepcional de los hogares y las oficinas del mundo.

Con Windows, todo en la informática cambió. Aparecieron las ventanas y los gráficos y todos los programas debían adaptarse a ello. Y WordPerfect tardó mucho en hacerlo. Dos años. No fue hasta 1991 cuando se decidieron a sacar su versión para ese sistema y Word ya se había posicionado.

1.1.3. Los orígenes de Word

Word tiene su origen 1983. Se dice fácil. Su primera versión fue, lógicamente, para MS-DOS, pero no alcanzó mucha popularidad y WordPerfect le tenía comido el terreno. Sin embargo, en 1985 Word ya sacó su primera versión para Macintosh, la competencia de los PC, y en ese sistema sí que tuvo éxito desde el principio. Ese Word 3.0. ya era lo que los anglosajones llaman WYSIWYG (*What You See Is What You Get*) o, lo que es lo mismo: "lo que ves es lo que obtienes". O sea, que fue el primer procesador de textos en el que lo que aparecía en pantalla es lo que iba a aparecer impreso. Y así, hasta hoy.

La versión 2.0 de Word, utilizada en el sistema operativo Windows 3.0, se convirtió en líder indiscutible de mercado en los primeros años de la década de los 90, posición que ya no ha vuelto a abandonar nunca.

1.1.4. La época moderna

Con las posteriores versiones de Windows (este sistema operativo también se ha estandarizado en todo el mundo en los últimos años), Word ha ido actualizándose paralelamente y, aunque no es parte del propio sistema, en la mayoría de los casos viene instalado por defecto o, en caso contrario, los ordenadores nuevos vienen con un CD con el paquete Office completo que permite su instalación, por lo que su difusión ha sido imparable.

Con Windows 95 ó 98, Word siguió su progresión y, a efectos reales, no hay casi ningún usuario de ordenadores en todo el planeta que nunca haya usado este procesador de textos.

Las últimas versiones de Word para PC aparecidas en los últimos años son:

- Word 2000 o Word 9.
- Word 2002, Word 10 o Word XP.
- Word 2003.

No ha sido hasta el año 2006 cuando Microsoft ha decidido renovar totalmente su producto presentando este Word 2007 que en esta Guía Práctica analizamos.

1.2. Las alternativas a Word

Está claro. Word es el líder del mercado de forma indiscutible. Lo es por usabilidad, por cantidad de usuarios en todo el mundo, por popularidad, por compatibilidad de archivos, por comodidad... por todo. Pero, afortunadamente, no hay monopolio. El usuario de software puede elegir y tiene diversas opciones para recurrir a la que más le gusta. Aunque desde aquí, lógicamente, recomendables encarecidamente utilizar esta nueva y magnífica versión de Word, a continuación vamos a hacer una breve enumeración de los productos alternativos más importantes de los existentes en el mercado:

1.2.1. WordPerfect

Sí, otra vez. WordPerfect sigue existiendo y sigue siendo hoy una alternativa posible a Word. Es cierto que tardaron en meterse en el mercado de Windows pero no abandonaron y siguen cubriendo su nicho de mercado. A día de hoy, la última versión de este software para Windows es la WordPerfect X3 (véase la figura 1.1), aunque tampoco ha dejado de lado las aplicaciones para Macintosh o, incluso, para el sistema operativo Linux, la alternativa a Windows más popular.

Figura 1.1. Página oficial de WordPerfect.

1.2.2. OpenOffice Writer

El mundo del software y las aplicaciones informáticas ha tenido un gran auge en los últimos años. Paralelamente a las grandes empresas que manejan cifras multimillonarias y que controlan gran parte del pastel de este mercado, han ido surgiendo movimientos ciudadanos altruistas que han permitido el desarrollo de una cultura de las aplicaciones de código abierto, que son aquellas que son diseñadas por usuarios para compartirlas a través de Internet y que permiten su modificación para conseguir así productos de mayor calidad. Son productos que se encuentran, por tanto, en constante desarrollo y evolución y que han conseguido cautivar a los más "románticos".

OpenOffice Writer es un procesador de textos que viene incluido en el conjunto de aplicaciones libres `Open Office.org`.

Es totalmente gratuito y se puede descargar en Internet de forma muy sencilla (véase la figura 1.2). Además de soportar perfectamente los archivos de Word (es totalmente compatible), puede exportar también a ficheros PDF y permite editar también en lenguaje HTML, siendo así muy útil para la programación de páginas Web.

Figura 1.2. Página oficial de OpenOffice.

1.2.3. Abiword

Esta aplicación es también de software libre, es multiplataforma y tiene licencia GPL (Licencia Pública General), orientada a proteger la libre distribución, modificación y uso de software. Su sencillez, su interfaz propia y fácil de manejar y su escasez de requerimientos técnicos lo han convertido en una alternativa muy popular, especialmente en el sector de los propios programadores informáticos (véase la figura 1.3).

1.3. Word en Microsoft Office 2007

Word no es una parte de Windows, no viene instalado por defecto en el propio sistema operativo, aunque sí que es probable que alguien que se compre un ordenador en una gran superficie se lo encuentre ya instalado en su interior o con un CD que lo acompañe para instalarlo manualmente. Y es que Windows, al igual que Word, pertenece a Microsoft, a la empresa del archiconocido multimillonario Bill Gates. Pero es que, además, Word no es un programa único que venga sólo y que se pueda conseguir por separado. Word forma parte de un paquete ofimático muy útil e interesante denominado Microsoft Office (véase la figura 1.4).

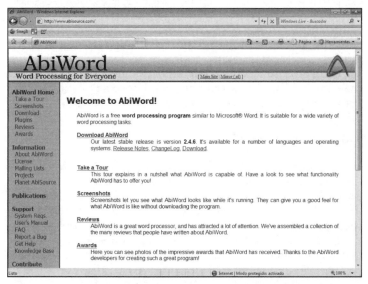

Figura 1.3. Página oficial de Abiword.

Figura 1.4. Página oficial de Microsoft Office.

Este paquete, que contiene algunos de los programas informáticos más utilizados en la actualidad en todo el mundo, permite editar textos, tablas, gráficos, presentaciones con diapositivas, controlar agendas, enviar correos electrónicos... En definitiva, todos los programas que incluye "el Office", como es conocido vulgarmente, conforman un paquete casi imprescindible para el uso cotidiano de los ordenadores, ya sea en el ámbito laboral como en el doméstico. En las próximas líneas vamos a aproximarnos un poco a cada uno de los programas que incluye esta nueva versión 2007.

1.3.1. Acces 2007

Acces es el programa de administración de bases de datos de Microsoft Office. Al igual que Word y que la mayor parte de los programas de este paquete, se ha convertido en uno de los programas más demandados por el usuario y en todo un éxito en los hogares y las empresas de medio mundo. Es uno de los programas más solicitados por empresas a la hora de solicitar personal ya que permite el mantenimiento y la gestión de las bases de datos (véase la figura 1.5). Con Acces se puede crear y controlar informes de forma sencilla y rápida, almacenar información y ahorrar tiempo en búsquedas y tablas de datos.

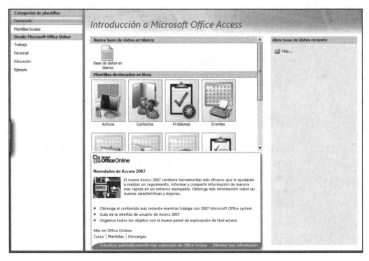

Figura 1.5. Microsoft Acces 2007.

1.3.2. Excel 2007

Aunque la propia publicidad de Office lo describe como el programa de análisis de información, Excel siempre ha sido considerado el mejor programa de gestión de tablas y de hojas de cálculo.

Con Excel se puede analizar, controlar, gestionar y compartir información de forma muy sencilla e intuitiva: combinar celdas, crear fórmulas matemáticas, personalizar tablas... (Véase la figura 1.6.)

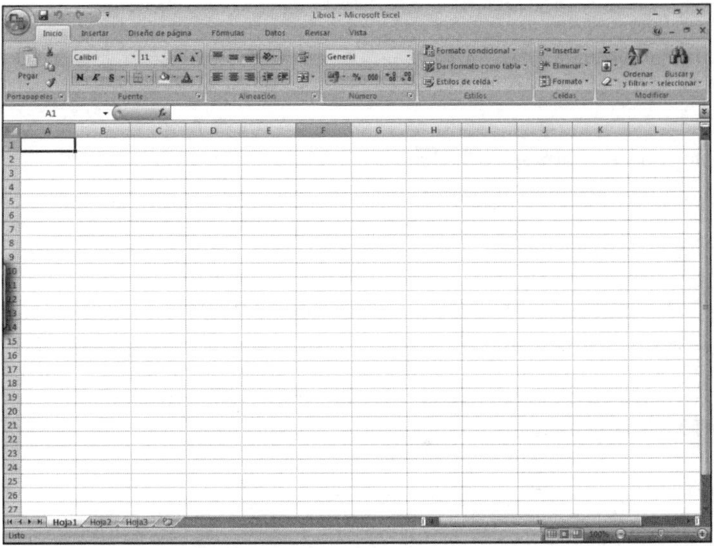

Figura 1.6. Microsoft Excel 2007.

1.3.3. Groove 2007

Una de las últimas novedades del Office. Office Groove es la solución de implementación e integración de software, de áreas de trabajo.

Con este programa, los distintos equipos de las empresas pueden trabajar juntos sin vulnerar los estándares ni la seguridad de la empresa. Está especialmente diseñado para empresas y permite utilizar equipos tanto físicamente juntos como distantes sin necesidad de estar conectados (véase la figura 1.7).

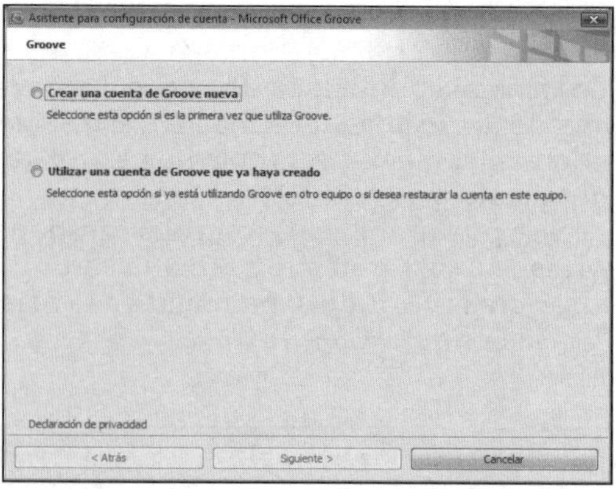

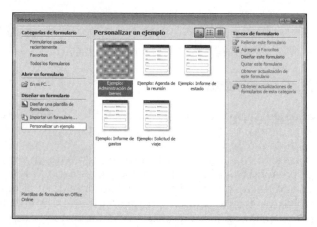

Figura 1.7. Microsoft Groove 2007.

1.3.4. InfoPath 2007

Aunque no es un programa tan popular como otros de este paquete, InfoPath es también uno de los clásicos (véase la figura 1.8).

Se trata de un programa de recopilación de datos que permite ampliar el alcance de los procesos empresariales utilizando formularios electrónicos enriquecidos. Utiliza formularios como mensajes de correo electrónico, exploradores Web, etc.

Figura 1.8. Microsoft InfoPath 2007.

1.3.5. OneNote 2007

Otra de las últimas novedades, aunque ya presente en la versión anterior. OneNote es el programa de información personal y anotaciones de Office (véase la figura 1.9). La mejor forma para llevar una agenda de forma fácil y ordenada. Una especie de almacenamiento de Post-it en versión virtual.

Figura 1.9. Microsoft OneNote 2007.

1.3.6. Outlook 2007

Qué decir de este programa. Otro de los más clásicos y de los más usados universalmente. Un gestor de correo electrónico que, además, es una agenda. Permite enviar y recibir correos electrónicos, ordenarlos, coordinarlos con la agenda, crear avisos, etc. (Véase la figura 1.10.)

Figura 1.10. Microsoft Outlook 2007.

1.3.7. PowerPoint 2007

Otro de los más conocidos. PowerPoint es el más común de los programas de creación de presentaciones con diapositivas. Fundamental para hacer trabajos o crear proyectos laborales, ideal para inventar álbumes de fotografías, integrar audio con texto... Un sinfín de posibilidades en uno de los programas más populares de la historia (véase la figura 1.11).

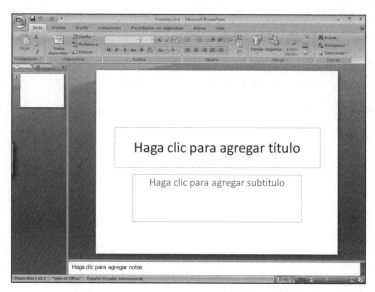

Figura 1.11. Microsoft PowerPoint 2007.

1.3.8. Project 2007

Es el programa de administración de proyectos de Office. Es una herramienta de administración funcional, flexible y adaptable a las necesidades personales del usuario. Ideado para mantener la máxima productividad en proyectos gestionados por varias personas.

1.3.9. Publisher 2007

El Publisher es el programa de publicaciones de negocios y materiales de marketing de Microsoft.

Está diseñado para mejorar la forma de administrar materiales de marketing y servir para desarrollar al máximo detalle cada una de las estrategias de la empresa (véase la figura 1.12).

1.3.10. SharePoint Designer 2007

Es la aplicación del Office dedicada al desarrollo de aplicaciones Web.

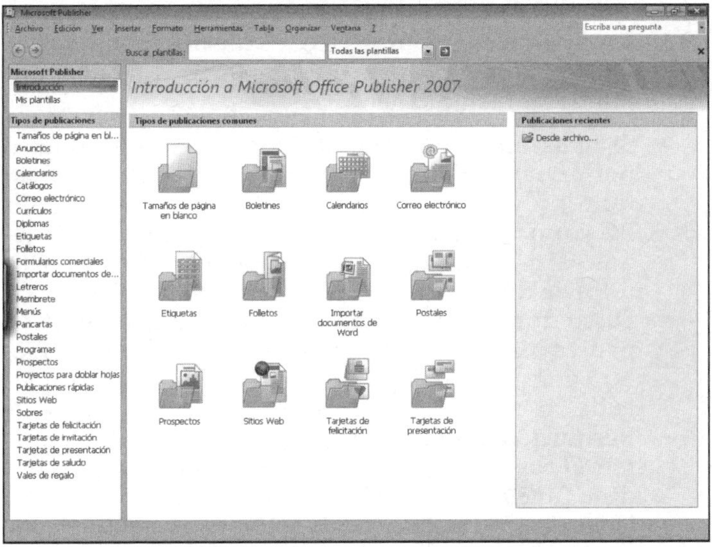

Figura 1.12. Microsoft Publisher 2007.

1.3.11. Visio 2007

Visio está diseñado para crear diagramas y visualizar información, sistemas y procesos complejos.

1.4. Instalación

1.4.1. Requisitos mínimos

Para instalar Microsoft Word 2007 hay que instalar el paquete Office 2007. Aunque Word 2007 ha sido diseñado para que pueda ser utilizado en la mayoría de los ordenadores que utilizaban anteriormente la versión previa (Word 2003) o Word XP, las más comunes en los ordenadores modernos, lo cierto es que podría darse el caso de que alguno de los ordenadores en los que se quiera instalar este nuevo software no esté preparado para funcionar correctamente.

Por eso, es más que recomendable (de hecho, lo es siempre que alguien está pensando en adquirir e instalar un nuevo programa informático) echar un vistazo a los requisitos mínimos del sistema para evitar decepciones o errores importantes en los equipos. Los requisitos mínimos que ha de tener un ordenador para que pueda disfrutar de Word 2007 en toda su plenitud son:

- **Sistema operativo:** Windows XP Service Pack 2 (o posterior) o Microsoft Windows Server 2003 (o posterior).
- **PC y procesador:** Necesitará un procesador de al menos 500 megahercios (MHz) o superior, 256 megabytes (MB) de RAM o superior y una unidad de DVD.
- **Disco duro:** Se necesitan al menos 2 gigabytes (GB) para la instalación; después de la instalación se liberará una porción de este disco si se elimina el paquete de descarga del disco duro.
- **Resolución del monitor:** Se recomienda como mínimo 800x600, por lo que las resoluciones mayores podrán funcionar también sin problemas.
- **Conexión a Internet para activar los productos y descargar actualizaciones.**

1.4.2. Instalando Word 2007

Para instalar el programa Word 2007 es recomendable instalar además todo el resto del paquete Office, ya que una de sus principales virtudes es la posibilidad de poder integrar elementos de los demás programas como tablas de Excel, bases de datos de Acces, etc.

1. Lo primero que ha de hacer es introducir el DVD de Microsoft Office en su ordenador. Automáticamente, al cabo de unos segundos le aparecerá una pantalla como la que muestra la figura 1.13. Acostúmbrese a esa pantalla si utiliza Windows vista ya que le requerirá autorización para instalar cualquier programa. Haga clic en **Ejecutar SETUP.EXE**.
2. Después, casi inmediatamente, le aparecerá una pantalla (véase la figura 1.14). Sólo tiene que hacer clic en **Instalar ahora**. Como verá, el proceso es muy sencillo y casi automatizado.
3. Si en lugar de querer instalar todo el paquete Office desea realizar una instalación personalizada, haga clic en **Personalizar**, pero esta opción sólo es recomendada para usuarios expertos.

Figura 1.13. Ejecutar instalación de Office.

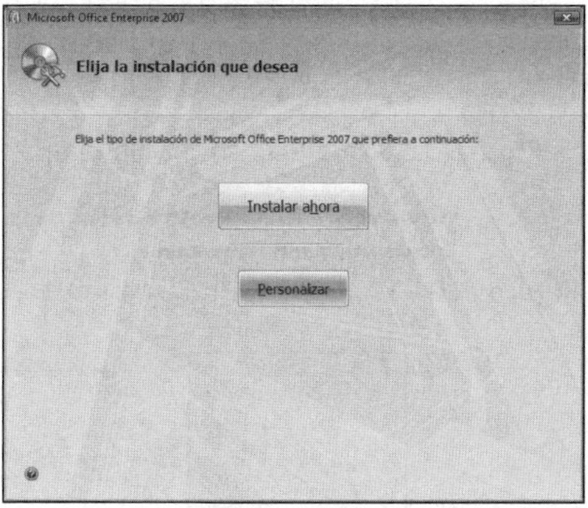

Figura 1.14. Instalar Office.

4. Después de unos minutos aparecerá una nueva pantalla en la que se le confirmará la instalación correcta del
software en el equipo. Si no desea hacer nada más puede hacer clic en **Cerrar**, pero es recomendable hacer
clic en **Conectar con Office Online** para obtener las
últimas actualizaciones del equipo (véase la figura 1.15).

5. Para iniciar Word por primera vez, haga clic en el
Botón de Inicio de la Barra de tareas y escriba Word
en el buscador, como muestra la figura 1.16.

6. Después, mire un poco más arriba y verá como el
nuevo buscador de Windows Vista ha localizado el
archivo ejecutable. Haga clic sobre él y accederá a
Word 2007 sin ningún problema (véase la figura 1.17).

7. La primera pantalla le preguntará si quiere obtener ayuda en línea, mantener el sistema en ejecución o mejorar
Office. Lea las opciones y seleccione las que crea con-
veniente. Haga clic en **Aceptar** (véase la figura 1.18).

Figura 1.15. Instalación terminada.

Figura 1.16. Word en la Barra de tareas.

Figura 1.17. Arranque Word por primera vez.

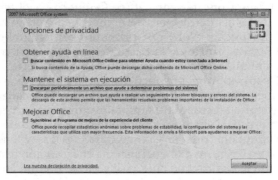

Figura 1.18. Solicitud de ayuda online.

1.5. La nueva interfaz

Si hay algo que llama la atención a primera vista del nuevo Word 2007 es, sin lugar a dudas, su nueva interfaz gráfica. Es decir, la apariencia. Son ya muchos los años que los usuarios habituales llevan utilizando Word como su procesador de textos habitual y son muy pocos los cambios en este aspecto que se han venido realizando en las sucesivas versiones del programa.

Al menos, hasta ahora. El habitual sistema sobrio, muy blanco, emulando a su manera a la edición directa que existía con las máquinas de escribir ha dado un vuelco total en este atrevido y atractivo Word 2007.

Atrás han quedado ya también los menús desplegables con multitud de opciones que complicaban la búsqueda de opciones y que molestaban a la visibilidad de documento; atrás han quedado también las barras de herramientas personalizables que se quedaban flotando en la pantalla sin aparente orden.

Ahora, todo es mucho más atractivo visualmente y, sobre todo, más intuitivo, más práctico, más sencillo. En definitiva, más útil.

El nuevo diseño gráfico de Word es un reclamo ideal para aquellos que no tenían claro las bondades de las últimas actualizaciones del software y no creían en la utilidad de renovar el procesador de textos.

Y es que estamos hablando de un cambio total, una presentación de los documentos diametralmente distinta. Porque, aunque el texto que el usuario está escribiendo en la pantalla aparece de la misma manera (lo que ves es lo que hay), todo lo que lo rodea ahora es mucho más visual y accesible.

Para empezar, el propio fondo del programa ha cambiado. Ahora, Word es, aparentemente, un programa con diseño vanguardista: los tonos azules se mezclan con los blancos y la apariencia es mucho más relajada que en sus anteriores versiones. Según se va usando Word da la impresión de que estamos utilizando un programa avanzado. Hasta hoy, utilizar Word era como regresar al pasado, como utilizar aquellos programas con los que los ordenadores fueron creciendo. Word 2007, sin embargo, deja claro que estamos trabajando con un programa actual. Y eso no es poco.

1.6. Las pestañas

Si hay algo que destaca en esta versión de Word por encima del resto es el cambio de estructura de las funciones. Si hasta ahora siempre había estado todo guardado en menús desplegables que se encontraban en la parte superior de la pantalla, ahora el usuario debe acostumbrarse a encontrarse con todos los comandos incluidos en unas nuevas pestañas.

Aunque al principio se produce una situación bastante extraña para los usuarios ya habituales de Word al actualizarse a esta nueva versión, lo cierto es que la mejora es bastante sustancial y para los iniciados esta nueva estructura es, sin duda, una buena noticia, ya que es mucho más sencillo familiarizarse con esta nueva disposición ya que todo se encuentra a la vista y muy claro.

Se ha dividido toda la parte superior en siete pestañas principales, aunque en algún momento puede aparecer alguna pestaña más específica con comandos propios de alguna acción.

1.6.1. Inicio

La pestaña de Inicio es la que viene abierta por defecto siempre que se inicia Word y contiene algunos de los elementos más básicos y más utilizados de Word, ya que son las acciones puras de edición de textos. Gracias a estos comandos y a su facilidad, es muy sencillo en cualquier momento cambiar el formato del texto que estamos realizando. A través de esta pestaña, que explicaremos detenidamente más adelante, se puede cortar, copiar y pegar texto, cambiar las fuentes, su estilo, su tamaño o su color, su formato, determinar los párrafos, su sangría, cambiar de estilos o buscar palabras en el texto.

1.6.2. Insertar

La pestaña Insertar aparece en segunda posición es también una pestaña con funciones muy interesantes ya que son bastante recurridas cuando se usa Word. Como su propio nombre indica, estas funciones permiten integrar en los documentos sobre los que se trabaja todo tipo de objetos: portadas, páginas en blanco, tablas, imágenes de todo tipo, gráficos, hipervínculos, referencia cruzadas, encabezados y pies de página, numeración, cuadros de texto, símbolos, etc.

1.6.3. Diseño de página

En la pestaña Diseño de Página se encuentran todas las funciones que permiten personalizar los documentos. Son muy útiles si se realizan antes de comenzar a escribir o incluso después, una vez se haya terminado, para configurar un documento a la medida. Se pueden cambiar los temas, la orientación de la página, el tamaño de los márgenes, las columnas, introducir marcas de agua, cambiar de color el fondo de la página, poner bordes, establecer sangrías, espacios, etc.

1.6.4. Referencias

La pestaña Referencias incluye ya funciones más avanzadas, menos necesarias para el usuario medio y nada imprescindibles para conocer las funciones básicas de Word, pero muy útiles para quien quiere conocer a fondo este programa o para usuarios que demandan herramientas como tablas de contenido, notas al pie, citas y bibliografía, etc.

1.6.5. Correspondencia

En la pestaña Correspondencia se integran un buen puñado de funciones muy útiles para compaginar Word con Outlook y tener así una buena experiencia con el correo electrónico y el editor de textos. Aquí se puede realizar combinación de correspondencia y todo tipo de funciones relacionadas con ese efecto.

1.6.6. Revisar

En la pestaña Revisar se han añadido muchas de las características más útiles a la hora de realizar la corrección de un texto, insertando muchas novedades. Aquí se puede acceder a las funciones de revisión de ortografía y gramática, a los sinónimos, a las funciones de escribir comentarios y realizar control de cambios, al panel de revisiones y a las marcas de cambios para aceptar o rechazar correcciones, además de un nuevo e interesante panel de comparación de versiones.

1.6.7. Vista

La última pestaña fija, Vista, incluye todas las posibilidades de presentación del documento en la pantalla. Los diseños para ver los documentos, los iconos a presentar en la pantalla, las opciones del zoom o las ventanas y las macros.

1.7. Botón de Office

El **Botón de Office** ( ) es una de las nuevas funcionalidades que trae esta versión de Word. En realidad, es novedad en todo el paquete Office, de ahí su nombre, por lo que hay que familiarizarse rápidamente con él si se quiere aprovechar al máximo las bondades de este software.

El **Botón de Office** se encuentra situado en la parte superior izquierda de la pantalla y para utilizarlo sólo hay que hacer clic sobre él. Será muy útil porque es el lugar donde se crearán nuevos documentos, donde se guardarán los archivos (aunque se pueden crear accesos directos como ya comentaremos más adelante), donde se imprimirán los documentos, etc. Una vez se ha hecho clic sobre él, aparecerá el menú que se puede observar en la figura 1.19.

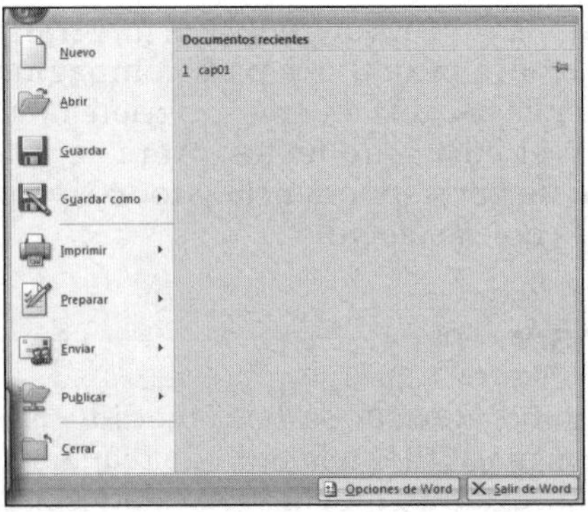

Figura 1.19. Menú del Botón Office.

En el menú del **Botón de Office** aparecen muy detalladamente todas las opciones que se pueden realizar, por lo que no hay nada más que seleccionar la opción deseada para llevar a cabo su función. Se encontrará con las siguientes opciones:

- **Nuevo** (![Nuevo]): Haciendo clic sobre este botón, será dirigido hacia una nueva pantalla (véase la figura 1.20). En ella, por defecto, aparece seleccionada la primera opción, En blanco y reciente, en la que podrá elegir entre dos opciones: documento en blanco o nueva entrada de blog. La primera, la más habitual, es la que se utiliza siempre para iniciar un nuevo documento de texto en Word, por lo que será una de las funciones más utilizadas. La segunda, por su parte, es una de las grandes novedades de esta versión y supone un gran paso a la hora de poder integrar este editor de textos con las tendencias de Internet, ya que permite crear nuevas entradas en blogs desde el propio Word, permitiendo así su edición y su maquetación de forma rápida y sencilla.

Figura 1.20. Nuevos documentos.

Para crear usar cualquiera de las dos opciones, sólo hay que hacer clic en cualquiera de ellas y después seleccionar **Crear**. Además de crear documentos en blanco y totalmente nuevos, Word integra un importante número de documentos estándar o plantillas que pueden ser utilizados por los usuarios para realizar documentos más complejos de la manera más rápida y sencilla (véase la figura 1.21). Los detallamos a continuación, aunque para conocerlos todos más al detalle, se recomienda investigar detenidamente sobre ellos cada vez que se quiera utilizar algún tipo de documento en particular ya que este tipo de opciones no son las más usadas y son muy fáciles de localizar cuando son necesarias.

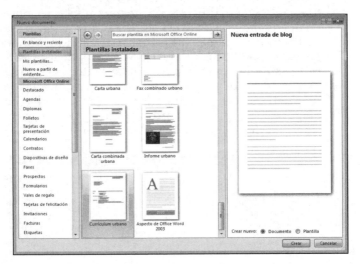

Figura 1.21. Plantillas.

- En blanco y reciente:
  - Plantillas instaladas
  - Mis plantillas
  - Nuevo a partir de existente
  - Microsoft Office Online
  - Destacado
  - Agendas
  - Diplomas
  - Folletos
  - Tarjetas de presentación
  - Calendarios
  - Contratos
  - Diapositiva de diseño

- Faxes
- Prospectos
- Formularios
- Vales de regalo
- Tarjetas de felicitación
- Invitaciones
- Facturas
- Etiquetas
- Cartas
- Listas
- Memorandos
- Actas
- Boletines
- Planes
- Programadores
- Postales
- Órdenes de compra
- Informes
- Currículos
- Programaciones
- Diseños de fondo
- Horarios
- Más categorías

- Abrir: La segunda de las opciones se utiliza para recuperar cualquier documento de Word que ya estuviera almacenado en el ordenador y que, de esta forma, puede ser leído o editado y modificado en cualquier momento (véase la figura 1.22).

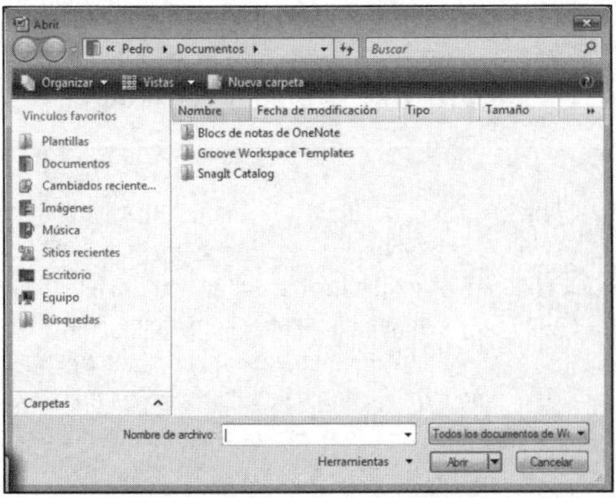

Figura 1.22. Ventana Abrir.

Haciendo clic sobre él, le aparecerá una ventana como
la de la imagen superior en la que le aparecerá el
explorador en el que puede buscar cualquier carpeta
donde tuviera almacenado el documento que busca.
Selecciónelo y haga clic en **Abrir** y el documento
aparecerá ante usted en la pantalla.

- Guardar (): La siguiente de las opciones se
utiliza, lógicamente, para guardar y almacenar cual-
quier documento en uso. Estamos ante una opción
totalmente indispensable en este editor de textos y
que ha de ser utilizada muy a menudo para no perder todos los datos actualizados. Haga clic sobre el
icono que muestra la figura 1.23 y le aparecerá una
nueva ventana en la que, de nuevo en el explorador,
debe seleccionar el lugar de destino del archivo que
está guardando. No se olvide de poner un nombre al
documento que desea guardar.

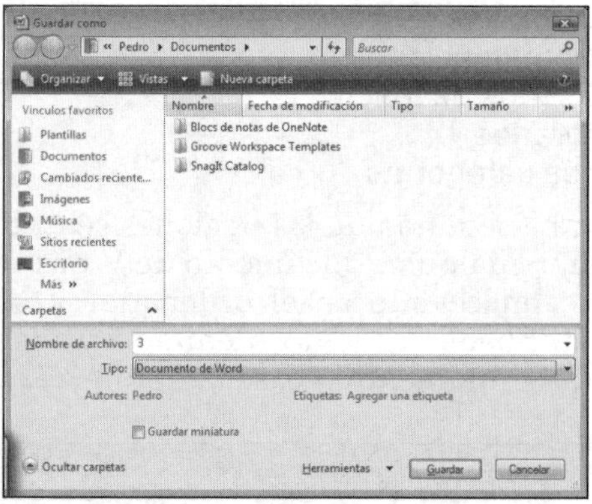

Figura 1.23. Ventana Guardar.

Nota: Word 2007 *guarda los archivos en un nuevo formato que comprime en mayor medida los datos para que
puedan ser almacenados en mayor espacio. Por ese motivo, los documentos guardados en el formato que aparece
por defecto no se podrán abrir correctamente en versiones
anteriores de Word, ya que puede haber elementos que no
sean compatibles. Por ese motivo, si cree que va a compartir el documento con alguien o que puede abrirlo más
adelante en otro equipo que no tenga instalado Word 2007,
guarde su archivo en un formato compatible.*

- **Guardar como:** Siempre que guarde un archivo por primera vez, es más que recomendable utilizar esta opción en lugar de la anterior ya que es aquí donde se puede seleccionar el tipo de archivo que se quiere guardar.

Los documentos de Word pueden ser guardados como:

- **Documento de Word:** Es el archivo estándar que Word incluye como predeterminado. Sin duda es la mejor opción para guardar documentos que siempre vayan a ser usados en el mismo equipo o en otros que tengan instalado este software, pero, ojo, muchos documentos pueden ser incompatibles si son abiertos en versiones anteriores.
- **Plantilla de Word:** Guarde así su documento si pretende que sea una plantilla, un modelo para utilizar documentos similares en el futuro.
- **Documento de Word 97-2003:** Es la opción más recomendable, a día de hoy, para la mayor parte de los usuarios. Aunque es cierto que almacenando los documentos en este formato no es posible utilizar muchos de los nuevos y útiles elementos que incorpora Word 2007 (sobre todo en el aspecto del estilo), lo cierto es que es la forma más segura de poder recuperar el documento y abrirlo en cualquier momento y en cualquier lugar. Aunque Word es el programa de edición de textos más utilizado y sus nuevas versiones se extienden de forma muy rápida, también es verdad que esta extensión suele tardar un tiempo en producirse, por lo que no es nada raro el caso de tener que abrir un documento en un equipo ajeno al usuario y que no contenga la última versión de este software. Así, si el documento realizado es posible que pueda ser abierto o modificado en otro equipo, lo más lógico es guardarlo en este formato. Si bien el documento está realizado para ser impreso y finiquitado, lo mejor es guardarlo con el formato estándar.
- **PDF o XPS:** Si los archivos de Word son los más comunes a la hora de crear documentos comunes, los PDF (archivos para ser leídos con el Acrobat Reader) son los archivos más usados para documentos más oficiales o serios. Su excelente com-

presión, su gran calidad gráfica, la posibilidad de unir texto e imagen de forma muy sencilla y la opción de conversión de casi todos los formatos, además de la opción natural de impedir que el documento sea modificado, hacen estos documentos imprescindibles a día de hoy. Por eso, esta nueva posibilidad de Word de permitir la creación de documentos PDF de forma directa es una grandiosa noticia para los usuarios de este programa. XPS es un formato propio de Word que tiene las mismas características que los PDF.

- **Otros formatos:** Guarde su documento en alguno de los muchos formatos disponibles: página Web, etc.
- **Imprimir:** Obviamente, esta opción se utiliza para imprimir en papel el documento creado en Word. Al hacer clic sobre el icono de la impresora, aparecerá una ventana como la que muestra la figura 1.24 en la que le dará tres opciones:

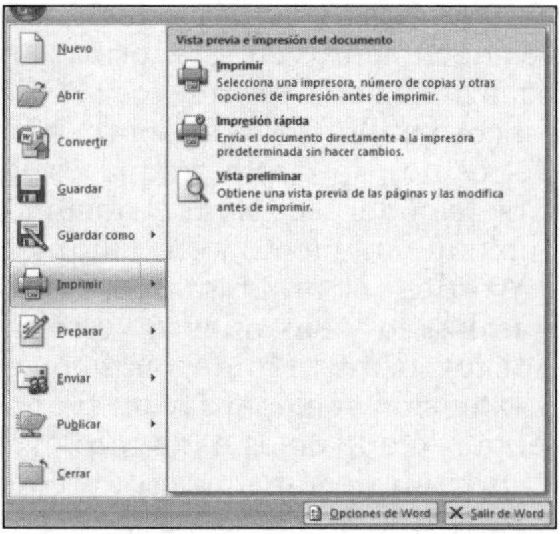

Figura 1.24. Imprimir.

- **Imprimir:** Es la opción clásica; al hacer clic se abre una nueva ventana en la que se pueden elegir las opciones de impresión: color, calidad, papel, etc.
- **Impresión rápida:** El documento en cuestión se lanza directamente hacia la impresora sin posibilidad de poder modificar ninguna opción de impresión.
- **Vista preliminar:** Interesante opción para conocer, antes de imprimir, cómo quedará el documento cuando sea impreso en papel.

- **Preparar:** Otra de las novedades de Word 2007. Gracias a este fácil menú, ahora es mucho más sencillo y rápido preparar documentos de forma profesional (véase la figura 1.25). Esta opción, aunque no será muy utilizada por el usuario medio de este editor de textos, puede proporcionar herramientas más que interesantes.

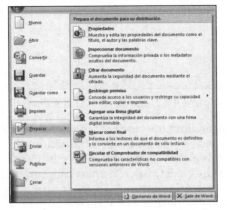

Figura 1.25. Preparar.

Permite las siguientes opciones:

- **Propiedades:** Permite personalizar el documento que se está editando y se pueden añadir campos como Autor, Título, Asunto, Palabras clave, Categoría, Estado o Comentarios (véase la figura 1.26).

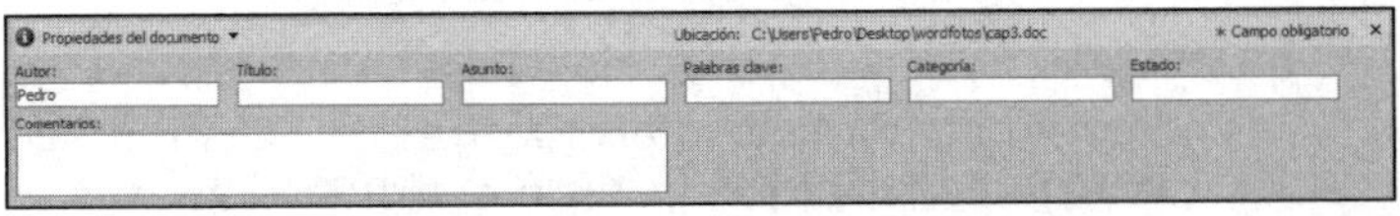

Figura 1.26. Propiedades del documento.

- **Inspeccionar documento:** Esta opción se utiliza para poder analizar exhaustivamente todo el documento y saber si hay comentarios, revisiones, anotaciones, información personal, encabezados, pies de página, texto oculto, etc. (Véase la figura 1.27.)

Figura 1.27. Inspeccionar documento.

- **Cifrar documento:** Esta herramienta es muy útil cuando se trabaja con un documento importante o privado o en ordenadores compartidos. Haciendo clic en esta opción aparecerá una ventana como muestra la figura 1.28 en la que puede escribir una contraseña que cifrará el documento, de manera que siempre que sea abierto de nuevo necesitará escribir la clave o no será posible.

Figura 1.28. Cifrar documento.

- **Restringir permiso:** Permite que su archivo sea abierto por cualquier otro o restrinja el acceso.
- **Agregar una firma digital:** La firma digital es la manera más segura de crear un documento personal y mantener la autoría del mismo en todo momento.
- **Marcar como final:** Esta opción permite marcar el documento como final y convertirlo en definitivo y sólo de lectura, por lo que sólo hay que llevarla a cabo en este tipo de casos ya que no podrá volver a modificarse.

- **Ejecutar el comprobador de compatibilidad:** Interesante opción para saber si el documento que está creando será compatible con las versiones anteriores de Word y, por tanto, la mejor manera de saber si merece la pena o no guardar el documento con la opción marcada por defecto o si le conviene guardarlo en una versión antigua y más compatible.

- **Enviar:** En este apartado se encuentran todas las opciones posibles para compartir un documento. Los documentos de Word suelen ser utilizados para crear documentos para compartir y enviar a otras personas. Para ello, esta opción que permite enviar por correo electrónico o fax los documentos de la forma más sencilla sin necesidad de abrir un programa o el correo electrónico.

Ofrece las siguientes posibilidades:

- **Correo electrónico:** Permite enviar una copia del documento en el formato en el que ha sido guardado como dato adjunto a un correo electrónico. Es más que recomendable su uso si se utiliza Microsoft Outlook, ya que se pueden enviar e-mails, sin necesidad de abrir el otro programa, directamente desde Word.

- **Datos adjuntos de correo electrónico como PDF:** Como ya hemos comentado, es posible crear directamente documentos PDF y, además, es posible enviarlos directamente como dato adjunto con solo un clic en esta opción.

- **Datos adjuntos de correo electrónico como XPS:** De igual forma que en el caso anterior, permite enviar documentos adjuntos en este formato.

- **Enviar fax de Internet:** A través de Internet es posible enviar el documento en cuestión como si fuera un fax.

- **Publicar:** Otra de las novedades. Con Word 2007 se puede utilizar un documento para hacerlo público de la forma más sencilla. Se puede publicar un blog, compartir el documento en un servicio de administración de documentos o crear un área de trabajo.

Además, también es posible acceder al menú de opciones de Word haciendo clic en el botón que se encuentra en la parte inferior derecha de la ventana (véase la figura 1.29).

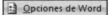

Figura 1.29. Opciones de Word.

En este menú se pueden configurar todas aquellas opciones que permiten personalizar Word al máximo para que la experiencia de cada usuario sea diferente.

Hay multitud de opciones:

- **Más frecuentes:** Se puede mostrar la minibarra de herramientas que se encuentra al lado del **Botón de Office** y que sirve de ayuda rápida (véase la figura 1.30), habilitar vistas previas activas, mostrar la ficha **Programador** en la cinta de opciones, abrir datos adjuntos de correo electrónico en vista Lectura de pantalla, combinar colores, modificar el estilo de información en pantalla, personalizar la copia de Word con su nombre o el idioma…

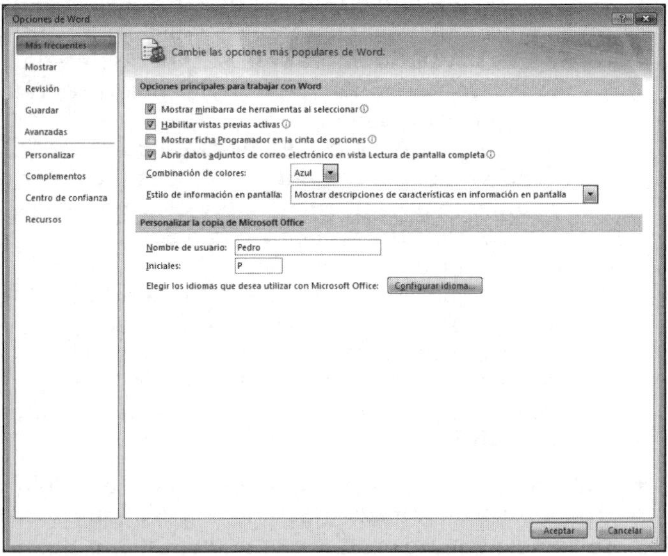

Figura 1.30. Ventana opciones de Word.

- **Mostrar:** Aquí es posible modificar el Diseño de impresión, mostrar marcas de resaltado, información sobre herramientas del documento al activar, etc.

- **Revisión:** En este apartado es posible cambiar las opciones de autocorrección y ortografía.
- **Guardar:** Aquí se puede cambiar el formato predeterminado de los archivos por otro a elegir, seleccionar cada cuánto tiempo se realiza una copia automática por si hubiera algún problema (autorrecuperación), etc.
- **Avanzadas:** Estas son las opciones de edición o de copiar, cortar y pegar, que son algunas de las características más habituales y prácticas de Word y que veremos más adelante.
- **Complementos:** Desde aquí se pueden ver y administrar complementos.
- **Centro de confianza:** El lugar apropiado para acceder a todas las opciones de seguridad.
- **Recursos:** Aquí se pueden encontrar un buen puñado de direcciones útiles de contacto para obtener ayuda en línea tanto del servicio del propio Word como del paquete Office.

1.8. Los ficheros Word

Hay que señalar que no es necesario abrir un programa como Word 2003 para poder abrir un documento guardado en él. Seguro que ya sabe que al hacer doble clic (o uno sólo y pulsar la tecla **Intro**) sobre el archivo que guarda el documento que queremos, se abrirá Word y cargará en su ventana principal dicho documento. Pero esto no es una casualidad. La explicación la tienen los formatos de los ficheros y las asociaciones que hace Windows con ellos y los programas.

1.8.1. Formatos

Un tipo de fichero suele corresponder con un formato de la información que lleva dentro, y Windows lo reconocerá por la extensión del archivo (las letras que hay al final del mismo, después de un punto), que suelen ser tres letras (aunque no siempre). Así, un archivo de texto plano suele guardarse con una extensión .txt y una imagen de compresión jpg lo hará con una extensión .jpg o, incluso, .jpeg. Word, desde hace tiempo, adjudicó a los ficheros que guardan sus documentos la extensión .doc, que hace que se pueda abrir con el mismo programa. En teoría parece que los archivos con extensión .doc son exclusivos de Word, pero no es del todo cierto. Otros programas compatibles podrían leerlos, o, incluso, generar sus mismos documentos. Es el caso, por ejemplo, del programa WordPad (también de Microsoft, viene "de serie" en Windows), que guardará sus documentos en archivos .doc.

Esto tampoco significa que Word 2003 no sea capaz de abrir otros archivos que no sean generados por él mismo, pues dispone de filtros para convertir archivos de otras aplicaciones (incluso algunas ya desaparecidas) y cargarlas en su área de trabajo. Por enumerar las más importantes, Word 2007 podrá abrir estos tipos de archivos (por su extensión):

- docx: Es el nuevo formato predeterminado de Word 2007. Comprime mejor los archivos y permite utilizar al máximo todas las funciones de este nuevo software. Ojo, no es compatible con las versiones anteriores y, por tanto, con las más comunes en la mayor parte de los ordenadores.
- doc: Extensión de los archivos de Word en todas sus versiones hasta ahora (aunque las más antiguas necesitan un filtro para cargarse, incluso la de Word para Macintosh) y de las versiones más antiguas de WordPerfect (más tarde creó su extensión propia aunque se comparten las dos).
- dot: Extensión de las plantillas de Word.
- txt: Es la extensión de ficheros con texto plano sin más, caracteres uno detrás de otro, sin colores, tamaños ni nada más.
- rtf: Es un formato que Windows creó para mejorar el universal fichero .txt, añadiéndole colores, formatos de letra y de párrafo. Es un formato para albergar ficheros algo más sencillos que los de Word 2003 y anteriores, gran cantidad de aplicaciones lo soportan. De hecho, se pensó como fichero estándar de texto con formato para Internet. Las letras de la extensión vienen de las siglas de *Rich Text Format*, es decir, Formato de texto enriquecido.
- wri: Son archivos del programa Windows Write, una de las aplicaciones de Microsoft para las antiguas versiones de Windows. De hecho, fue el predecesor

de WordPad y aparecía con el resto de utilidades del sistema operativo, como Paint, o la calculadora.

- wpd: Es el formato de archivo (que mencionamos antes) que a partir de la versión 6.0 WordPerfect hizo suyo, en parte para diferenciarse del de Word, su mayor competidor. Las letras significan WordPerfect Document.

- wps, .wpt, .wtf: Work 6.0 y 7.0 fue una versión de un programa de segunda generación muy popular en las oficinas, es decir, una suite de aplicaciones. Estas extensiones de fichero eran las que soportaban guardar sus documentos.

- htm, html, mht, mhtml: Seguro que alguna de estas extensiones nos resultan más conocidas. Todas éstas son de archivos que guardan código de páginas Web, aunque las dos últimas (.mht y .mhtl) guardan literalmente la página Web, es decir, con sus imágenes y otro elementos fuera del código HTML. Esto quiere decir, que Word se puede utilizar como un editor de páginas Web más.

- scd: Antes de que naciese Outlook existía un programa llamado Schedule+ que, entre otras funciones, almacenaba fichas de contactos con la información personal completa de personas, que solían ser los empleados o clientes de la empresa. Esta extensión es la de los archivos que guardaban estos contactos cuando se guardaban en disco, generalmente como copia de seguridad.

- olk: Lo que hemos dicho del anterior formato (.scd) se puede aplicar a éste, que ya es de Outlook. Son archivos con los datos de la Libreta de direcciones del programa, al igual que los contactos de Schedule+ y se suelen guardar para exportarlos a otro ordenador o como copia de seguridad.

- pab: Estas siglas proceden del inglés y hacen referencia a la Libreta personal de direcciones, un tipo de organizador de fichas personales que Outlook separa del resto de la red de la empresa y que sólo guarda información del usuario que lo esté utilizando. Al final, se trata de otro tipo de exportación de datos del programa.

- xml: Ésta fue una de las novedades más importantes de Word 2003, y es la lectura de archivos XML. En las versiones anteriores, los archivos se leían como texto sin formato, puesto que realmente, se trata de texto plano. Pero ahora se reconoce el formato de estos archivos, incluyendo las validaciones del contenido de las etiquetas que llevan dentro. Como con las páginas Web, Word vuelve a hacer la función de otros programas que ya hay en el mercado, en este caso para la lectura, modificación y validación de los datos de archivos XML.

Como hemos señalado, Word ya no sólo abarca a los archivos con documentos de escritos de texto, sino que abre su campo para archivos que guardan datos organizados en formato XML, código de páginas Web y libretas de direcciones con fichas de información de personas. Esto le sirve para convertirse en un editor de texto mucho más completo y atraer a una mayor cantidad de usuarios, como los que dicen: "Si ya lo hace Word, ¿para qué voy a conseguir otro programa?".

2

Pestaña de Inicio

2.1. Introducción

La pestaña de inicio es la primera que los usuarios se encuentran nada más abrir Word 2007. En ella se encuentran algunos de los elementos más utilizados y prioritarios para el uso de este editor de textos, por lo que la familiarización del usuario con ella ha de ser prioritaria. A continuación explicaremos pormenorizadamente todas y cada una de la opciones que se pueden realizar en esta pestaña y los consejos prácticos para poder ahorrar tiempo y esfuerzo y conseguir un documento de calidad de la forma más sencilla.

2.2. El "copy-paste"

Si hay una función que ha caracterizado siempre a Word es, sin lugar a dudas, el "corta y pega", denominado en inglés "*copy-paste*". Y es que su funcionalidad y utilidad es indudable. Estos comandos se utilizan para cortar o copiar texto desde otro documento, página Web o desde otro párrafo para pegarlo en un lugar nuevo del documento en uso y así ahorrar una importante cantidad de tiempo sin necesidad de tener que volver a escribir de nuevo las mismas palabras.

Los usuarios más habituales de Word y del sistema Windows ya saben que hay una forma rápida de utilizar estos comandos sin necesidad de tener que utilizar el ratón y los menús gracias a las combinaciones de teclas rápidas.

De hecho, tanto **Copiar** como **Cortar** y **Pegar** son, indudablemente, las combinaciones de teclas rápidas más conocidas. Así, haciendo clic simultáneamente en **Control-C**, el texto seleccionado se copiará al **Portapapeles**. Para pegarlo, no hay más que hacer clic en **Control-V**. Si, en lugar de **Copiar**, se quiere **Cortar**, lo que hay que hacer es pulsar al mismo tiempo **Control-X**.

De todas formas, para usuarios inexpertos o que no quieran complicarse con combinaciones de teclas, Word lo pone muy fácil. De hecho, son los primeros símbolos con los que el usuario se encuentra en esta nueva versión 2007.

- **Cortar:** El símbolo representado por la tijera ( ) representa el acceso directo al comando **Cortar**. Para utilizarlo, primero hay que seleccionar el texto que se desea cortar arrastrando con el ratón y, después hacer clic sobre el icono. El texto quedará en el **Portapapeles** y desaparecerá del documento (véase la figura 2.1). Después, haciendo clic en **Pegar** (ahora se explicará detenidamente), el texto puede ser insertado en cualquier parte del documento. También se puede consultar el portapapeles para conocer qué texto se ha guardado.

Figura 2.1. Portapapeles.

- **Copiar:** Funciona de la misma manera que **Cortar** pero con la salvedad de que el texto seleccionado y copiado no desaparece del documento, sino que se crea una copia exacta en el Portapapeles. Está representado por el icono ( ).

- **Pegar:** Es el símbolo más grande ( ) de los que aparecen en la primera parte de la pestaña.

  Su función, lógicamente, es la de colocar el texto almacenado en el Portapapeles, indiferentemente de si se había cortado o copiado, en el documento que se desea.

2.3. Cómo editar textos

La segunda parte de la pestaña de Inicio está dedicada a las fuentes y a sus características. Las fuentes siempre han sido parte fundamental de todas las ediciones de Word ya que es muy importante a la hora de decidir el aspecto que va tener el texto que hay que crear. Cuando hablamos de fuentes nos referimos, fundamentalmente, al tipo de letra que se va a usar para el documento en cuestión. Sobre todo en las versiones anteriores de este programa. Porque después, el resto de características cercanas (formato, tamaño, color...) aparecían por separado. En Word 2007, aunque mantienen su independencia, han sido agrupadas dentro de este grupo denominado Fuente que se encuentra en la segunda parte de esta pestaña de Inicio.

2.3.1. La fuente

El tipo de letra o fuente es el tipo de trazo que tienen los dibujos que forman los caracteres (letras, números, especiales). Si le hablamos de "Times New Roman" seguro que le suena.

Este es uno de los tipos de letra más utilizados en el mundo occidental, y de hecho es el que aparece por defecto en Word en casi todas las versiones, aunque no es el caso, ya que en este renovado software viene de inicio la letra *Calibri*.

Pero, ¿qué es realmente una fuente? Toda la colección de caracteres disponibles dibujados con un estilo particular. ¿Y quién diseña los trazados de las fuentes? Pues desde personas de a pie que las ofrecen gratuitamente en Internet hasta diseñadores gráficos que luego las venden.

> **Nota:** *Las fuentes informáticas no son propiedad de Word, sino que se instalan en el sistema operativo, pues éste también las utiliza para mostrar sus mensajes. No olvidemos que Word 2007 es un programa que funciona gracias a Windows, que le provee de ventanas, botones, fuentes y casi cualquier elemento para ilustrar las aplicaciones. Lo que sí es cierto es que Word 2007 trae su propia colección de fuentes, las cuales se registran en Windows en el proceso de instalación de la aplicación, añadiéndose a las que ya existían en Windows. Este tipo de fuentes suelen ser TrueType, aunque también se soportan la de tipo Adobe Type Manager. Para saber algo más de cómo se instalan nuevas fuentes en Windows, no dude en acudir a la ayuda del mismo sistema operativo, pues el proceso es sencillo.*

> **Nota:** *Aún así, existen formatos de documentos que pueden incorporan las fuentes dentro de ellos, como los Portable Document File (pdf) de Adobe, y las fuentes que suele incorporar son las Adobe Type Manager.*

Fuentes hay de muy diversos estilos. Las hay muy elegantes y estilizadas, algunas más serias y toscas y otras muy divertidas, simulando efectos de fuego, de globos, de materiales como la madera o el cristal, etc. Pero si hay algo que tienen en común todas ellas son dos cosas:

- **Los serif:** Los caracteres pueden acabar las líneas de sus trazos con una especie de topes o ribetes llamados serif. Son mayoría las fuentes que los llevan (se ven muy bien en Courier), aunque también hay otras conocidas que no los tienen, como Arial.
- **El tipo de anchura de carácter:** Dependiendo de la utilidad final del texto que se esté escribiendo, es posible que nos interese que todos los caracteres tengan idéntica anchura, es decir, que ocupen el mismo espacio unos y otros (es evidente que la letra "i" ocupa menos espacio que la "m"). De esta manera, sería de mucha utilidad esta característica del tipo de letra en un listado lleno de datos, para que éstos se puedan leer verticalmente de manera cómoda, columna a columna (se vería como una matriz de celdas, cada celda con un carácter). Éste sería el tipo de anchura fija (como en la fuente Courier), pero sin

duda la más común es el otro tipo, la anchura variable o proporcional (como Times New Roman).

El método más rápido para cambiar la fuente de un texto seleccionado es recurrir de nuevo a la pestaña Inicio, y en particular a la lista desplegable que se encuentra en el apartado **Fuente** donde normalmente se leerá "*Calibri*" (véase la figura 2.2). Si desplegamos la lista veremos una serie de nombres de tipos de letras escritas con sus mismas fuentes, así de una sola vez podemos ver cómo va a quedar el texto con la fuente que queremos y seleccionarla a la vez (véase la figura 2.3).

Figura 2.2. Fuentes.

Figura 2.3. Tipo de letra.

Nota: *Una nueva forma de aumentar o disminuir el tamaño es haciendo clic en uno de los dos iconos que muestra la imagen siguiente. El primero es para aumentar en un punto el tamaño de la letra y el segundo para disminuirlo de la misma manera. Se trata de una forma muy práctica que permite conseguir el tamaño deseado sin necesidad de saber su número exacto.*

- **Tamaño:** De la misma forma, es muy sencillo cambiar el tamaño de la fuente, de la letra. Sólo hay que desplegar el listado de tamaños y elegir el que parezca más adecuado (Véase la figura 2.4).

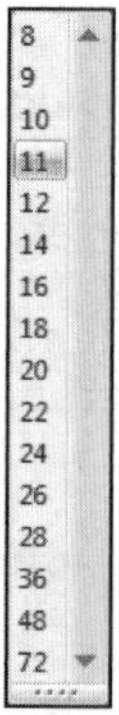

Figura 2.4. Modificar tamaño.

- **Borrar formato:** Un nuevo icono ha sido integrado en este apartado.
  Haciendo clic sobre él es posible anular el formato de cualquier texto seleccionado. ¿Y qué es el formato? Es muy sencillo. El formato es todo tipo de acción aplicada al texto: negritas, cursivas, tabulados, subrayados, etc. Es una opción útil para recuperar el texto original, sin ningún añadido.
- **Negrita:** La negrita es uno de los recursos más utilizados en los textos ya que permite resaltar alguna palabra o título en concreto. Se usa mucho para titulares, párrafos o textos importantes que merezca la pena resaltar. Para otorgar este formato, no hay más que seleccionar el texto deseado y hacer clic en el icono (**N**). Ejemplo: **texto con negrita**.
  Una vez realizado, el texto marcado quedará resaltado con un color más negro, más oscuro.
- **Cursiva:** La cursiva es otra forma de resaltar un título. Es habitual para pequeñas entradillas o para palabras que se encuentran en otro idioma, así como a veces se utiliza también para reproducir las palabras de alguien. Para utilizar este formato en algún texto sólo hay que seleccionarlo y hacer clic en el icono (*K*) y el texto aparecerá ladeado. Ejemplo: *texto con cursiva.*
- **Subrayado:** Como es obvio, esta función se utiliza para subrayar palabras y así destacarlas. Para apli-

carlo, seleccione el texto elegido y haga clic en el botón que muestra el icono ($\underline{s}$). Ejemplo: texto subrayado.

Si hace clic en el desplegable que aparece junto al botón, podrá seleccionar el tamaño de la línea de subrayado e incluso su color (véase la figura 2.5).

Figura 2.5. Desplegable subrayado.

- **Tachar texto:** Aunque Word 2007 integra una interesantísima herramienta de corrección, se ha añadido también un botón de fácil acceso de tachado. El tachado (abc) se suele utilizar mucho a día de hoy en los blogs para actualizar textos, tachando el antiguo y escribiendo uno original para dejar constancia de que se ha subsanado un error o la actualidad ha demandado una corrección. Para utilizarlo, haga clic en el botón que muestra tres letras tachadas después de seleccionar el texto a tachar. Ejemplo: ~~texto tachado~~.

- **Subíndices:** En muchas ocasiones, a la hora de escribir números o documentos numéricos o con contenido de este tipo, es necesario escribir números elevados al cuadrado, símbolos o subíndices para escribir notas al pie o fórmulas químicas. Para eso, se han incluido los iconos (x_2 x^2). Ejemplos: H_2SO_4, x^2, etc.

- **Cambiar mayúsculas por minúsculas:** Esta opción, que no estaba tan presente en versiones anteriores, puede ser muy útil a la hora de confeccionar textos que pueden ser modificados en el futuro. Gracias a este icono (Aa) es posible convertir un texto escrito en minúsculas a mayúsculas y viceversa. Sólo hay que seleccionar el texto elegido y hacer clic en el botón correspondiente.

- **Resaltado:** Cuando se está revisando un texto o cuando se pretende resaltar algún tipo de párrafo por cualquier razón, utilizar la opción de resaltado puede ser muy útil, ya que el texto elegido quedará enmarcado en el color elegido. Seleccione el texto deseado y haga clic en el icono (). Para cambiar el color del resaltado utilice el desplegable. Ejemplo: texto resaltado.

- **Cambiar el color de la fuente:** La última de las opciones de este menú permite modificar el color de las letras con las que se va a escribir. Aunque lo más común es escribir textos en negro, debido al fondo blanco de Word que emula un papel, siempre es posible cambiar el color de la letra y realizar así documentos muy variados, de todo tipo. Para cambiar el color haga clic en el icono que se muestra a continuación y empezará a escribir con ese formato. Para cambiar el color, selecciónelo del desplegable. Ejemplo: texto en otro color.

2.4. Los párrafos

Para personalizar los textos, es muy importante elegir el modo en el que se desean crear los párrafos. Y es que no es lo mismo comenzar en la parte izquierda de la página que un poco más tabulado hacia la derecha, o con el texto alineado hacia la izquierda o centrado, etc. (Véase la figura 2.6.)

Figura 2.6. Párrafos.

A continuación veremos las diferentes opciones que se pueden realizar en el apartado denominado Párrafo que se encuentra en la pestaña de Inicio.

- **Crear viñetas:** Las viñetas en Word son los boliches ( ) que permiten separar unos textos de otros para crear listados sin enumerar, no confundir con viñetas de cómic. Cuando se selecciona el icono de **Viñetas**, Word coloca al siguiente párrafo de forma automática un boliche delante del texto y, además, le otorga un formato distinto (véase la figura 2.7).

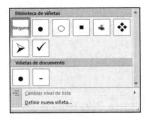

Figura 2.7. Tipos de viñetas.

Cuando se termina de escribir el párrafo y se pulsa la tecla **Intro**, un nuevo boliche aparecerá en el próximo párrafo. Si no se desea utilizarlo y lo que se quiere es volver al formato original a la parte izquierda de la pantalla, no hay más que hacer clic de nuevo en la tecla **Intro** y se recuperará inmediatamente. En cualquier momento se pueden cambiar los tipos de boliche y seleccionar el más apropiado o deseado (véase la figura 2.8).

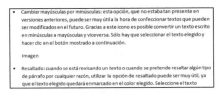

Figura 2.8. Ejemplo de viñetas.

- Enumeración: Al igual que es posible crear listados de boliches, también es muy sencillo hacer lo propio de forma numerada. Seleccione el texto deseado y haga clic en el icono ( ). Si desea elegir algún tipo de numeración en particular, haga clic en el desplegable y decida el más apropiado para su documento (véase la figura 2.9).
- Crear listas: Una de las cosas más habituales cuando se crear un documento es establecer varias listas de párrafos.

Figura 2.9. Desplegable.

No es nada extraño crear apartados que tengan, a su vez, otros subapartados que necesiten ser nombrados de diferente forma. Para eso, y solucionando los problemas que en otras versiones anteriores creaban estos listados, Word 2007 incluye este icono ( ), que puede ver en la figura 2.10. Si hace clic en el desplegable podrá elegir el tipo de nomenclatura que quiere dar a su listado, así como su formato.

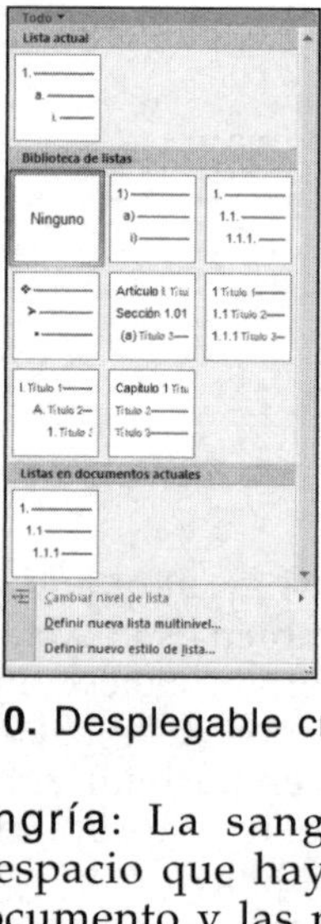

Figura 2.10. Desplegable crear listas.

- **Aumentar sangría:** La sangría en Word es la tabulación, el espacio que hay entre el margen izquierdo del documento y las primeras letras escritos. En textos planos estas opciones no se manejan, pero cuando se quiere crear un documento con listados y numeraciones, como describíamos en los apartados anteriores, estas opciones son básicas para conseguir los resultados óptimos. Los dos iconos (▦ ▦), clásicos de todas las versiones de Word, permiten avanzar un espacio de tabulación (a izquierda o derecha) por cada vez que se hace clic sobre ellos.

- **Ordenar:** Cuando se realizan índices o listados numéricos, esta herramienta es básica para conseguir un orden alfabético o numérico perfecto y sin necesidad de perder tiempo. No hay más que seleccionar el texto en cuestión y hacer clic en el icono adecuado (▦), y el resto lo hará todo Word. Es muy sencillo.

- **Marcas:** Word siempre ha utilizado un sistema de marcas para indicar los párrafos y los tipos de formato aplicados a cada texto que se escribe en un documento. Haciendo clic sobre este botón (¶), se mostrarán todos estos símbolos. Se trata de un elemento no muy utilizado por los usuarios comunes de Word pero muy útil para usuarios avanzados o para corregir textos.

- **Alinear el texto:** Otro de los elementos clásicos y básicos de Word siempre ha sido la posibilidad de alinear los textos para dar un formato óptimo a los documentos. Haciendo clic, respectivamente, en los cuatro iconos que muestra la figura 2.11, se consigue que el texto quede alineado a la izquierda, centrado, alineado a la derecha o justificado.

Figura 2.11. Iconos alineación.

Nota: *Habitualmente, el formato más utilizado en general para crear documentos es la alineación hacia la izquierda, aunque en ocasiones se utiliza el centrado sobre todo para los títulos de los documentos o los titulares. El formato justificado es también muy útil porque da apariencia de homogeneidad al texto al igualar la distancia con los márgenes derecho e izquierdo e introducir caracteres blancos en medio para conseguir una apariencia más recta.*

- **Interlineado:** Otra opción muy sencilla de Word y, al mismo tiempo, muy útil es la posibilidad de establecer el espacio existente entre las líneas, el interlineado. Lo más habitual es elegir un espacio de entre 1 punto y 1,5 puntos para que los saltos no sean demasiado bruscos, aunque es posible elegir mayores diferencias. A mayor espacio de interlineado, más espacio ocupará el documento. Haciendo clic en el icono ( ), se podrá elegir el espacio comentado.

- **Sombreado**: Esta opción, similar a la de resaltar aunque con distinto efecto, permite seleccionar una sombra del color elegido para el texto seleccionado. Sólo hay que elegir un texto, seleccionarlo y hacer clic sobre el botón correspondiente. Para elegir el color más apropiado, elija uno del desplegable.
- **Poner bordes**: En cualquier momento es posible encuadrar el texto elegido con algún tipo de borde. Así, el texto aparenta estar introducido en una caja. Sólo hay que hacer clic en el desplegable que muestra el botón ( ), y seleccionar el tipo que más interese.

2.5. Ponga estilo en su texto

Los estilos permiten personalizar aún más los documentos de Word. Sirven para crear funciones que ahorren mucho tiempo a la hora de crear documentos que contengan distintos apartados, titulares o párrafos (véase la figura 2.12).

Figura 2.12. Estilos.

Una de las mejoras más atractivas de esta nueva versión de Word es que muchos de los cambios que se pueden realizar a los textos se pueden previsualizar de manera automática sin necesidad de llevarlos a cabo. Es el caso del estilo. Si pasamos el ratón sobre las cajas que muestran las letras y los distintos estilos posibles, el texto sobre el que se está trabajando cambiará automáticamente aunque no se hará efectivo, por lo que es posible saber si eso es lo que se estaba buscando. De no ser así, se puede probar con otro o dejar el estilo habitual. Haciendo clic en las flechas que acompañan a las cajas de texto se pueden acceder a un importante número de estilos distintos para todos los gustos.

Además, haciendo clic en **Cambiar de estilos** accederemos a un menú que permite conocer un buen puñado de estilos predeterminados que pueden darle un toque original al texto que se está creando. Además, dado el caso, es posible cambiar el color y las fuentes. El estilo predeterminado es en blanco y negro pero se puede retomar al estilo habitual de la edición previa de Word o elegir el que más guste al usuario (véase la figura 2.13).

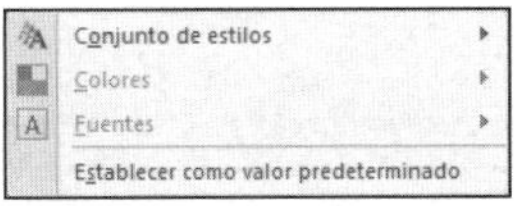

Conjunto de estilos
Colores
Fuentes
Establecer como valor predeterminado

Figura 2.13. Opciones de estilo.

2.6. Búsquedas y correcciones rápidas

El apartado que Word ha denominado Edición y que es el último que se puede consultar en la pestaña de Inicio, es muy interesante.

Sobre todo en documentos grandes. Gracias a él, es posible realizar búsquedas de palabras en todo el documento de forma muy rápida y evitar tener que leérselo entera y detenidamente. Es sobre todo muy práctico para poder encontrar en todo el documento una misma palabra y, si es necesario, modificarla de forma instantánea (véase la figura 2.14).

Figura 2.14. Edición.

2.6.1. Búsquedas y correcciones rápidas

- **Buscar:** Haciendo clic en el icono de los prismáticos del apartado Edición, aparecerá la ventana que se puede ver en la figura 2.15 en las próximas líneas:

Para realizar una búsqueda de texto dentro del documento deberemos seguir estos pasos:

1. Ir a la pestaña Inicio y seleccionar la opción Buscar que se encuentra en el apartado Edición o bien pulsar las teclas de método abreviado **Control-B**.
2. Aparecerá el cuadro de diálogo Buscar y reemplazar (véase la figura 2.15) con la ficha Buscar visible.

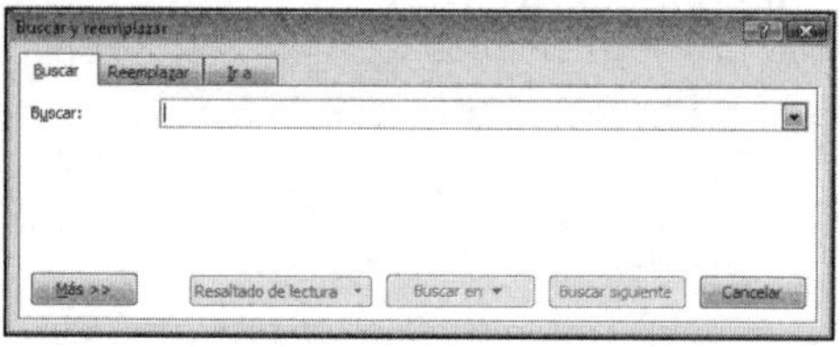

Figura 2.15. Buscar y reemplazar.

3. En el cuadro de texto Buscar: escribiremos los caracteres que queremos buscar en el documento.
4. Hacemos clic en el botón **Buscar siguiente**.
5. Si hay alguna coincidencia se seleccionará. Como el cuadro de diálogo no desaparece, Word 2007 intentará apartarlo para que al menos se vea la selección detrás en el documento.
6. Si queremos continuar buscando haremos clic más veces en el botón **Buscar siguiente**.
7. Si no hay más coincidencias aparecerá un cuadro de diálogo de alerta diciéndonos que Word terminó de buscar en el documento.
8. Si en lugar de buscar uno a uno queremos que se seleccionen todas las coincidencias del texto a buscar, activaremos la casilla de verificación Resaltar todos los elementos encontrados en:, con lo que el botón de búsqueda se llamará ahora **Buscar todos**. En la lista desplegable se podrá elegir ente buscar en el documento principal o en alguna selección que tuviésemos hecha antes de buscar. Al hacer clic sobre el nuevo botón de búsqueda aparecerán el número de coincidencias encontradas y las seleccionará.
9. Para terminar se hará clic en el botón **Cancelar**, o se cerrará el cuadro de diálogo sin más.

Aún así, a más de uno le molestará que el cuadro de diálogo de búsqueda esté siempre presente, impidiendo ver gran parte del documento. Para una búsqueda progresiva podemos utilizar dos atajos:

- Con las teclas de método abreviado **Control-Re Pág** (para buscar hacia atrás en el documento) y **Control-Av Pág** (para buscar hacia adelante).
- Con los botones de la barra de desplazamiento vertical, el que busca hacia atrás en el documento y el que busca hacia adelante.

De las dos formas se van seleccionando las coincidencias que se vayan encontrando progresivamente, hacia atrás o hacia adelante (para que se busque algo antes deberemos haber hecho una búsqueda mediante el cuadro de diálogo). Cuando lleguemos a los límites del documento donde estamos buscando, al final por ejemplo, Word nos mostrará una alerta donde nos avisa que se ha llegado al final del documento y nos preguntará si queremos seguir con la búsqueda desde el principio. De nosotros depende que queramos seguir o no haciendo clic en el botón **Sí** o **No** respectivamente.

> **Nota:** *La última búsqueda siempre se guarda en la memoria de Word 2007. Si no se ha hecho ninguna búsqueda desde la última vez que se abrió Word, por defecto estos saltos hacia atrás o hacia adelante los hará por cada página.*

2.6.2. Afinar la búsqueda

Estos pasos son para realizar búsquedas de texto sencillas, que en realidad son la mayoría que se utilizarán. Pero podría darse el caso de que queramos una búsqueda más exacta, con más criterios de búsqueda, o simplemente no buscar texto, sino un elemento del documento, como una imagen.

Para tener una búsqueda mucho más avanzada deberemos seguir los siguientes pasos:

1. Ir a Inicio>Buscar, o pulsar las teclas **Control-B**.
2. Aparecerá la ficha Buscar del cuadro de diálogo Buscar y reemplazar.
3. En el cuadro de texto Buscar: escribiremos el texto que queremos buscar en el documento.
4. Hacemos clic en el botón **Más** (y unas flechas hacia abajo) con lo que el cuadro se agrandará añadiendo

dos nuevas secciones, Opciones de búsqueda y Buscar.

5. En la primera sección tenemos:

- La lista desplegable Buscar: donde elegiremos la parte del documento que se quiere rastrear, a elegir entre Todo, Hacia delante y Hacia atrás.
- Coincidir mayúsculas y minúsculas, si activamos esta casilla se diferenciarán los caracteres del texto a buscar que estén escritos en mayúsculas o minúsculas.
- Sólo palabras completas, con esta casilla activada no se buscarán en el interior de las palabras, sino que buscará el texto escrito como una palabra completa. Si el documento es muy grande esta opción acelerará la búsqueda, pero tendremos menos posibilidades de encontrar lo que queremos.
- Usar caracteres comodín, donde podremos utilizar los comodines (o *wildcards*), como el asterisco (*) o el signo de interrogación final (?).
- Suena como, si se activa tirará del diccionario para buscar palabras que se parezcan a la que se está buscando.
- Todas las formas de la palabra, donde dependiendo del tipo de la palabra que estemos buscando, buscará todas sus formas. Si es un sustantivo buscará las formas del plural y del singular, si es un tiempo verbal buscará todos sus otros tiempos verbales, etc.

6. En la sección de abajo tenemos los botones Formato, Especial y Sin formato:

- Haciendo clic en el botón Formato se desplegará un menú para elegir las propiedades y formatos que se deben buscar además del texto: Fuente, Párrafo, Tabulaciones, Idioma, Marco, Estilo, Resaltar. Como vemos, las posibilidades de búsqueda aumentan enormemente.
- En el botón Especial aparecerá otro menú desplegable con numerosos caracteres especiales (o tipos de caracteres) que la mayoría no se ven, pero que están ahí (los veremos con las marcas de párrafo). Entre los que hay tenemos algunos conocidos como las tabulaciones o los saltos de línea

manual, incluso la posibilidad de buscar sólo números o sólo letras. Según vamos eligiendo algunos de estos caracteres se irán añadiendo al cuadro de texto Buscar: algunos símbolos, llamados códigos de control. Éstos no se buscarán literalmente, sino que cada uno tienen un significado para el criterio de búsqueda, como por ejemplo, ^t para buscar una tabulación.

- El botón **Sin formato** es sólo para anular los formatos que hayamos ido añadiendo a la búsqueda con el botón **Formato**.

Nota: *Podemos buscar sólo un formato o propiedad en general si no escribimos ningún texto a buscar.*

2.6.3. Dar el salto

Si lo que queremos es buscar alguno de estos elementos directamente, a través de algún identificador, o en saltos más grandes, deberemos abrir la ficha Ir a del cuadro de diálogo Buscar y reemplazar:

- Yendo la pestaña Inicio y seleccionando la opción Buscar o Reemplazar, podemos acceder a la pestaña Ira a...
- Pulsando la combinación de tecla **Control-I**.
- O, como acabamos de ver, elegir la primera opción en la paleta flotante del botón **Seleccionar objeto de búsqueda**, en la barra de desplazamiento vertical.

En la ficha, tenemos:

- La lista Ir a: con los elementos del documento a los que podemos dar el salto, como una página o un comentario.
- El cuadro de texto de su derecha, cuyo nombre cambiará dependiendo del elemento que estemos buscando. En la figura vemos que como lo que se está buscando es una página, la única forma de identificarla será con su número. Si lo que buscáramos fuese un campo nos preguntaría por el nombre del mismo. Además, si escribimos el signo de suma (+) o el de resta (-) y un número "n", el resultado dará un salto de "n" elementos hacia atrás y hacia delante, respectivamente.

- Los botones **Anterior**, **Siguiente** y **Cerrar**, para buscar la anterior correspondencia, la siguiente o cerrar el cuadro de diálogo (respectivamente) y dar por finalizada la búsqueda.

2.6.4. Buscar y reemplazar

Ya hemos visto cómo realizar todo tipo de búsquedas dentro del documento. Ahora lo que nos gustaría es añadir una funcionalidad extra a la búsqueda, que además de encontrar alguna coincidencia la sustituya por cualquier otra cosa. Y es que no sería la primera vez que estamos escribiendo un largo trabajo y nos damos cuenta de que hemos escrito mal el nombre de un libro al que hacemos referencia, y éste se repite por todo el documento. Bien, para eso tenemos la función Reemplazar.

Para utilizar dicha función tendremos que abrir la ficha Reemplazar del cuadro de diálogo Buscar y reemplazar de alguna de estas maneras:

- Seleccionando la opción Reemplazar de la pestaña Inicio en el apartado Edición.
- Pulsar la combinación de teclas **Control-L**.

> *Advertencia:* No es raro que alguien pulse la combinación de teclas **Control-R** para que aparezca la función Reemplazar. Mucho cuidado con esto, porque esas teclas corresponden al método abreviado del comando Cerrar, el cual cierra la ventana activa del documento de Word. Eso sí, si no la hemos guardado nos preguntará si deseamos hacerlo. Aún así, mucho cuidado a los que escribimos rápido con el teclado.

El contenido de la ficha Reemplazar comparte con la ficha Buscar muchos de sus elementos, incluidas las opciones avanzadas de búsqueda que aparecen al hacer clic sobre el botón **Más**. Los nuevos elementos son:

- El cuadro de texto Reemplazar con: donde escribiremos el texto que queremos que sustituya al que se esté buscando.
- El botón **Reemplazar**, donde buscará la primera coincidencia y cambiará su contenido por el nuevo que acabamos de escribir en el cuadro anterior.

- El botón **Reemplazar todos**, donde Word buscará todas las coincidencias y las reemplazará por el nuevo texto. Eso sí, tendrá el detalle de informarnos con un resumen la cantidad de reemplazos que ha logrado.

Advertencia: Debemos tener precaución con este botón, pues tenemos que estar seguros de que lo que estamos buscando no se repita ni se contenga en otras palabras. Por ejemplo, su queremos cambiar la palabra "cama" por "colchón", mejor activar la opción avanzada de buscar sólo las palabras completas, pues hay otras palabras que pueden contener las letras "cama", como "camarada" o incluso "camas". Menos mal que aún así tenemos la suerte de poder contar con la función **Deshacer** *para volver atrás si nos hemos equivocado.*

De todas formas, si lo que queremos es ver primero la coincidencia y después ir reemplazando paso a paso lo que se va encontrando, los pasos son:

1. Hacer clic en el botón **Buscar siguiente**.
2. Cuando se localice la coincidencia (se seleccionará dentro del documento), la sustituiremos por el nuevo texto haciendo clic en el botón **Reemplazar**.
3. Si lo que se ha encontrado no es lo que queremos reemplazar, haremos de nuevo clic en el botón **Buscar siguiente**, hasta que localicemos lo que queremos, y volver por tanto a hacer clic al botón **Reemplazar**.

2.7. El arte de la selección

Aprender a seleccionar texto es importante, pues muchas de las modificaciones afectan sólo a una selección previa del mismo.

Enseguida nos daremos cuenta de que un texto está seleccionado cuando cambie el color de sus caracteres, es decir, si normalmente los caracteres tienen el borde negro sobre un fondo blanco, al seleccionarlos el color cambiará, ya que el fondo pasará a ser de color claro (véase la figura 2.16).

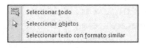

Figura 2.16. Seleccionar.

Vamos a enumerar las diferentes formas que hay de seleccionar texto en un documento de Word 2007:

- Una o más letras o caracteres (en el sentido de lectura). La selección se logrará de estas dos maneras:

  - Con el teclado, pulsaremos con la mano izquierda (la mejor situada) la tecla **Mayús** (no la tecla **Bloq Mayús**) y sin soltar la tecla, con la mano derecha iremos hacia la derecha y/o hacia abajo con las flechas de cursor (**Flecha dcha**/**Flecha abajo**), con la tecla de avance de página (**Av Pág**) o con la tecla **Fin**. Para un carácter nada más habrá que pulsar sólo una vez la tecla **Flecha dcha**.
  - Con el ratón colocamos el puntero con forma de cursor de texto delante del carácter donde se empezará la selección, se hace clic con el botón izquierdo y sin soltar el dedo del mismo se va moviendo el ratón hacia la derecha y/o hacia abajo.
  - Con el ratón también, pero sin arrastrar el puntero, colocamos el cursor de texto delante de la letra de inicio de la selección, se pulsa la tecla **Mayús** y sin soltarla se hace clic detrás del carácter que hace de final del marcado.

- Una o más letras o caracteres (en el sentido inverso de lectura). Si queremos empezar la selección por el final los pasos a seguir serán justo al contrario que en la opción anterior. Es decir, empezaremos con el cursor o puntero detrás del carácter donde comenzaremos y después se irá hacia atrás, bien con el ratón, o bien, con las teclas de dirección **Flecha izda**, **Flecha arriba**, **Re Pág** e **Inicio**.

Nota: *Si es novato en la informática y ha cogido pocas veces el ratón, puede llegar a ser complicado este tipo de selección. No se desanime e insista. Tampoco es que naciéramos con un ratón debajo del brazo, luego siga practicando y dentro de poco será coser y cantar.*

- **Una palabra:** Esta selección es de las más fáciles, sobre todo con el ratón.

  - Con el dispositivo roedor basta con que hagamos doble clic sobre la palabra que queramos marcar y ya está.
  - Con el teclado colocaremos el cursor delante de la primera letra y, a continuación, pulsaremos la combinación de teclas **Control-Flecha dcha**.

- **Una línea y su retorno de carro:** Se puede realizar con el ratón o con el teclado:

  - Con el ratón sólo hay que situarse en un hueco del margen izquierdo de la línea elegida (algo separado del texto) y cuando el puntero del ratón se invierta de sentido es cuando se hace clic. Si queremos más de una línea se arrastra sin soltar hacia abajo o hacia arriba.
  - Con las teclas situaremos el cursor al principio de la línea (con la tecla **Inicio**, por ejemplo), con una mano (la izquierda mejor) se pulsa la tecla **Mayús** y sin soltarla se pulsa la tecla **Fin** o la tecla **Flecha abajo** (con la derecha mejor). Esta última tecla se puede pulsar más veces para que se marquen más líneas.

- **Un párrafo:** Éste es otro de los métodos fáciles, pues sólo hay que hacer un triple clic sobre cualquier parte del párrafo que queremos seleccionar.

> **Truco:** *Si no queremos llevarnos con nosotros el carácter de retorno de carro (el salto de línea), después de pulsar la tecla **Fin** pulsaremos la tecla **Flecha izda**. Fijándonos bien veremos que un pequeño espacio marcado en negro (el retorno de carro) se desmarca del final de la línea.*

- **Todo el documento:** También disponemos de varias formas de realizar este marcado de texto:

  - Con la combinación de teclas (método abreviado, según Microsoft) **Control-E**.
  - Yendo a la pestaña Inicio y eligiendo la opción Seleccionar todo del apartado **Edición**.
  - Colocando el cursor del teclado al principio del documento (por ejemplo, con **Control-Re Pág**), pulsando la tecla **Mayús** y sin soltarla pulsar la combinación **Control-Av Pág**. Evidentemente conseguiremos el mismo efecto si lo hacemos en el orden inverso.

- **Un cuadrado de texto:** Como acabamos de comprobar, la selección de varias palabras es secuencial, sigue la dirección de lectura, en cualquiera de los dos sentidos. Pero a veces ocurre que el texto que queremos seleccionar está en un rectángulo imaginario en el interior de uno o más párrafos, y no ocupa las líneas al completo. Es el caso, por ejemplo, de cuando queremos seleccionar sólo las descripciones de los artículos de una factura que estemos redactando, sin incluir el precio unitario, la cantidad ni el subtotal de cada artículo (si la factura no está en una tabla de Word). Para conseguirlo pulsamos la tecla **Alt** y, sin soltarla, hacemos clic en una de las esquinas del rectángulo de texto imaginario que queremos seleccionar, y arrastramos. Según lo hacemos, veremos cómo se va dibujando un rectángulo de selección, el cual cerraremos soltando el botón izquierdo del ratón y la tecla **Alt** (en cualquier orden).

- **Selecciones múltiples:** Si no queremos una selección secuencial de las palabras, sino que queremos marcar diferentes fragmentos de texto no contiguos, lo que haremos es realizar una primera selección de texto (de la forma que queramos usando sólo el ratón) y para las siguientes dejaremos pulsada la tecla

Control. Así veremos cómo se van acumulando las marcas de texto seleccionado.

- **Texto con formato similar:** Ésta es una de las pequeñas mejoras que tuvo Word en la versión anterior. Se trata de una selección en todo el documento de grupos de texto que tengan aplicado un formato parecido. De esta manera podremos seleccionar todas las palabras del documento que estén subrayadas o de color rojo. Para probar esta función sólo tenemos que hacer clic con el botón derecho sobre el texto que tiene el formato deseado (por ejemplo, una palabra subrayada), y elegir del menú contextual la opción Estilo>Seleccionar texto con formato similar. Inmediatamente, veremos cómo se marcan todos los fragmentos de texto con formato parecido (en el ejemplo, todas las palabras o frases subrayadas).

Advertencia: Es importante saber que cuando se selecciona texto, cualquier cambio le suele afectar al mismo, incluso la escritura de nuevas letras. Es decir, que si seleccionamos la palabra "Invitación" y escribimos después una "A" veremos cómo desaparece la palabra y se sustituye por lo que acabamos de escribir. Esta es la norma en casi cualquier programa de Windows, más que nada porque cualquier cuadro de texto o lista desplegable donde dejen escribir se comportará de la misma manera. Pero Word 2007 nos ofrece la posibilidad de que esto no pase en la escritura de documentos. Se cambia en la configuración del mismo aunque no se recomienda porque no es lo habitual en los programas. Luego antes de escribir asegúrese de que no tiene seleccionado nada, a menos que desee que se elimine y sustituya.

Bien, ya sabemos seleccionar de todas las maneras posibles cualquier porción de texto del documento. A partir de ahora, la mayoría de los cambios que afecten al texto necesitarán primero de una selección. De hecho, la forma de escribir un documento en Word suele ser primero escribir el contenido, el texto sin más, y luego ir formateando, modificando, borrando y cambiando más texto, colores, tamaños, etc. Y ese es el ritmo al que irá avanzando este libro.

La otra forma de trabajar es fijando el formato colocando primero el cursor en cualquier parte del documento y aplicar un formato o estilo a lo que se escribirá a partir de ese punto. Esta forma de redactar un documento tiene sus ventajas y sus desventajas. Pero si nos despistamos con facilidad o escribimos con el teclado a una velocidad importante, suele atraer más la idea de escribir primero todo el texto de un tirón (o parte de él, como cada párrafo) y, a continuación, ir aplicando los formatos.

Como ya tenemos escrito el contenido del documento, empezaremos con las modificaciones.

2.8. Deshacer y rehacer los cambios

Antes de realizar ningún cambio en el documento debemos conocer una función casi fundamental que existe en Word 2007 (y en casi cualquier aplicación profesional). Word dispone de un sistema para deshacer los pasos que vayamos dando, bien porque nos equivoquemos, bien porque no nos guste cómo ha quedado algún cambio sobre el documento. La función se llama Deshacer y para poder probarla necesitaremos haber realizado algún cambio al documento desde la última vez que lo abrimos en Word 2007, como escribir texto o cambiar el tamaño de letra. Así podremos ir hacia atrás en los cambios que estemos haciendo. Para verlo:

- Haga clic en la combinación de teclas **Control-Z** una vez.
- En la barra de acceso rápido haga clic en el botón **Deshacer**, indicado con una flecha que vuelve hacia la izquierda en la parte superior izquierda de la pantalla, justo al lado del **Botón de Office** y del símbolo de **Guardar**.

Si queremos, podemos seguir yendo hacia atrás en los cambios repitiendo algunas de las acciones que acabamos de ver. Pero si lo que queremos es dar un salto de muchas acciones lo mejor es utilizar el propio botón **Deshacer**, pero esta vez desplegando su paleta flotante haciendo clic en el triángulo de su derecha. En esta paleta tenemos una lista de todas las acciones que se han ido realizando en el documento. Para volver a una en particular sólo tenemos que hacer clic sobre ella, y si no cabe en la paleta, nos moveremos por la barra de desplazamiento de su derecha hasta que la veamos.

Es posible que nos hayamos equivocado o arrepentido de volver atrás. Para deshacer lo deshecho tenemos la función **Rehacer**, que para que tenga efecto deberemos haber ido antes hacia atrás con su función hermana.

Los pasos para conseguir rehacer una acción son similares a los que acabamos de ver:

- Haga clic en las teclas **Control-Y** una vez.
- En la barra de herramientas Estándar haremos clic en el botón **Rehacer**, que se muestra justo al lado del de **Deshacer** pero con una flecha en el sentido inverso, hacia la derecha.

De igual manera que en la otra función, **Rehacer** también puede aplicarse varias veces al documento, o dar también el salto a una acción posterior más lejana. La forma de hacerlo es la misma, pero con sus respectivos botones y/o combinaciones de teclas.

3

Mucho más que textos

3.1. Pestaña de Insertar

Ya hemos dicho que Word 2007 es, ante todo, un procesador de textos. Y es verdad, no vamos a estas alturas a decir lo contrario. Sin embargo, una de las grandes ventajas de este programa es que es mucho más que eso. Sin duda, el éxito que Word ha tenido desde su lanzamiento se ha debido a que, de la forma más sencilla posible, se ha podido integrar texto con imágenes, encabezados, tablas, portadas, símbolos y otras muchas cosas que permiten crear documentos extremadamente completos.

Y es de todo eso, de todos los añadidos que se pueden ir metiendo a los documentos para complementar el texto, de lo que trata la nueva pestaña que han denominado Insertar, un nombre bastante apropiado, la verdad; porque lo que se hace es insertar cualquier tipo de objeto en el documento (véase la figura 3.1).

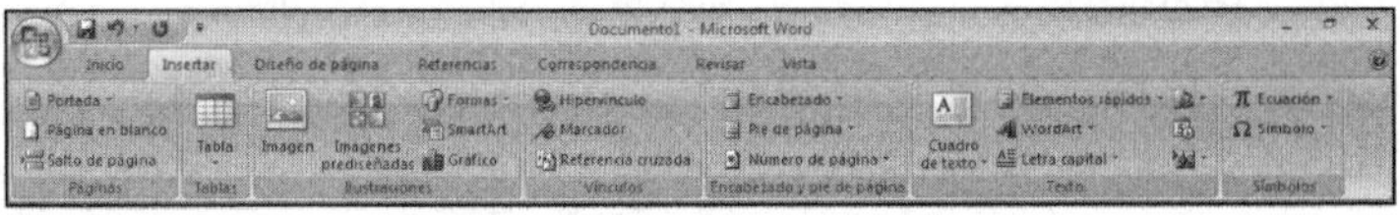

Figura 3.1. Pestaña Insertar.

3.2. Añadir páginas

El primero de los apartados de esta pestaña de Insertar ha sido denominado Páginas.

En él, se pueden llevar a cabo tres acciones relacionadas con la creación de nuevas páginas.

- **Portada:** Como su propio nombre indica, esta es la opción básica que hay que utilizar para crear una portada para el documento que se está creando.

  Haciendo clic en el icono (), se accede de forma rápida a un menú que muestra un amplio número de portadas prediseñadas que se pueden añadir al documento y que, como es lógico, se situarán automáticamente en el inicio del documento (véase la figura 3.2).

Figura 3.2. Apartado Páginas.

- **Página en blanco:** Esta opción (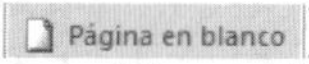) se utiliza para añadir una nueva página en blanco justo después de donde se encuentra el cursor del ratón en este instante.

  Por eso, hay que tener cuidado a la hora de añadir una nueva página ya que puede aparecer en un lugar que no es el deseado si no se mira con detenimiento la posición del cursor.

  Esta opción es útil cuando se quiere añadir una nueva página a un texto pero no se quiere que sea la última, sino que lo que interesa es completar el texto existente con nuevo contenido. Para realizar el proceso, sólo tiene que hacer clic en el botón **Página en blanco**.

- **Salto de página:** Haciendo clic sobre el último de los botones que forman el apartado Páginas (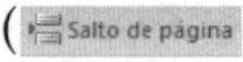) se crea una nueva página directamente desde la posición en la que se haga clic.

  Aunque Word inserta nuevas páginas siempre de forma automática cuando se está llegando al final de una, esta es una forma útil y práctica de comenzar una nueva página cuando se acaba un apartado y se termina a la mitad del folio, sin necesidad de tener que ir bajando con el cursor hasta que se acabe la página actual.

3.3. Crear tablas

Aunque el paquete Office ya incluye distintos programas que permiten la creación de tablas y que son específicos para ese menester, en Word siempre se han podido crear tablas de forma muy sencilla para poder ser integradas sin problemas en el texto. En este caso, se ha añadido un único botón grande de **Tabla** que da paso a una ventana que permite crear tablas del tamaño elegido de una forma sencillísima (véase la figura 3.3).

Figura 3.3. Crear tablas.

Además, de nuevo el resultado de la selección de las celdas que se quieren añadir se puede ir previsualizando en el documento, por lo que no es necesario imaginar qué es lo que se quiere hacer, sino que basta con probar y comprobar. De todas formas, si la inserción automática recién empleada no es fácil para los usuarios, se ha mantenido la posibilidad de crear una tabla al gusto dentro del botón **Insertar tabla**. Haciendo clic sobre él aparecerá una ventana como la que muestra la la figura 3.4 en la que se puede escribir el número de filas y columnas que se quiere que tenga la nueva tabla, así como una serie de parámetros propios.

Figura 3.4. Insertar tabla.

Otra de las novedades es que se puede crear una tabla dibujada muy fácilmente. Sólo se hace clic en **Dibujar tabla**, dentro de la ventana que aparecía al hacer clic sobre Tabla y se elige un lugar donde crearla.

Con la opción Convertir texto en tabla se puede insertar una nueva tabla que ya tenga incluido el contenido, ahorrando los típicos problemas de edición y compatibilidades de las tablas de las versiones anteriores. Y es que es en este tipo de usabilidad en la que se nota la evolución positiva de Word. Las tablas son algunos de los elementos más problemáticos de siempre en este editor de textos y parece que en Microsoft han tomado cuenta de ello y han presentado un sistema mucho más eficaz.

Con la opción Añadir Hoja de Excel se puede integrar con un par de clics una hoja de cálculo creada en el otro programa del paquete Office. La última de las opciones que permite esta ventana de **Tabla** es muy interesante ya que permite incorporar sin necesidad de realizar ningún tipo de esfuerzo tablas ya prediseñadas y muy prácticas, calendarios, etc. (Véase la figura 3.5.)

Figura 3.5. Ventana de Tabla.

Después de crear una tabla, si hace clic con el botón derecho del ratón sobre ella, podrá acceder a multitud de opciones que permiten su personalización: añadir o quitar celdas, meterle color de fondo, cambiar las fuentes del texto, su formato, insertar viñetas y muchas otras opciones que permiten la personalización total de los elementos.

Además, en la parte superior de la pantalla aparecerá un nuevo menú específico para las tablas con dos pestañas de herramientas propias: Diseño y presentación; en ellos se puede modificar el tipo de tabla, el grosor, el color, el sombreado y muchas otras cosas más.

3.4. Llene de color su texto

El tercero de los apartados de esta pestaña de Insertar se ha denominado Ilustraciones (véase la figura 3.6). En realidad, todo lo que se puede hacer en este apartado es mucho más que añadir ilustraciones, ya que es posible incluir imágenes, formas, gráficos y un sinfín más de opciones que otorgarán color y mejoras visuales a su texto. Aunque hay muchos textos que realmente requieren ser escritos de forma plana y sin ningún tipo de ornamentos, en realidad los mejores documentos son los que integran algo más, los que ofrecen color y luz.

Figura 3.6. Ilustraciones.

3.4.1. El lienzo

Éste es un elemento de Word que no hemos comentado hasta el momento. No es más que un área especial del documento donde se pueden incluir diversos objetos de dibujo o imágenes. Más tarde se podrán cambiar de tamaño y mover como si todos ellos fuesen un sólo objeto.

El que se utilice o no un lienzo de dibujo al utilizar autoformas y otros elementos gráficos dependerá de la configuración de Word 2007 que se tenga, específicamente Avanzadas del cuadro de diálogo Opciones de Word que se puede activar a través del **Botón de Office**, como ya hemos explicado antes. Si queremos que se utilice siempre un lienzo cuando insertemos objetos de autoforma, deberemos activar la casilla de verificación Crear automáticamente lienzo de dibujo al insertar autoformas.

Para empezar a diseñar con un lienzo de base, se puede empezar yendo al menú Insertar, y tras hacer clic en el botón **Formas** hay que hacer clic en Nuevo lienzo de dibujo. Así, veremos cómo en el documento aparecerá un recuadro con los límites del lienzo y una nueva pestaña en la parte de arriba del texto en la que podrá realizar un importante abanico de opciones.

- **Ajustar:** Esta acción hace que el lienzo se ajuste a los elementos que guarda dentro, ocupando sólo lo que ocupe el contenido. Si queremos cambiar este ajuste manualmente, podemos hacer clic a una de las esquinas o segmentos del lado en negro que hay dentro del recuadro del lienzo y arrastrarlos. Con esto iremos recortando o agrandando el espacio del lienzo, pero el contenido del mismo (los elementos gráficos) seguirán con su mismo tamaño y posición.
- **Expandir:** El tamaño del lienzo se irá agrandando en cada clic de este botón.
- **Ajustar el tamaño del dibujo:** Si activamos este botón, el marco de selección del lienzo cambiará, y sus lados y esquinas tendrán unos círculos blancos. La función de estos círculos es hacer clic sobre alguno y arrastrar para cambiar el tamaño del lienzo manualmente, con lo que cambiará el tamaño del lienzo y de todos sus elementos (proporcionalmente). Cuando se desactive este botón (haciendo clic de nuevo sobre él), el marco de selección volverá a ser como antes, por lo que si hacemos clic sobre éste y arrastramos, lo que haremos es moverlo de posición.
- **Ajuste del texto:** Haciendo clic en este botón nos aparecerá un menú desplegable, donde podemos decidir cómo colocar el lienzo con respecto al texto del documento donde se inserte.

Si en cualquier momento queremos que alguno de los elementos gráficos del lienzo deje de formar parte de él, lo único que tenemos que hacer es un clic sobre él y, sin soltar el dedo del ratón, arrastrarlo hacia fuera de los límites del lienzo. En ese momento, el elemento expulsado será independiente, con sus determinadas propiedades con respecto al resto del documento. Para volver a insertarlo en un lienzo existente, haremos lo mismo, pero arrastrándolo dentro de él.

3.4.2. Insertar ilustraciones

Son muchas las opciones que Word permite insertar. Veamos las más comunes:

- Imagen (![icon]): Los ordenadores y las nuevas tecnologías han evolucionado tanto que cada vez es más habitual que la gente guarde en sus equipos imágenes y fotografías de cualquier tipo, por lo que no es nada fuera de lo común intentar añadir imágenes a un texto. Con esta función, accesible haciendo clic en el botón que se puede ver en la figura 3.7, se puede insertar cualquier fotografía que el usuario tenga almacenada en su equipo. Sólo tiene que buscarla y hacer clic en **Insertar**.

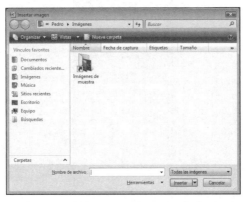

Figura 3.7. Ventana Insertar Imagen.

- Imágenes prediseñadas: Otra de las opciones más habituales de Word es la posibilidad de integrar en el texto una serie de imágenes ya prediseñadas. Haciendo clic en el botón (![icon]) el usuario tendrá acceso a una ventana lateral (véase la figura 3.8) en la que podrá realizar una búsqueda sobre las colecciones de imágenes que tenga almacenadas en su equipo (con el paquete de Office se incluyen algunas por defecto) o que encuentre online.

Las imágenes prediseñadas son un punto intermedio entre las autoformas y las imágenes. Son imágenes vectoriales, es decir, formadas por líneas y rellenos exclusivamente, con las que se componen objetos, personajes y paisajes más o menos sencillos. La ventaja que tienen es que se pueden aumentar de tamaño sin que pierdan calidad, aunque nunca se verán como una foto, porque en realidad son dibujos. Este tipo de imágenes se suelen utilizar en muchos documentos y presentaciones, y suelen aportar un toque que ameniza una página de un documento o una diapositiva de alguna presentación. Como las autoformas, también se organizan en categorías, aunque en este caso hay muchas más. De hecho, en Internet se pueden conseguir miles de este tipo de imágenes, tanto de Microsoft, como de terceras empresas, como de usuarios particulares que les guste el diseño.

Figura 3.8. Ventana lateral.

Nota: *A decir verdad, los clips han mejorado bastante, y ya se incorporan también fotografías, videos y sonidos, añadiendo un auténtico contenido multimedia a nuestros documentos y presentaciones.*

Para ver las imágenes prediseñadas que hay e insertarlas en el documento, seguiremos estas pautas:

1. Elegir la opción Imágenes prediseñadas de la pestaña Insertar y hacer clic en **Imágenes prediseñadas**.

2. Aparecerá el panel de tareas **Imágenes prediseñadas**, donde se pueden buscar todas las imágenes de clips que haya instaladas en nuestro ordenador y en Internet (si estamos conectados). Si hacemos clic directamente en el botón **Buscar** aparecerán todas las imágenes prediseñadas de todas las categorías.

3. En el mismo panel se puede filtrar la búsqueda por la localización de las imágenes (**Buscar en:**) y por el tipo de los clips (además, pueden ser sonidos, películas y fotografías).

4. Para insertar la imagen prediseñada en el documento, basta con hacer clic sobre su diapositiva en la lista. Si desplegamos el menú de cada diapositiva, haciendo clic en la flecha de su derecha o con el botón derecho del ratón, aparecerán una serie de opciones relacionadas con el clip, como copiarla al portapapeles, eliminarla o buscar otro clip del mismo estilo.

5. Además, en los tres vínculos de la parte inferior tendremos la posibilidad de organizar los clips, de ir a la Web de Microsoft Office Online para ver los clips más recientes, o pedir ayuda para la búsqueda más eficiente de estos elementos. Para el primer vínculo, aparecerá un cuadro de diálogo con un organizador de todas las colecciones de clips que tengamos en nuestro disco duro, para así poder gestionarlos, organizarlos y buscarlos mejor.
Como la imagen ya se ha insertado, podemos hacer con ella lo mismo que con los otros elementos gráficos (moverla, cambiarla de tamaño, girarla...).

• **Formas:** Las autoformas son los dibujos básicos por excelencia. Se trata de dibujos generados por líneas (curvas y rectas) y formas básicas, que tienen la propiedad de cambiar de tamaño y deformarse, incluso de unirse con otras autoformas. Word las agrupa en categorías, y éstas las podemos ver en la ventana **Formas**, que aparecerá al seleccionar la opción **Insertar>Imagen>Forma** (véase la figura 3.9).

Para insertar una autoforma en el documento o en un lienzo:

1. Vamos a alguna de las categorías de autoformas y hacemos clic sobre algunos de los pequeños botones con el dibujo de cada una. También podemos hacer

clic sobre uno de los cuatro botones anteriores, si nuestra elección es una de esas formas básicas.

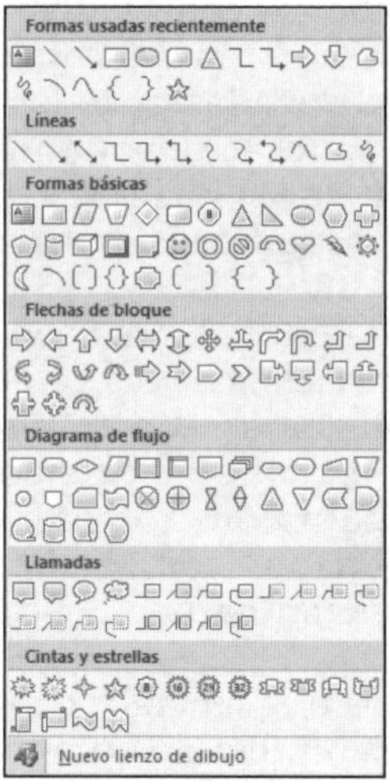

Figura 3.9. Formas.

2. Si tenemos la opción de que se genere un nuevo lienzo al crear una autoforma, aparecerá uno de ellos en el documento. Si ya hay uno seleccionado, se podrá insertar en él. Y si no está activada esa opción, podremos hacer lo siguiente en cualquier parte del documento. Se hace clic en un punto cualquiera y, sin soltar el dedo, se arrastra hasta una nueva posición. Con el arrastre veremos cómo se va pintando la autoforma, y cómo va cambiando de tamaño según cómo la arrastremos. En cuanto se suelte el dedo del ratón, la figura se habrá dibujado.

3. Si queremos moverla de lugar, con el objeto seleccionado, colocamos el puntero del ratón sobre el mismo, y cuando se convierta a la flecha con las cuatro flechitas negras de movimiento, podremos hacer clic y arrastrar.

4. Para cambiarlo de tamaño rápidamente, situaremos el cursor en uno de los círculos blancos que hay en las esquinas y lados del rectángulo invisible que engloba a la autoforma, y cuando el puntero se convierta en dos flechas negras opuestas es que se po-

drá hacer clic y arrastrarla para cambiar el tamaño por el lado o por la esquina elegida.

5. Para girar la autoforma con respecto a su centro geométrico, tenemos el controlador de ajuste verde (un círculo) que sale de la parte superior de la figura con una pequeña línea pegada. Al acercar el puntero sobre el círculo verde cambiará de icono a una flecha que gira sobre sí misma, con lo que podremos hacer clic y arrastrar. Con líneas discontinuas se dibuja lo que será la autoforma cuando se suelte el dedo del botón izquierdo del ratón.

Nota: Si perdemos la selección de la autoforma, sólo tenemos que volver a hacer clic sobre ella, hasta que aparezcan sus controladores de ajuste (los círculos blancos y verde).

Nota: Algunas autoformas son tan básicas que no muestran el controlador de ajuste de giro, como las flechas. Para girarlas habrá que hacerlo con la pestaña **Herramientas de Dibujo**, *que aparece como última pestaña cuando se realiza una inserción.*

Esta técnica de añadir una autoforma y modificarla de lugar, tamaño y ángulo, va a ser la tónica para el resto de elementos gráficos, cada uno con sus limitaciones (algunos no se podrán girar, por ejemplo).

- **Los conectores:** Los conectores son unas líneas que conectan puntos de diferentes autoformas. Realmente son otro tipo de autoformas, pero con la utilidad de que unen los puntos de otras.

Para unir dos autoformas por un conector deberemos seguir estos pasos:

1. Seleccionamos alguno de los tipos de conector dentro de la categoría **Conectores de las autoformas**.

2. El puntero del ratón se convertirá en una cruz, pero cuando se acerque a una autoforma, la cruz será como un puntero de disparo, indicando que cerca hay un punto de unión. Estos puntos los distinguiremos porque son unos pequeños cuadrados azules que están a lo largo del trazo de la autoforma.

3. Hacemos clic y arrastramos la autoforma hacia el otro punto de unión, que puede ser de la misma

autoforma o de otra. En el arrastre veremos cómo quedará la unión con una línea discontinua. Cuando estemos encima del punto de destino, se suelta el dedo del botón izquierdo del ratón, y se dibujará la línea de unión final. Ahora, las acciones que podemos realizar con el conector son:

- Mover un punto de unión, haciendo clic y arrastrando uno de los extremos de un punto de unión (con un círculo rojo) hacia un nuevo punto (recuerde, los cuadraditos azules).

- Modificar la forma del conector, haciendo clic y arrastrando los controles de ajuste en forma de rombos amarillos, que hay por el trazo de la línea del conector.

- Redistribuir los conectores, para que se dibuje la unión más corta y efectiva entre las dos autoformas.

- Cambiar el tipo de conector, haciendo de nuevo clic con el botón derecho del ratón sobre la línea del conector y eligiendo la opción que no tengamos seleccionada, a elegir entre Conector recto, Conector angular y Conector curvado.

- SmartArt: Otra de las novedades de Word 2007. Con SmartArt crear todo tipo de gráficos visualmente atractivos, diagramas y otro tipo de formas de ese estilo es lo más sencillo del mundo. Sin duda, una herramienta muy interesante a la hora de crear documentos de trabajo. Haciendo clic sobre el botón **SmartArt**, se accede a la ventana que se observa en la siguiente imagen. A partir de ahí, el usuario puede navegar por ellas y determinar cuál es aquélla que se adapta más y mejor a lo que estaba buscando (véase la figura 3.10).

- Gráfico: Otra opción muy útil para crear diagramas y gráficos tradicionales. Haciendo clic sobre el botón **Gráfico** se accede a la ventana que muestra la figura 3.11 y a todos los tipos de gráficos que Word incluye.

3.5. Cree documentos interactivos

Word está pensando para crear todo tipo de documentos. Por eso, en este nuevo apartado de Vínculos incluido en la pestaña Insertar, es posible insertar en el documento una serie de elementos interesantísimos para convertir el texto en algo mucho más interactivo (véase la figura 3.12).

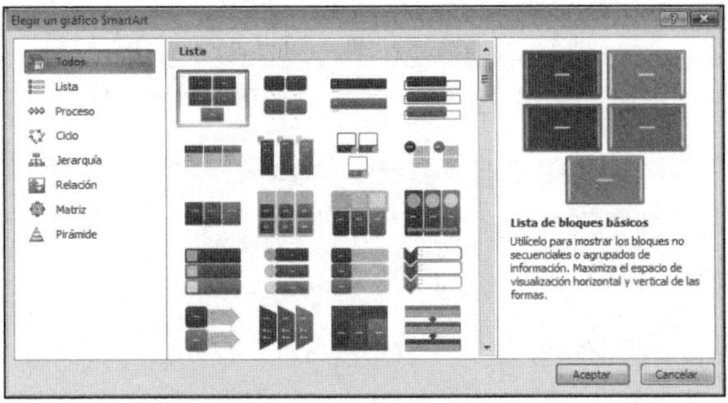

Figura 3.10. SmartArt.

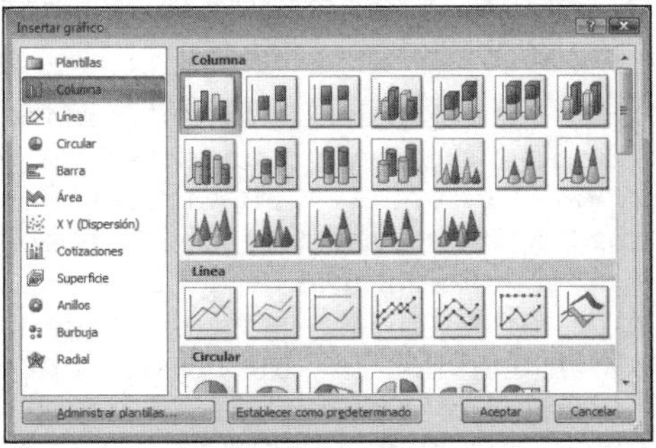

Figura 3.11. Gráfico.

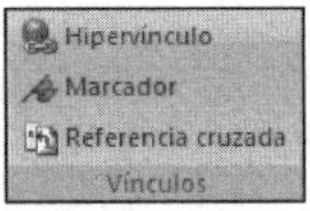

Figura 3.12. Apartado Vínculos.

Acostumbrados como estamos a navegar por Internet cada vez más, crear documentos que conformen páginas con enlaces de un sitio a otro y atajos que eviten tener que ir y volver para llegar a un sitio es todo un avance.

- **Hipervínculo:** Un hipervínculo es un enlace interactivo hacia una dirección de Internet. Es decir, que con Word, es muy sencillo hacer que una palabra o una frase determinada de un documento dirijan al lector directamente hacia una determinada página de Internet o a un correo electrónico. Para insertar un hipervínculo, hay que hacer clic en el botón que lleva ese nombre y le aparecerá una ventanita como la que muestra la figura 3.13. En esa pantalla, sólo tiene que escribir la dirección a la que se quiere redirigir al lector y hacer clic en **Aceptar**.

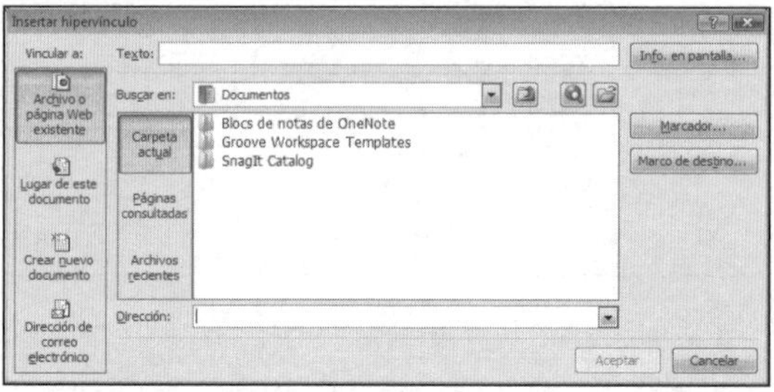

Figura 3.13. Hipervínculo.

• Marcador: Esta opción es muy útil para ir dividiendo el documento en diferentes puntos y así poder crear este tipo de documentos interactivos. Para crear un Marcador sólo hay que hacer clic en el botón **Marcador** y rellenar los campos demandados en la ventana que muestra la figura 3.14. Haciendo eso, conseguimos dejar claro a Word que ese es un punto importante de nuestro documento y podemos dejarlo ahí para posteriormente integrarlo con una referencia cruzada (ver más adelante) y poder acceder a ese punto de forma directa.

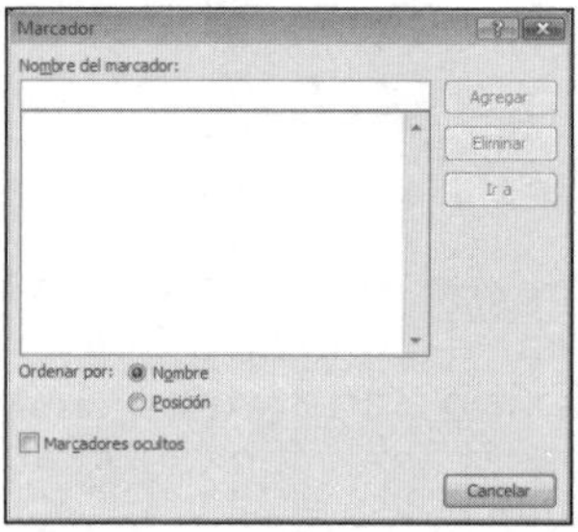

Figura 3.14. Ventana Marcador.

• Referencia cruzada: Las referencias cruzadas permiten convertir un documento de Word en un archivo interactivo en sí mismo. Son utilizadas para ir de un lugar a otro del documento de forma directa, sin necesidad de volver hacia arriba o buscar hacia debajo. Utilizando los marcadores creados o los encabezados, los titulares o cualquier parte del documento, es muy fácil realizar esta integración y darle otro aire al documento. Haga clic en **Referencia cruzada** y verá la pantalla que muestra la figura 3.15. Cuando haya seleccionado el elemento numerado (antes ha tenido que crearlos), haga clic en **Insertar** y ya estará todo hecho.

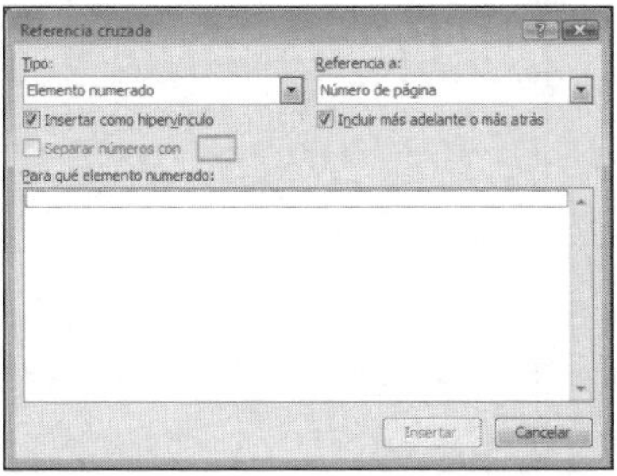

Figura 3.15. Referencia cruzada.

3.6. Personalice su documento

Los documentos no sólo están formados por un cuerpo de texto que rellena las páginas en blanco. Además de eso, es muy habitual crear encabezados, pies de página y establecer la numeración de forma individual a cada uno de los documentos que se crean. Y es que con Word es de lo más sencillo (véase la figura 3.16).

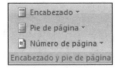

Figura 3.16. Personalizar documento.

- **Encabezado:** Los encabezados se utilizan, habitualmente, para delimitar las secciones de las que se compone el documento y para recordar el nombre de portada que tiene. Para insertar encabezados en Word no hay más que hacer clic sobre el botón **Encabezado** que se encuentra en el apartado Encabezado y pie de página y seleccionar uno de los muchos que aparecen predeterminados en la ventana que le aparece y que puede ver en la figura 3.17. Además, en todo momento puede editar el encabezado, quitarlo, o guardarlo para tenerlo para futuras ocasiones.

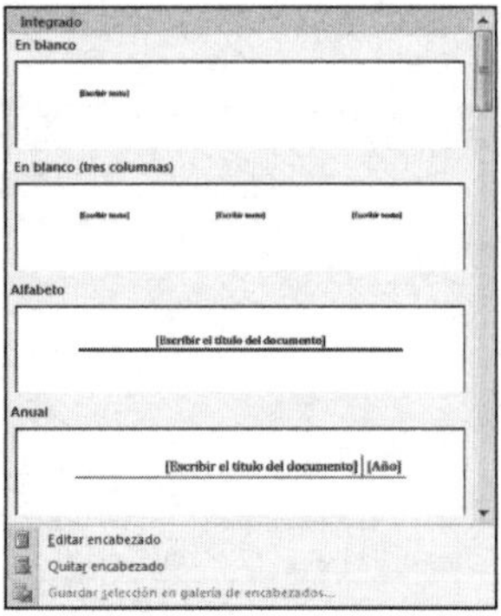

Figura 3.17. Encabezado.

- Pie de página: Los pies de página tienen una función muy similar a la del encabezado pero, obviamente, crear zonas de texto fijas en la parte inferior del documento. Para insertarlos, haga clic en **Pie de página** y actúe de la misma forma que en el apartado anterior (véase la figura 3.18).

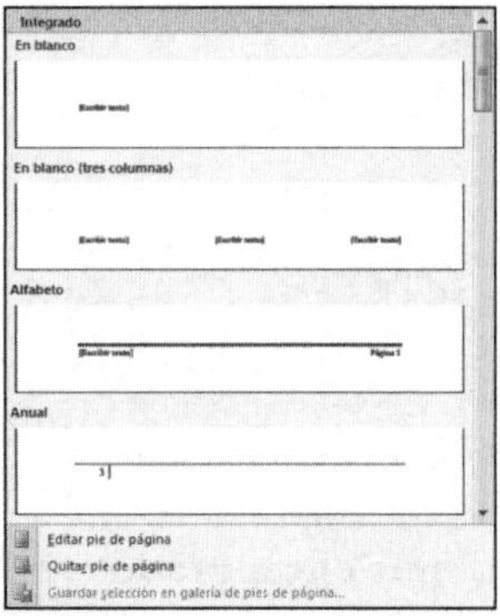

Figura 3.18. Pie de página.

- **Número de página:** Habitualmente, todos los documentos se suelen numerar para evitar problemas de orden durante la impresión y para facilitar, posteriormente, su lectura. Haciendo clic en **Número de página** accederá a un menú (véase la figura 3.19) en el que podrá elegir de entre todas las opciones que Word ofrece, y son muchas, para este aspecto. Podrá numerar las páginas en la parte inferior, en la superior, en cada uno de los dos laterales, con distintos formatos... Personalice su documento al máximo.

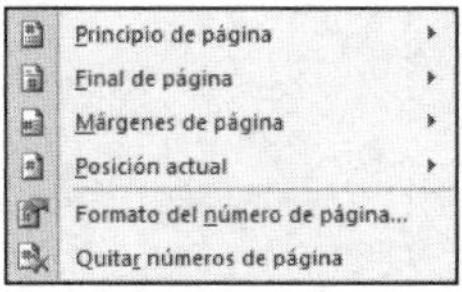

	Principio de página	▶
	Final de página	▶
	Márgenes de página	▶
	Posición actual	▶
	Formato del número de página...	
	Quitar números de página	

Figura 3.19. Número de página.

3.7. Otro tipo de texto

Sí, es cierto. Word es un editor de texto y su uso es, fundamentalmente, para escribir. Y para ello no hay más que abrir el programa, un nuevo documento y empezar a escribir. Pero hay más. Existen momentos o documentos que requieren introducir un texto de otro tipo, que lo diferencie. O que deba estar dentro de otro objeto. Para esos casos se ha creado este apartado de Texto dentro de la pestaña de Insertar (véase la figura 3.20).

Figura 3.20. Apartado de Texto.

- **Cuadro de texto:** Uno de los elementos más utilizados de la historia de Word. Se trata de un cuadro de texto que se crea en cualquier parte del documento o dentro de cualquier objeto (un gráfico, una forma, una imagen, etc.) y que permita escribir en un determinado espacio sin ningún problema. Como novedad, haciendo clic en el botón **Cuadro de texto** se puede acceder a una ventana como la que muestra la siguiente imagen en la que se presentan un buen número de cuadros de texto distintos prediseñados muy útiles (véase la figura 3.21).

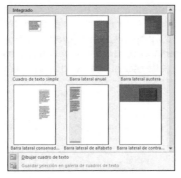

Figura 3.21. Cuadro de texto.

Los cuadros de texto se acercan un poco a lo que son los gráficos en un documento de Word 2007. Realmente son rectángulos con texto dentro de ellos, pudiendo elegir si queremos ver el rectángulo o no. La gran ventaja de un cuadro de texto es que su contenido puede situarse en cualquier lugar del documento, pudiendo hacer caso omiso a las normas de los márgenes, sangrías, alineaciones y demás. Además, la orientación del texto que contienen puede cambiar, sin tener que afectar para ello al resto de párrafos. Es como si tuviésemos una pequeña página o pegatina de texto, que podemos colocar donde queramos. Por lo tanto, cualquier formato o acción que se le puede realizar al texto normal del documento (colores, tamaños, alineaciones, tabulaciones...), también se podrá hacer con el que hay dentro del cuadro de texto.

> **Nota:** *Muchas de las opciones que trataremos con los cuadros de texto las veremos con los gráficos, aunque siempre hay alguna sutil diferencia.*

Para añadir un cuadro de texto a nuestro documento:

1. Vamos a la pestaña Insertar y seleccionamos la opción Cuadro de texto, que se encuentra al final en el apartado Edición.

2. Lo siguiente que hay que hacer es elegir el modelo que queremos usar, de entre todos los que aparecen prediseñados por Word.

3. Para que aparezca un pequeño cuadro de texto directamente, haremos clic sobre el documento. Podemos hacer clic en cualquier parte del documento, pero es mejor que sea cerca de donde queremos colocarlo. Si a la vez que lo insertamos le queremos dar un tamaño, en lugar de hacer clic y soltar, arrastramos desde el punto inicial a cualquier otra parte. Veremos cómo se va dibujando un rectángulo, que marcará el tamaño final del cuadro de texto.

4. Una vez hecho esto, aparecerá dibujado y seleccionado el cuadro de texto, con el cursor de teclado parpadeando en su interior. Por tanto, escribiremos sin más para ver cómo van apareciendo las letras en su interior.

5. Si queremos cambiar el tamaño del cuadro, (en este o en cualquier otro momento), debemos hacer clic y arrastrar alguno de los pequeños círculos blancos que hay pegados en los lados y esquinas del rectángulo. Al cambiar de tamaño, el texto se recolocará para adaptarse a sus nuevos límites.

Para cambiar la dirección del texto:

1. Con el cuadro de texto seleccionado (como hasta ahora) veremos que aparece en la parte superior de la pantalla una nueva pestaña especial que se denomina **Formato** y que contiene herramientas específicas para utilizar con este elemento. Para cambiar la dirección, hay que hacer clic en **Dirección del texto**.

2. Entonces observará que el texto escrito en el cuadro, o el que viene por defecto, cambia de dirección cada vez que hace clic sobre él.

Además, es posible:

* **Crear vínculo con cuadro de texto:** Esta opción vincula un cuadro de texto con otro, para que cuando no quepa más texto en el primero, se continúe automáticamente por el segundo. Para realizar esta acción deberemos tener antes creado el segundo cuadro de texto, y tiene que estar vacío. Sólo tenemos que elegir esta acción y después hacer clic sobre el cuadro de texto vacío. Los dos cuadros se considerarán enlazados.

- **Romper vínculo:** Este botón provoca que se desvincule el cuadro de texto seleccionado con el siguiente que tenga en la cadena.

> ***Nota:*** *Nada impide que el segundo cuadro de texto pueda vincularse con un tercero, y éste con un cuarto, y así sucesivamente. De esta manera, crearíamos una lista, una cadena de cuadros de texto.*

También podemos ajustar los márgenes del texto con respecto a los bordes del rectángulo del cuadro de texto y realizar un montón de opciones más desplegando el menú de Formato que aparece haciendo clic en las flechas que se encuentran en la parte inferior derecha del apartado Estilos del Cuadro de texto o Tamaño: allí se puede cambiar los colores o las líneas, el tamaño, el diseño, la imagen, los bordes, etc.

- Elementos rápidos: En esta opción, que será utilizada sólo por usuarios avanzados, se pueden añadir algunos detalles como los bloques de creación de contenido predefinido que ayudan a reducir los errores de copiar y pegar o, también añadir campos: marcas que sirven para recordar datos como el autor, un teléfono, etc. (Véase la figura 3.22.)

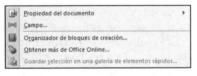

Figura 3.22. Elementos rápidos.

- WordArt: Otro de los elementos habituales en todas las últimas versiones de Word. Se trata de un fácil generador de titulares de formas grandes y coloridas en relieve que ofrecen mayor impacto visual que los textos normales. Haciendo clic sobre él se puede acceder a los estilos predeterminados que Word ofrece (véase la figura 3.23). Los objetos WordArt son imágenes hechas con letras, o dicho de otra forma, es texto que se dibuja con diversos efectos especiales. La utilidad de estos textos tan adornados es variada, como la de realizar posters, carátulas de CD, títulos de secciones de un documento, etc.

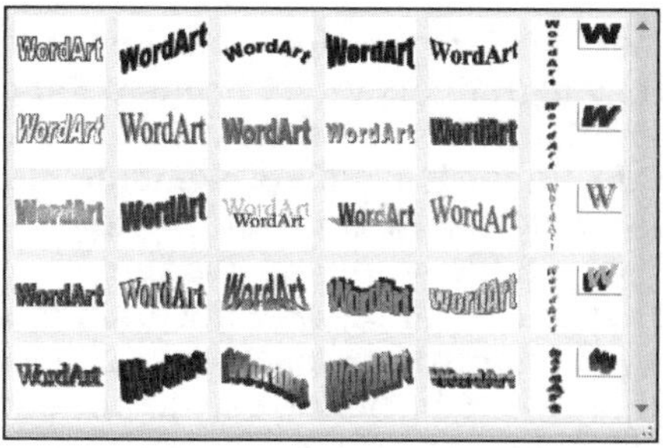

Figura 3.23. WordArt.

Para insertar un nuevo elemento de WordArt tendremos que:

1. Seleccionar la pestaña Insertar y hacer clic en el botón **WordArt** que se encuentra en el formato Texto.
2. Aparecerá una ventana, donde podremos ver unos cuadros con pequeñas demostraciones de los efectos y estilos que se les puede aplicar a las letras que escribamos después. Seleccionamos uno y hacemos clic en el botón **Aceptar**, o con un doble clic directamente.
3. El siguiente cuadro de diálogo es sencillo. Sólo tenemos que escribir el texto que queremos pintar, seleccionando el tipo de letra, el tamaño y el estilo (negrita, subrayado y cursiva). Seguiremos haciendo clic en el botón **Aceptar**.
4. Y esto es todo, el resultado lo veremos directamente sobre el documento o lienzo.

Nota: *Podemos escribir texto en varias líneas, insertando retornos de carro con la tecla* **Intro***.*

Pero esto no es todo lo que se puede hacer con las letras dibujadas de WordArt. Al insertar el dibujo de la autoforma, podremos editar muchas de sus características (que seguro que a más de uno le encantarán) con la barra de herramientas flotante WordArt, que si nos hemos fijado, ha aparecido automáticamente como una nueva pestaña. Allí se pueden rea-

lizara un sinfín de operaciones que permiten personalizar al máximo el texto que se quiere utilizar: cambiar su forma, el color, añadirle efectos 3D, etc.

- **Letra capital**: Esta función permite convertir en mayúscula y a gran tamaño la primera letra de cada párrafo emulando algún escrito y publicación clásica.

- **Línea de firma**: Un nuevo elemento muy útil para
establecer al final de un documento una línea de fir-
ma (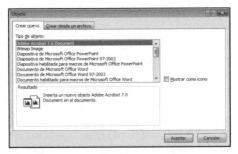) donde se puede escribir un nombre y se
deja un espacio para que el documento sea firmado.

- **Fecha y hora**: Introduzca la fecha y la hora ( ) exacta
en la que se está haciendo ese documento.

- **Insertar objeto**: Haciendo clic sobre el último icono
del apartado Texto se accede a la ventana que muestra la figura 3.24. Desde aquí se pueden insertar todo
tipo de objetos ajenos a Microsoft Word 2007.

Figura 3.24. Insertar objeto.

Éstos pueden ser de dos tipos:

- **Objetos vinculados:** La información del objeto se
actualizara cuando cambie el contenido del archivo de origen (por ejemplo, el informe de ven-
tas en Excel). Es decir, el objeto que se verá en
Word sólo es la representación física de los datos
almacenados en el archivo de origen, pero los verdaderos datos (y todo el tamaño del documento)
no se guardan en Word, sino en el origen. Como
vemos, es preferible cuando se quiere un objeto
de un archivo de tamaño muy grande, o cuando
sabemos que los datos que se muestran van a cambiar a menudo (debido a algún tipo de mantenimiento, por ejemplo).

- **Objetos incrustados:** Aquí, la información mostrada es independiente del archivo de origen, pues todo su contenido se incorpora al documento de Word. Esta es la opción más interesante cuando queremos distribuir el documento de Word junto con la información de pantalla de los documentos vinculados, sin tener que depender de los archivos de origen.

Para insertar un objeto de otra aplicación:

1. Seleccionamos la opción Objeto de la pestaña Insertar.
2. En el cuadro de diálogo Objeto hacemos clic en la pestaña Crear desde un archivo.
3. En el interior de la ficha Crear desde un archivo escribiremos la localización del archivo cuyo documento incluiremos en la página, o bien los buscamos entre los directorios del sistema haciendo clic en el botón **Examinar...**
4. Si queremos que el objeto sea de tipo incrustado (independiente del archivo de origen), debe estar desactivada la casilla de verificación Vincular al archivo. Si lo que queremos es un objeto vinculado (conectado al contenido del archivo de origen), la misma casilla debe estar activada.
5. Además, tenemos la opción de que el objeto que se incrusta aparezca como un icono (casi siempre es el del tipo de archivo), en lugar de que aparezca el contenido por completo. Para ello, debemos activar la casilla de verificación Mostrar como icono. Si así es, en el cuadro de diálogo aparecerá el icono del archivo localizado, y el botón **Cambiar icono...** para poder elegir otro icono distinto al que tiene por defecto el archivo.
6. Finalizamos haciendo clic en el botón **Aceptar**.

Si el objeto es vinculado, podemos actualizar la información con la del archivo de origen con sólo hacer clic con el botón derecho sobre el mismo objeto, y seleccionar la opción Actualizar vínculo del menú contextual. Además de ésta, tenemos más opciones en el submenú Objeto Hoja de cálculo vinculado:

- Modificar vínculo: Esta opción abrirá el programa de edición asociado al archivo de origen.

- Abrir vínculo: Al igual que la anterior, abrirá el programa por defecto asociado al archivo de origen.
- Convertir...: Abrirá un cuadro de diálogo para poder convertir un objeto incrustado en un archivo como el de origen, gracias a la información guardada en el interior del documento de Word.
- Vínculos...: Abrirá el cuadro de diálogo Vínculos, con un resumen de todos los objetos vinculados e incrustados del documento Word. Dentro de él se pueden dar las órdenes de actualización, abrir el archivo de origen, cambiar el origen (que el objeto apunte a otro archivo) y romper el vínculo (convertiría un objeto vinculado a uno incrustado). Además, se tienen dos tipo de actualización de un objeto vinculado, automática (cada vez que se abra el documento) y manual (sólo si damos la orden), y la posibilidad de bloquear y desbloquear la actualización.

> **Nota:** *La vinculación con documentos externos no sólo compete a aplicaciones de Office, sino que también funcionará con documentos de otras aplicaciones que soporten la incrustación y vinculación de objetos de Microsoft Office.*

3.8. Símbolos

No todo se puede escribir de forma sencilla con un teclado en el ordenador. Hay muchos símbolos que el ordenador no puede reproducir de forma sencilla como lo hacemos cuando escribimos a mano. Por eso, en Word han incluido este rápido modo de insertar todo tipo de símbolos y ecuaciones sin necesidad de perder tiempo buscando combinaciones de teclas extrañas. Simplemente haciendo clic en **Ecuación** (si estamos trabajando con números) o en **Símbolo** se puede acceder a un menú que muestra todas las opciones posibles y no hay más que seleccionar el símbolo pertinente y hacer clic sobre él para que aparezca en la pantalla.

3.8.1. Los caracteres

Las letras y números, se quiera o no, son sólo símbolos gráficos que utilizamos para comunicarnos. Pero también lo son las comillas, el signo de admiración y el de copyright. Pues bien, llamamos código o codificación de caracteres a una agrupación de esos símbolos de escritura, cada uno asociado a un número de carácter. Lo normal es que estos códigos se estandaricen, porque si no sería una auténtica locura saber qué número pertenece a qué carácter, o qué es lo que hay que dibujar cuando se trata del carácter número 109, por ejemplo. Las fuentes incluyen dentro de sí un juego gráfico de caracteres que suele corresponderse con el estándar ASCII, donde caben 256 caracteres distintos. ASCII es un código nacido en Estados Unidos y dice dónde estarán las letras mayúsculas, las minúsculas, los dígitos y otros signos básicos, como los de puntuación. Todos juntos suelen ocupar la primera mitad de las posibilidades (128), que es el llamado ASCII puro. El resto de códigos o juegos de escritura comparten estos 128 caracteres, y el resto que todavía queda suele corresponderse con caracteres de escritura de distintos idiomas, como las vocales acentuadas con tildes normales (á), tildes inversas (à), acentos circunflejos (â), diéresis (ä), la cedilla (), etc. Así, aparte de ASCII tenemos los juegos de caracteres ISO Latin-1(ISO 8859-1), el utilizado en los lenguajes de origen anglosajón), UTF-8 y Unicode, por ejemplo.

Este último tiene la particularidad de que le caben 65536 caracteres distintos, pensado para que le cupiesen los grafismos de escritura de todos los lenguajes del mundo (Universal Code), y Word 2007 dispone en esta nueva versión de muchos más grafismos para este código que sus predecesoras.

3.8.2. Los símbolos

Word 2007 entiende a los símbolos como caracteres no utilizados en la escritura habitual, más bien se tratan de pequeños dibujos, formas basadas en líneas sencillas. Para ello dispone de sus fuentes de símbolos, fuentes que en lugar de tener letras y números tienen dibujitos simples. Si en lugar de tener que dibujar nada nos interesa mostrar un carácter con alguna forma "especial", para adornar un texto o como viñeta para colocar en los elementos de una lista no ordenada, por ejemplo, debemos insertar un símbolo en nuestro documento.

Para ver dónde están y poder añadirlos a nuestro trabajo deberemos ir a Insertar>Símbolo, con lo que aparecerá un cuadro que muestra los símbolos más comunes (véase la figura 3.25).

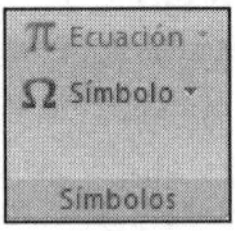

Figura 3.25. Símbolos.

Para añadir un símbolo tenemos dos formas de hacerlo:

- Hacer doble clic sobre el dibujo del símbolo que elijamos.
- Seleccionar el símbolo y hacer clic en el botón **Insertar**.

3.8.3. Especiales

Los caracteres especiales son idénticos a los símbolos, pero se les denomina así porque su inserción en el documento, casi siempre, es debido a una combinación de teclas, o se insertan casi sin darnos cuenta, como un carácter más. Es lo que pasa en Word cuando, por ejemplo, escribimos una cita entre comillas dobles: la primera parece que abre la cita, y la última que la cierra. En ASCII, por ejemplo, las comillas dobles son sólo de un tipo, llamadas a veces comillas rectas, luego las anteriores se insertan como caracteres especiales.

Si tenemos abierto el cuadro de diálogo Símbolos, que aparece después de hacer clic en Símbolo>Más símbolos y hacemos clic en la pestaña Caracteres especiales, veremos una serie de caracteres (especiales) que se utilizan frecuentemente en la escritura, como el símbolo del copyright, los guiones largos, los puntos suspensivos (como un solo carácter), etc. Para añadir alguno al documento procederemos de igual manera que con los símbolos, es decir, un doble clic sobre el que nos interese, o seleccionar el deseado y hacer clic sobre el botón **Insertar**.

3.9. Propiedades de los gráficos

Ya sabemos insertar casi cualquier tipo de dibujo e imagen en el documento o dentro de un lienzo. Ahora es el momento de aprender a cómo se pueden configurar sus propiedades.

En general, las propiedades de un elemento gráfico aparecerán haciendo clic con el botón derecho del ratón sobre él y elegir la última opción del menú contextual, que será del estilo Formato de y el tipo de elemento (imagen, autoforma...), que puede llegar a ser el mismo lienzo. Otra opción es, una vez haber insertado el objeto, hacer clic en la flecha de Estilo de autoforma que aparece en la nueva pestaña de Herramientas que aparece en la parte superior de la pantalla. Con esto aparecerá un cuadro de diálogo con el mismo nombre, y con una serie de pestañas, algunas activadas y otras no, dependiendo del tipo de elemento. Incluso en el interior de una ficha puede haber características desactivadas, porque no las soporte.

3.9.1. Tamaño y ángulo

Parte de las características de un objeto de gráficos es su tamaño real, así como si ha girado unos ciertos grados con respecto a su centro geométrico, y si se ha escalado para adaptar su tamaño por alguna necesidad. Estas características se pueden cambiar en la ficha Tamaño, del cuadro de diálogo Formato de XXXXX (las equis será el tipo de elemento gráfico, como una imagen, una autoforma, etc.).

En dicha ficha tenemos las siguientes secciones:

* Tamaño y giro: Donde cambiaremos el alto, ancho y ángulo de giro de la imagen. Las dimensiones son en centímetros y el ángulo en grados sexagesimales.
* Escala: Se establece una escala mayor o inferior para el tamaño original, medidas en porcentajes. Con las dos casillas de verificación se podrá bloquear la relación ancho-alto de la imagen (o dibujo) y hacer que el tamaño sea proporcional o no al original.
* Con el botón **Restablecer** se vuelven a los valores originales de la imagen o figura.

3.9.2. Bordes y rellenos

Siguiendo con el mismo cuadro de diálogo anterior, Formato de XXXXX, tenemos en la primera pestaña, Colores y líneas, una ficha con las características del relleno y de los bordes del elemento gráfico que se ha seleccionado. Gene-

ralmente serán dibujos, pues las imágenes ya están relle-
nadas con su fotografía.

El contenido de la ficha tiene estas secciones:

- **Relleno**: Aquí se aplicará un color o un efecto de
  relleno al dibujo (degradados, tapices, etc.). Además,
  se podrá elegir la transparencia del dibujo, en un
  cierto porcentaje. El 100 por 100 es totalmente transparente, y el 0 por 100 (por defecto) es opaco.
- **Línea**: Se elige el color, grosor y tipo de las líneas de
  trazos de los dibujos (autoformas sobre todo).
- **Flechas**.

3.9.3. Alineación con el texto

Muchas de las veces es necesario insertar una imagen o
dibujo (o lienzo) junto al resto del documento, entre el
texto. Pues bien, a la propiedad de ajustar el texto a una
imagen en el documento Word la llama **Diseño**, y tiene su
propia ficha en el cuadro de diálogo de las propiedades del
objeto.

Aquí, el contenido de la ficha **Diseño** será muy distinto,
dependiendo si el elemento gráfico está dentro de un lienzo o no.

- Si el elemento está dentro de un lienzo, se podrá
  variar la posición relativa del gráfico con respecto al
  lienzo. Esta medida, en centímetros, es realmente
  como el margen izquierdo y superior del gráfico con
  respecto a su lienzo, definiendo su localización.
- Si el elemento es independiente (está fuera de un
  lienzo), podemos elegir entre el estilo del ajuste, a
  elegir entre diversas opciones, y el tipo de alineación
  horizontal de la imagen, con respecto al ancho del
  documento.

La alineación del texto puede llegar a ser verdaderamente compleja. De hecho, los estilos de ajuste que veremos no son todos los que existen. Para configurar el ajuste
del texto con la imagen o dibujo con más detalle, podemos
hacer clic en el botón **Avanzado** y cambiar entre los diferentes parámetros. Vamos a detallar los parámetros:

- **En línea con el texto**: La imagen se inserta en la
  misma posición donde está el cursor, como si fuese
  un carácter más.

- **Cuadrado:** El texto se ajusta alrededor del lienzo donde se encuentra la imagen. Si es un círculo, se ajustará al rectángulo donde está el círculo dibujado.
- **Estrecho:** El texto se ajusta alrededor de las líneas exteriores de la imagen o dibujo. En un círculo, el texto se ajustará a la forma curva de su contorno.
- **Detrás del texto:** La imagen será independiente del texto (flotante) y aparecerá en una capa por detrás del mismo, haciendo que se pinte por encima de ella. Esta opción suele ser interesante para poner dibujos de fondo, como filigranas o marcas de agua.
- **Delante del texto:** Al igual que la anterior, la imagen también es independiente del texto (flotante) pero en este caso se pintará por encima del mismo.
- **Arriba y abajo:** El texto se coloca por encima y por debajo de la figura, pero no por los lados. Se puede decir que de esta forma siempre ocupará un párrafo entero.
- **Transparente:** El ajuste del texto es similar al estrecho, sólo que aquellas partes de la figura o imagen que sean transparentes, el texto aparecerá en ellas.
- **Modificar puntos de ajuste:** Haciendo clic en este botón se entrará en el modo de edición de los puntos de ajuste. Se trata de una forma de especificar los márgenes de la figura con respecto al texto. Luego éste se ajustará a las líneas que forman los puntos de arrastre (pequeños cuadros negros), que podremos arrastrar a donde queramos.

3.9.4. Colores y transparencias en las imágenes

Las imágenes (fotografías) tienen un tratamiento especial como objetos gráficos, pues se pueden visualizar con diferentes colores y transparencias de marcas de agua.

Para cambiar los colores de visualización de la imagen seleccionada:

1. Iremos a la ficha Imagen del cuadro de diálogo Formato de imagen. Se podrá abrir haciendo clic con el botón derecho del ratón sobre la imagen y seleccionando la opción Formato de imagen.
2. En dicha ficha, tenemos la sección Control de imagen, donde podremos cambiar el color de representación de la imagen, así como su brillo y contraste.

Entre los colores están **Automático** (el color por defecto, es decir, el original), **Escala de grises** (la imagen aparecerá en diferentes tonos de gris), **Blanco y negro** (se representa con trazos blancos y negros) y **Marca de agua** (se difumina y ilumina mucho el tono, para convertirla en una filigrana o marca de agua, que casi se confundirá con el fondo blanco del papel).

3. Hacemos clic en el botón **Aceptar**.

3.9.5. Ordenación de las diferentes capas

No sé si se habrá percatado, pero cuando diseñamos con diferentes objetos de formas e imágenes, los más recientes son los que se verán encima y ocultarán a los demás. Es posible que queramos cambiar ese orden de aparición, porque de repente queramos poner una imagen o figura de fondo. Esto es posible porque, al igual que los programas de dibujo profesionales, los objetos gráficos se van colocando en diferentes capas, como si fuesen papel transparente uno encima de otro.

Para cambiar de capa un objeto (o un grupo), deberemos ir a las opciones que hay en submenú Ordenar del menú contextual al hacer clic con el botón derecho del ratón. Las opciones que nos encontraremos son:

- Traer al frente: El elemento gráfico se coloca en la primera capa visible, por delante de todos los demás.

- Enviar al fondo: El elemento aparecerá en la última capa (la del fondo), por detrás de todos los demás.

- Traer adelante: El elemento subirá de capa, por lo que si estaba en una capa oculta por otro elemento, ahora el que se verá será éste, siempre que suba a una capa superior a la del otro elemento.

- Enviar atrás: Lo mismo pero al revés. Lo que haremos es descender de capa (más al fondo), por lo que el elemento se irá tapando por el resto cuanto más abajo vayamos.

- Delante del texto: El elemento aparecerá delante del texto (lo dé por defecto).

- Detrás del texto: El elemento aparecerá detrás del texto, ideal para hacer fondos con dibujos o imágenes.

3.9.6. Efectos especiales

Existen algunos efectos que podemos utilizar con los objetos gráficos, sobre todo con las autoformas (las imágenes sólo tendrán algunos tipos de sombra), que ya hemos visto aplicados en las letras de WordArt. Si nos fijamos en los estilos que hay en la galería WordArt, algunos de ellos incluyen sombras de diferentes tipos, así como efectos de bloque en 3D, también de diversos tipos.

Pues bien, estos efectos los podemos aplicar a las figuras que tenemos en nuestro documento también, y los podremos configurar con un nivel de detalle que asombra teniendo en cuenta que Word es un procesador de texto. Estos efectos los agruparemos en sombras y bloques 3D, y estarán disponibles en la pestaña de herramientas que aparece automáticamente siempre que se inserta un nuevo objeto.

3.10. Formatos gráficos

Word es capaz de reconocer diferentes formatos de archivos gráficos, casi como una aplicación dedicada a ellos. La idea es poder insertar en nuestro documento la mayor cantidad de información posible, que puede venir de muy diversas fuentes, y así realizar documentos muy completos. Los formatos gráficos que soporta Word 2007 son:

- CorelDraw (*.cdr).
- Formato CGM (*.cgm).
- Formato de Picture It! (*.mix).
- Formato FPX (*.fpx).
- JPEG (Joint Photographic Experts Group) (*.jpg, *.jpeg, *.jfif, *.jpe).
- GIF (formato de intercambio de gráficos) (*.gif, *.gfa).
- Gráficos de WordPerfect (*.wpg).
- Kodak Photo CD (*.pcd).
- Macintosh PICT (*.pct, *.pict).
- Macintosh PICT comprimido (*.pcz).
- Mapa de bits de Microsoft Windows (*.bmp, *.dib, *.rle, *.bmz).
- Metarchivo de Windows (*.wmf).
- Metarchivo de Windows comprimido (*.wmz).
- Metarchivo mejorado (*.emf).

- PC Paintbrush (*.pcx).
- Portable Network Graphics (*.png).
- PostScript encapsulado (*.eps).
- Tagged Image File Format (*.tif, *.tiff).

Lo que hay entre paréntesis al final es el tipo de extensión del archivo, mediante el cual se pueden reconocer los diferentes formatos gráficos (suele ser de tres o cuatro letras).

Entre estos formatos hay que decir que hay de mapas de bits (raster, para las imágenes) y vectoriales (como para los clipart).

Word 2007 puede admitir aún más tipos de gráficos, siempre que se instalen los conversores adecuados en el mismo proceso de instalación. Si no tenemos alguno que necesitemos, podremos ejecutar de nuevo el programa de instalación de Office 2007 y elegir la opción de instalación detallada de componentes.

Si aún así no lo encuentra, busque en la Web de Microsoft Office Online para ver si hay nuevos conversores de gráficos disponibles.

Una página a medida

4.1. Introducción

En Word todo es personalizable. Aunque existen un montón de posibilidades de modificación durante la edición del documento, hay otras muchas que conviene hacer al principio, antes de escribir, o al final, al ajustar, para conseguir el efecto deseado y tener un documento a la medida de las necesidades. En la pestaña Diseño de página se han incluido todas esas funciones que son necesarias para crear un documento que se ajuste a lo que uno busca (véase la figura 4.1).

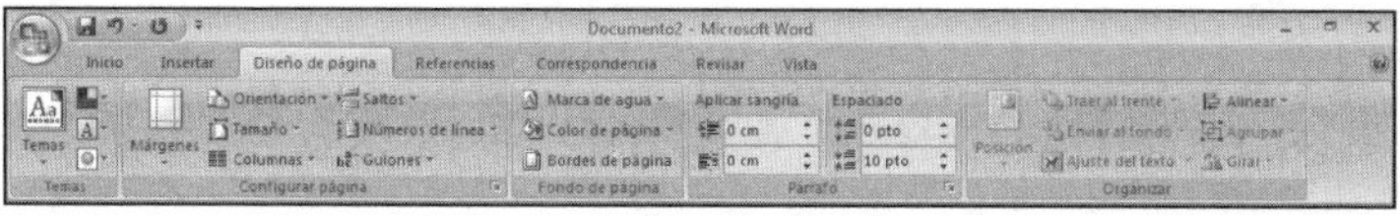

Figura 4.1. Pestaña Diseño de página.

4.2. Temas

Además de los estilos de las fuentes que vimos en capítulos anteriores, en Word 2007 es posible cambiar la apariencia del documento en cualquier momento aprovechando los distintos estilos creados de forma predeterminada por el propio programa.

Para ello, sólo es necesario hacer clic en el botón **Temas** y aparecerá la ventana que se muestra en la figura 4.2.

Luego ya es cuestión de gustos. Por defecto, el programa viene con el tema Office grabado, que tiene unas características propias básicas que pueden ser modificadas en cualquier momento. Pero si no se quiere perder tiempo en buscar de uno en uno cada elemento, lo mejor es seleccionar los temas e ir probando: a ver qué tipo de letra encaja más junto con su tamaño y su color, con su formato...

Desde el mismo apartado de temas es posible, en cualquier momento, modificar el color, el tamaño de la fuente o los efectos a realizar.

Figura 4.2. Temas.

4.3. Configurar la página

Como decíamos unas líneas más arriba, es importante que el documento que se va a crear se haga al gusto del usuario. Por eso, lo más recomendable antes de empezar un documento es configurar todos los parámetros algo más técnicos que luego al final se olvidan y que, indudablemente, mejoran la calidad de los escritos y que, además, permiten conocer de forma más pormenorizada todos los entresijos del programa.

En la pestaña Configurar página se han añadido algunos de estos parámetros tan útiles.

• **Márgenes:** Haciendo clic en el icono que muestra la figura 4.3 se accede a la ventana indicada en la figura 4.4. En ella, una vez más, se pueden ver algunos de los ejemplos que Word ha incluido ya en su catálogo de forma predeterminada con el objetivo de hacer perder poco tiempo a los usuarios. Y es que es la mejor manera de configurar una página y que quede correcta si no se tienen conocimientos específicos del tema. Así, para elegir los márgenes adecuados, sólo haga clic en el tipo de márgenes que desee y la página cambiará automáticamente. De todas formas, si lo que desea es personalizar estos parámetros, simplemente haga clic en **Márgenes personalizados**.

Figura 4.3. Márgenes.

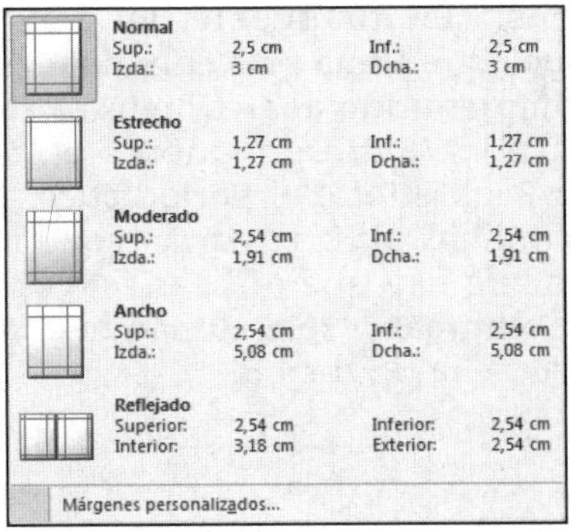

Normal			
Sup.: 2,5 cm		Inf.: 2,5 cm	
Izda.: 3 cm		Dcha.: 3 cm	
Estrecho			
Sup.: 1,27 cm		Inf.: 1,27 cm	
Izda.: 1,27 cm		Dcha.: 1,27 cm	
Moderado			
Sup.: 2,54 cm		Inf.: 2,54 cm	
Izda.: 1,91 cm		Dcha.: 1,91 cm	
Ancho			
Sup.: 2,54 cm		Inf.: 2,54 cm	
Izda.: 5,08 cm		Dcha.: 5,08 cm	
Reflejado			
Superior: 2,54 cm		Inferior: 2,54 cm	
Interior: 3,18 cm		Exterior: 2,54 cm	

Márgenes personalizados...

Figura 4.4. Márgenes prediseñados.

- **Orientación:** Esta opción permite decidir si la página tendrá posición vertical u horizontal. A menudo, la orientación más utilizada es la vertical y en pocas ocasiones se suele utilizar la horizontal.

- **Tamaño:** Por defecto, el programa trae automáticamente configurado el tamaño de la página para A 4, el formato estándar para los documentos impresos por ordenador. Aún así, es posible en cualquier momento elegir un sistema distinto dependiendo de cada ocasión: carta, tabloide, A3, etiquetas… Sólo hay que hacer clic en el botón **Tamaño** y en la ventana que muestra la figura 4.5 hacer clic en el tamaño deseado.

Figura 4.5. Tamaño.

- **Columnas:** Habitualmente, los textos escritos en Word suelen ir a una sola columna; es decir, son un texto completo que abarca todo el ancho del folio. Pero es muy habitual querer escribir en otros formatos, sobre todo el periodístico, para lo que es imprescindible utilizar varias columnas. Para eso, simplemente hay que utilizar esta opción haciendo clic en **Columnas** y seleccionando el número que se desea (véase la figura 4.6).

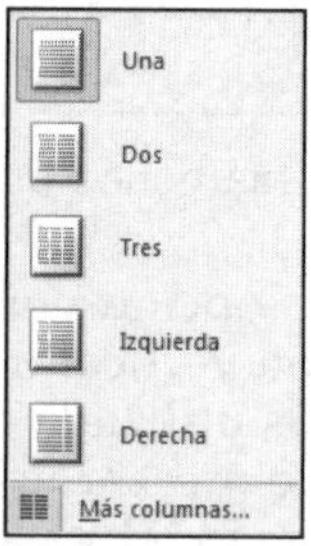

Figura 4.6. Columnas.

La forma más sencilla de utilizar las columnas es:

1. Seleccionar el párrafo (o párrafos) que queremos convertir a multicolumna.
2. Hacemos clic en el mencionado botón **Columnas**, con lo que se desplegará una paleta. Es muy pare-

cida a la del botón **Insertar tabla**, pero sólo con una fila. Se actuará de la misma forma, es decir, se hará clic sobre el número de columnas que se quiere. Automáticamente veremos el resultado. El espacio que ocupaba el párrafo ahora lo ocuparán una serie de columnas con el contenido del mismo. Eso sí, ocupará un poco más de altura, por el nuevo que hay entre las celdas.

Nota: Si está trabajando con la vista Normal y utiliza la función de columnas, verá que Word pasa automáticamente a la vista Diseño de impresión, para poder verlas correctamente. En la vista normal sólo veremos el texto en una columna, con dos saltos de sección.

Como podemos comprobar, la inserción del formato de columnas al párrafo no ha tenido muchas posibilidades de configuración. Sólo se han insertado columnas del mismo tamaño y con una separación estándar. Para establecer con más precisión el formato de las columnas, deberemos ir al cuadro de diálogo **Más Columnas**, que aparece en el desplegable al final del todo. Las secciones para configurar el formato de columnas que vamos a aplicar son:

1. En la sección **Preestablecidas** disponemos de configuraciones ya hechas de columnas, podremos hacer clic sobre la que queramos, y luego cambiar si queremos el resto de parámetros.

2. En el cuadro de texto **Número de columnas:** indicaremos manualmente la cantidad de columnas a aplicar.

3. Podemos dibujar unas líneas verticales entre las columnas, a modo se separadores, activando la casilla de verificación **Línea entre columnas**.

4. En la sección **Ancho y espacio** especificaremos en centímetros el ancho y la separación con la siguiente columna. Si queremos que haya columnas de distinto tamaño, desactivaremos la casilla **Columnas de igual ancho**, y escribiremos los valores específicos para cada columna.

5. En la vista previa vamos viendo el aspecto que tomará el texto con el formato de columnas establecido hasta el momento.

6. Para aplicar el formato de columnas, sólo tenemos que hacer clic en el botón **Aceptar**.

Como detalle final, sólo queda decir que, en una misma página (o repartida en varias) se podrán establecer secciones de texto con distinto formato de párrafos (una con dos párrafos, otra con tres y con líneas divisorias, etc.). Para ello basta con que seleccionamos los fragmentos de texto que queramos organizar en columnas, y aplicarles algún tipo de formato. Si lo queremos hacer manualmente, es decir, según vamos escribiendo en una columna, podemos:

- Saltar de columna en cualquier momento seleccionando la opción **Salto de columna** en el botón **Salto**.

- **Saltos:** Además de la posibilidad de realizar saltos de página como ya hemos comentado antes, existen otros tipos de saltos también muy útiles para conseguir el efecto deseado del documento en uso (véase la figura 4.7). Pero es cierto que se trata de opciones utilizadas por usuarios expertos, no de uso muy habitual por parte de los usuarios comunes. Se pueden realizar saltos de columna, de sección (página impar, siguiente, continua…).

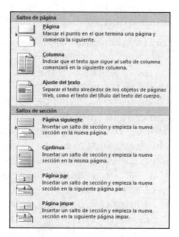

Figura 4.7. Saltos.

- **Números de línea:** Opción útil para saber cuántas líneas se han escrito en un documento o para poder volver en cualquier momento a una línea de forma rápida. Haciendo clic en **Números de**

línea aparecerá un desplegable en el que se pueden seleccionar varias opciones. Por defecto, números de línea vienen desactivados.

- **Guiones:** Esta opción regula la aparición o no de los guiones que separan las palabras cuando termina una línea. Normalmente, cuando se utiliza un procesador de textos como es Word este tipo de opciones suele estar desactivado porque no es necesario apurar las líneas hasta el final ya que se puede justificar su apariencia pero, una vez más, todo queda a expensas de la decisión del usuario.

4.4. Adornar la página

Aunque no suele ser muy habitual utilizar Word para realizar documentos raros o especialmente adornados, también se pueden realizar muchas cosas que personalicen el aspecto visual de un documento como añadir marcas de agua (imágenes que aparecen de fondo en los textos normalmente cruzando el documento que indican algo que hay que tener en cuenta: urgente, confidencial, etc.), cambiar el color del fondo o poner bordes a la página. Estas tres opciones se realizan dentro del apartado Fondo de página de la pestaña Diseño de página (véase la figura 4.8). Su funcionamiento, una vez más, es muy sencillo: sólo hay que hacer clic en el botón deseado y se abrirá o una ventana o un menú con multitud de opciones de personalización (marcas de agua predeterminadas, posibilidad de crear una nueva, colores de fondo, personalización de los bordes, etc.).

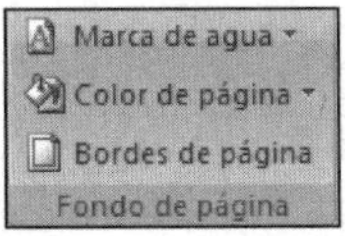

Figura 4.8. Fondo.

4.5. Los párrafos

Aunque ya hemos visto antes cómo modificar los párrafos sobre la marcha, en el apartado Párrafo dentro de la pestaña Diseño de página se pueden realizar ajustes importantes al comienzo de la creación del documento o al final para que todo quede de forma uniforme y congruente (véase á figura 4.9).

En este caso es posible aplicar sangría en el margen deseado de tantos centímetros como se desee y, al mismo tiempo, se puede modificar el espaciado.

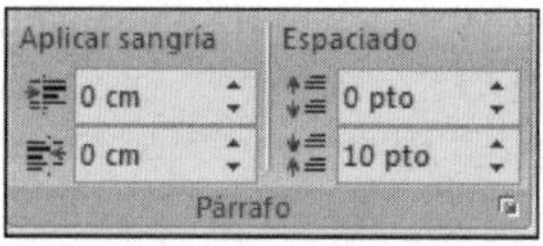

Figura 4.9. Párrafos.

4.6. Superposición de capas

Cuando se integran objetos o cuadros de texto en Word, en las versiones antiguas de este programa, habitualmente ha dado bastantes problemas a la hora de poder conseguir el resultado deseado: descuadres, dificultada a la hora de gestionar las capas, los fondos… Afortunadamente, una vez más, Word 2007 ha superado a sus predecesores y ha creado unas herramientas útiles que permiten manejar en menor medida estas posibilidades.

Así, es posible traer al frente el objeto, enviarlo al fondo, ajustar el texto para que se adapte a la forma del objeto insertado, alinear a la página o al margen, agrupar o girar objetos. Todo de forma muy sencilla, como siempre, con un par de clics (véase la figura 4.10).

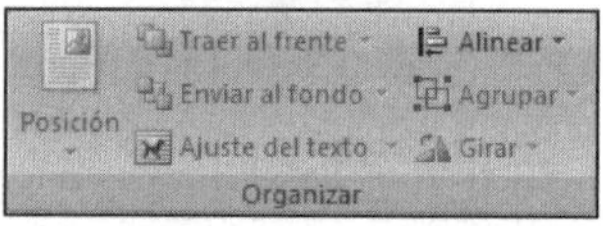

Figura 4.10. Capas.

4.7. Configurando la página

La página es la representación visual de cómo quedará en un folio el documento cuando lo imprimamos. La relación página-hoja no siempre es uno a uno, pues se puede aprovechar una hoja para imprimir varias páginas dentro de ella. Word 2007 controlará que lo que escribamos no se salga de los márgenes, haciendo los oportunos saltos de línea o los de página cuando no quepa más dónde escribir.

4.7.1. Los márgenes y la orientación de la página

Los márgenes crean un espacio en blanco entre el documento que se va a imprimir y el borde de la página. La idea es que ni texto ni gráficos salgan de entre esos límites, porque si no daría un aspecto poco uniforme al trabajo impreso. La excepción la cumplen algunos elementos que sí se pueden imprimir dentro de los márgenes, como son los encabezados y los pies de página, donde se suele poner los números de página, por ejemplo.

Para aumentar o reducir el tamaño de estos espacios debemos hacer clic en **Márgenes** y se desplegará la ventana que muestra la figura 4.11. Si se quiere utilizar una de las configuraciones estándar, no hay más que hacer clic en alguna de las opciones mostradas. Si lo que se quiere es crear unos márgenes individualizados, lea las próximas líneas.

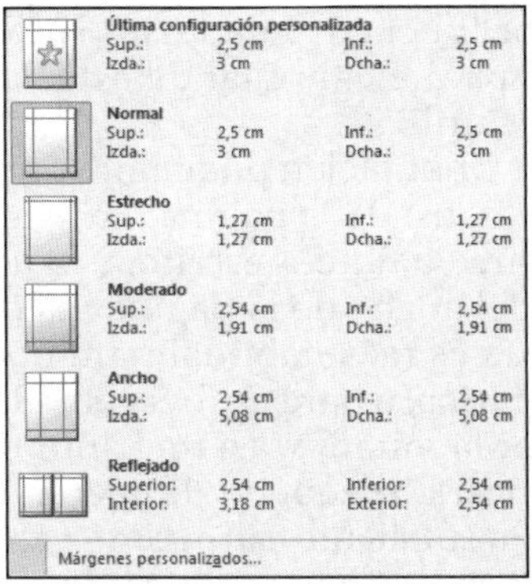

Figura 4.11. Ventana Márgenes.

Los primeros cuatro cuadros de texto, Superior, Inferior, Izquierdo y Derecho definen los márgenes correspondientes a sus nombres. Si nos fijamos en la anterior figura, los márgenes superior e inferior por defecto son de 2,5 centímetros (curiosamente casi una pulgada), mientras que el izquierdo y el derecho son de 3 centímetros. Ésta es la configuración habitual de un documento, que los márgenes sean simétricos dos a dos (superior e inferior, izquierdo y derecho) y que haya más espacio en los márgenes laterales que en los verticales.

> **Nota:** *Si superamos los límites de los márgenes que tiene la impresora instalada por defecto en Windows, Word nos advertirá con un cuadro de diálogo de tal suceso, y nos ofrecerá el botón **Arreglar,** para que aquellos valores que han pasado los límites se ajusten automáticamente a los valores mínimos establecidos por la impresora. Como vemos, no siempre se puede poner un margen de cero centímetros en todas las impresoras.*

Lo que no cambiaremos (en este caso) es el margen de encuadernación, pues el escrito no ocupara tantas páginas como para necesitar encuadernarlo. El margen de encuadernación es otro margen interno que abre un poco más de hueco para que quepa algún tipo de encuadernación (espiral, anillas, etc.), algo más habitual en un documento más grande, como un libro. Lo normal es que las encuadernaciones estén dentro del margen izquierdo, pero también existen otras, tipo "calendario", que se aplican dentro del margen superior. El cuadro de texto Posición del margen interno: servirá para elegir cuál de estas dos encuadernaciones queremos utilizar.

En la sección Orientación podemos elegir que dirección tendrá el texto dentro de la página. La orientación vertical es la habitual para cualquier escrito, y la dirección del texto es a lo largo del ancho de la página. La orientación horizontal o apaisada es más habitual para documentos como folletos y calendarios, o para aprovechar el largo de la hoja, dividiéndola por la mitad, y así imprimir dentro dos páginas más pequeñas. El pequeño dibujo en cada una de las dos opciones es lo suficiente claro como para entender cómo quedará el texto con respecto a la página.

4.7.2. Tamaño del papel

Para modificar el tamaño del papel tenemos la ficha Papel (véase la figura 4.12), que se encuentra en el cuadro de diálogo **Configurar Página** que se abre haciendo clic en la flecha que aparece en la parte inferior derecha del apartado homónimo. El de por defecto es el tamaño A4, el estándar en un folio de papel, y por lo tanto es el más utilizado en la mayoría de las impresoras. Pero existen algunos otros tamaños de hoja que se utilizan a menudo, como puede ser el tipo carta, el B5 o el de algunos sobres estándar. Antes de elegir uno de estos tamaños predeterminados deberemos comprobar que nuestra impresora los acepta.

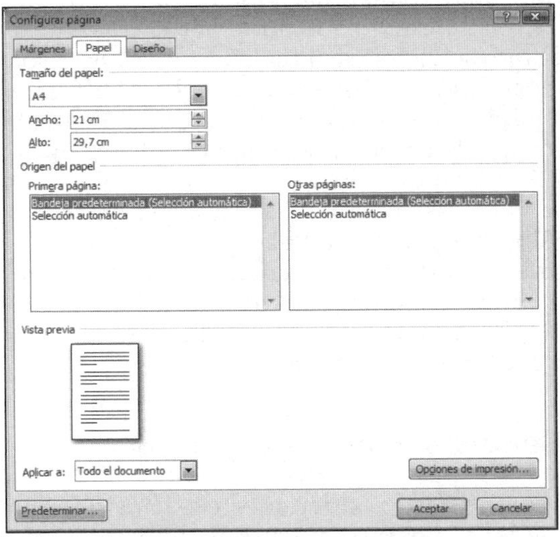

Figura 4.12. Ficha Papel.

Nota: Por regla general, si el tamaño es menor que en el formato A4 la impresora sí lo acepta. Para ello tendrá algunos adaptadores y marcas en los alimentadores de hojas o en la entrada manual de papel, para así poder introducirle el nuevo tipo de hoja.

Otra posibilidad es que nosotros escribamos el tamaño del papel con el que se imprimirá. Los pasos para configurar el tamaño al de una portada de un CD (12x12 cm.) serían:

1. Elegir la opción **Tamaño personal** de la lista desplegable **Tamaño de papel**.
2. Escribiremos, por ejemplo, 12 en el cuadro de texto **Ancho**.

3. Escribiremos de nuevo otro 12 en el cuadro de texto Alto.
4. Hacemos clic en el botón **Aceptar** para que haga efecto en el documento.

Además del tamaño del papel, en esta ficha se puede indicar de dónde vendrá el nuevo tipo de hoja a la impresora, pues en algunas impresoras (sobre todo las láser de oficina) disponen de alimentadores de hojas para cada tamaño de papel. Aunque para el entorno doméstico, las impresoras no disponen más que de la opción de bandeja predeterminada, con lo que no se podrá diferenciar el tipo de papel que se le va introduciendo a la impresora. También es posible que el origen del papel sea diferente para la primera página que para el resto, una opción de utilidad si queremos que la primera hoja, la portada, se imprima con un tipo de papel de otra calidad, un papel satinado, por ejemplo. Para esta hoja en particular se podría poner la opción **Alim. de papel manual** e introducirla a mano en la impresora. El resto se irán cogiendo de la alimentadora habitual. El botón **Opciones de impresión** abre directamente la ficha **Imprimir** del cuadro de diálogo de opciones, dentro de la configuración del programa.

4.7.3. Sangrías y demás espacios

Para configurar los diferentes espacios que puede haber alrededor del párrafo y entre las líneas del mismo, debemos ir a la ficha **Sangría y espacio** del cuadro de diálogo **Párrafo**, haciendo clic en la opción en la flecha que aparece al lado del apartado **Párrafo** dentro de la pestaña **Diseño de Página**. El contenido de la ficha lo podemos ver en la figura 4.13, y sus secciones son:

- **General:** Aquí se define la organización del párrafo con respecto al documento, e incorpora dos listas desplegables:

  - La lista **Alineación:** tiene las cuatro alineaciones de las líneas del párrafo con respecto a los márgenes izquierdo y derecho (o sus respectivas sangrías). Recordemos que son Izquierda, Centrada, Derecha y Justificada.
  - En la lista **Nivel de esquema:** podemos elegir si queremos algún tipo de nivel para el párrafo. Los

niveles definen un Esquema, una organización je-
rárquica (en árbol) del documento para que luego
se pueda hacer, por ejemplo, un índice. Tenemos
hasta nueve niveles de esquema, y un décimo que
no es nivel, sino sólo texto independiente. Enten-
deremos mejor los esquemas cuando veamos las
listas, un poco más adelante.

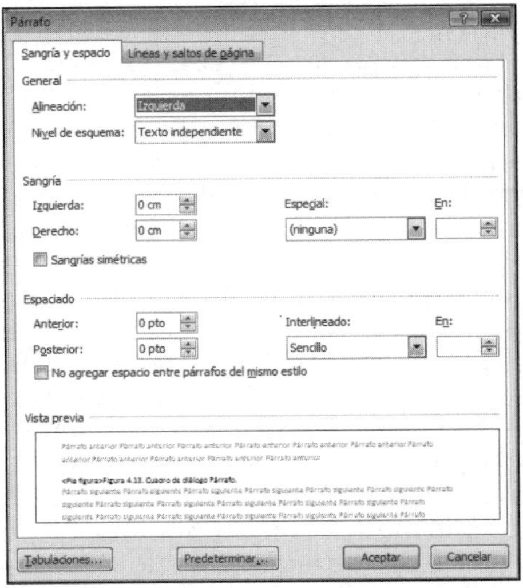

Figura 4.13. Cuadro de diálogo Párrafo.

- **Sangría:** En esta sección se establecen las sangrías (o
  sangrados) del párrafo, que no son más que unos es-
  paciados laterales exclusivos del párrafo, como si fuesen sus propios márgenes. Tenemos los cuadros de
  texto para definir las sangrías izquierda y derecha en
  centímetros, y otro más para dos tipos de sangría especiales. Éstas las tenemos en la lista Especial y son:

  - **Primera línea:** Este sangrado es un espacio que se
    aplica sólo a la primera línea del párrafo. Seguro
    que hemos escrito más de una carta y trabajo de-
    jando este espacio, aunque sea sólo para el pri-
    mer párrafo de todos.
  - **Francesa:** Éste es el espacio que afecta a partir de
    la primera tabulación que insertemos en la pri-
    mera línea (pulsando la tecla **Tab**) y continuando

por la segunda línea hasta el final del párrafo. Un ejemplo de uso de esta sangría es cuando ponemos un asterisco en la primera línea de un párrafo, como separando un tema puntual dentro de una redacción, y tabulamos pulsando la tecla **Tab**. Si aumentamos sólo la sangría francesa, veremos que aumenta la separación del texto que hay detrás de la tabulación, al igual que el del resto de líneas que vengan abajo.

- **Espaciado:** Aquí se configura los espacios que quedarán antes y después del párrafo, y el que hay entre las líneas del mismo. Lo primero nos servirá para eliminar esos saltos de línea manuales que insertamos en la carta de invitación para separar los párrafos entre sí. Sólo hay que modificar los valores de los cuadros de texto **Anterior:** y **Posterior:** para los espacios de superior e inferior del párrafo, respectivamente. En cuanto al interlineado, en la lista desplegable **Interlineado:** disponemos de varios valores prefijados, a elegir entre **Sencillo** (el espacio entre cada dos líneas de texto), **1,5 líneas** (el espacio de una línea y media en blanco entre cada dos de texto), **Doble** (dos líneas en blanco entre cada dos de texto), **Mínimo** (el espacio mínimo en puntos entre cada dos líneas de texto), **Exacto** (el espacio máximo de puntos entre dos líneas) o **Múltiple** (el número de líneas de separación que se establezca). Los tres últimos valores necesitan indicar un valor numérico en el cuadro de texto de su derecha.

Truco: Los valores de estas cuatro sangrías se pueden establecer gráficamente gracias a la barra de regla que hay en la parte superior, entre las barras de herramientas y el área de trabajo. Por defecto, los sangrados están a la misma altura que la de los márgenes. Pero existe la opción de sangrados de un párrafo, con la sangría de primera línea a 1,25 cm. del margen izquierdo, la sangría francesa a 0,5 cm. y la sangría derecha a 13,75cm. Sólo tenemos que hacer clic sobre algunos de estos pequeños botones y arrastrarlos donde deseemos. El botoncillo de sangría izquierda lo que realmente hace es mover a la vez la sangría de primera línea y la francesa, pues las dos son las que forman en realidad la sangría izquierda.

4.7.4. Líneas y saltos de página

En la segunda ficha de la configuración del párrafo, Líneas y saltos de página, tenemos la configuración de la paginación que habrá en todo el documento. También es importante decir aquí que previamente deberemos seleccionar el o los párrafos o líneas a las que queremos que afecten las opciones que en seguida veremos. Las casillas de verificación que podemos activar o desactivar son:

- Control de líneas viudas y huérfanas: La última línea de un párrafo impresa no aparecerá sola al principio de la siguiente página (línea viuda), o al contrario, que la primera línea de un párrafo se imprima en solitario al final de una página (línea huérfana).
- Conservar líneas juntas: Si la activamos haremos que se mantengan juntas las líneas seleccionadas en la misma página y no se separen si entre ellas se fija un salto de página.
- Conservar con el siguiente: A partir de un salto de página se mantienen juntos los párrafos seleccionados.
- Salto de página anterior: Inserta un salto de página antes del párrafo seleccionado.
- Suprimir números de línea: Elimina los números de línea de las mismas que hemos seleccionado.
- No dividir con guiones: Desactivamos la división de palabras con guiones cuando se encuentran al final de una línea y se pasan del margen o sangría derecha.

4.7.5. Tabulaciones

Hemos comentado un poquito acerca de las tabulaciones cuando explicamos el efecto de la sangría francesa. Según parece, una tabulación es un salto que se da en una línea hasta una posición fijada, pulsando para ello la tecla **Tab** (la que tiene encima de **Bloq Mayús**).

Si se fija bien en la barra de regla superior verá unas pequeñas (pequeñísimas más bien) líneas grises oscuro debajo de los números, y se repiten con una separación de 1,25 cm. entre ellas. Éstas son las posiciones por defecto para las tabulaciones. Cada vez que pulse la tecla **Tab** el cursor se pondrá a la altura de la siguiente marca disponible. Esta función está muy bien para hacer pequeños listados en varias columnas, por ejemplo, pero no sería de mucha utilidad si estas medidas no se pudiesen cambiar, eliminar y modificar. Y existen dos formas de hacerlo, una con del cuadro de diálogo Tabulaciones (que además tiene más opciones) y otra de forma gráfica con el ratón (como diseñándolas), algo más rápida pero también más compleja.

Eso sí, todas las tabulaciones que se definan afectan sólo al párrafo donde se encuentre el cursor, a los que se seleccionen previamente o a los siguientes párrafos que vayamos generando según vamos escribiendo.

Para definir la separación de las tabulaciones por defecto o para añadir las nuestras propias, sólo tenemos que abrir el cuadro de diálogo Tabulaciones que aparece en el cuadro de diálogo Párrafo en la parte inferior derecha.

La figura 4.14 nos muestra las opciones que contiene este cuadro de diálogo. La primera que vamos a destacar es la lista Tabulaciones predeterminadas:, que permite establecer el valor de separación entre las tabulaciones que hay por defecto, representadas por esas pequeñas líneas grises debajo de los dígitos de la regla superior. Sólo tenemos que cambiar su valor y hacer clic en el botón **Aceptar** para ver cómo se juntan o separan más esas pequeñas marcas.

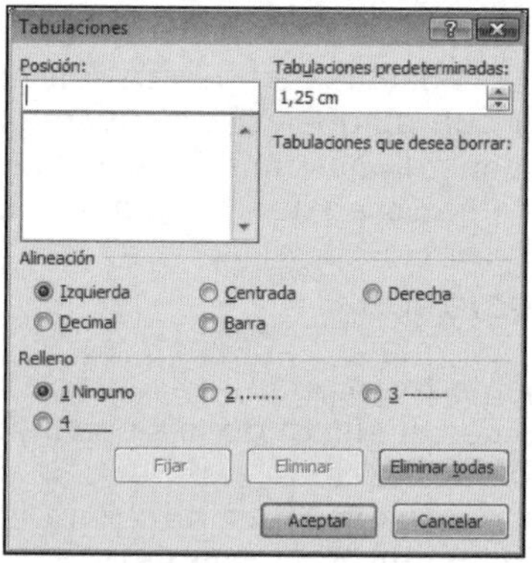

Figura 4.14. Tabulaciones.

Ahora, para crear una tabulación personalizada tenemos que seguir los siguientes pasos:

1. En el cuadro de texto **Posición:** escribimos la posición de la tabulación con respecto al margen izquierdo de la página.
2. En la sección **Alineación** activamos alguno de los 5 botones de opción que tenemos, entre los que podemos elegir:

   - **Izquierda:** El texto que se escriba a partir de esta tabulación se irá dibujando hacia la derecha, con lo que se consigue que se pegue su parte izquierda a la tabulación.
   - **Centrada:** El texto se alinea centralmente a esta tabulación.
   - **Derecha:** El texto que se escriba se irá desplazando hacia la izquierda, pegándose por la derecha a la tabulación.
   - **Decimal:** Si se escriben números, la coma o punto decimal servirá de punto de tabulación. Los dígitos enteros se escribirán hacia la izquierda de la coma y los decimales se escribirán hacia la derecha. Así si tenemos un listado de precios en euros, por ejemplo, quedarán colocaditos y alineados por su coma de decimales.
   - **Barra:** Esta opción no fija una tabulación, sino que dibuja la línea que es imaginaria para las otras tabulaciones, es decir, una barra vertical en la posición que indiquemos.

3. Indicar algunos de los tipos de relleno, es decir, lo que se dibujará en el espacio que hay entre esa tabulación y la siguiente. La opción por defecto es **Ninguno** pero podemos elegir entre un relleno de puntos, de líneas y una línea continua.
4. Hacer clic en el botón **Fijar**.

Si queremos añadir más deberemos repetir estos pasos, pero si queremos eliminar una tabulación, la elegiremos de la lista superior y haremos clic en el botón **Eliminar**. Para eliminarlas todas y dejar sólo las tabulaciones predeterminadas tenemos el botón **Eliminar todas**.

> **Nota:** *Cuando se establece una tabulación personalizada se eliminan los saltos de tabulación predeterminados que haya antes de esta tabulación. Por su derecha aún se conservarán las tabulaciones por defecto.*

Para hacer lo mismo con el ratón, como si casi casi diseñásemos, tenemos la barra de regla superior (esa que vimos antes). Aquí los pasos a seguir son estos:

1. Si nos fijamos bien, a la izquierda de la regla hay una especie de "L" (⌊L⌋). Éste es el indicador del tipo de tabulación que podemos insertar directamente en la regla. Esta "L" es la marca de **Tabulación izquierda**, pero si hacemos clic sobre ella iremos rotando sobre las demás, **Centrar tabulación** (⊥), **Tabulación derecha** (⌐), **Tabulación decimal** (⊥) y **Barra de tabulaciones** (▯). Si seguimos también aparecerán los botones de **Sangría izquierd**a y **Sangría francesa** (▽) (⊟).

2. Fijado el tipo de tabulación hacemos clic directamente en la regla superior, a la distancia en centímetros que queremos. Casi mejor es hacer clic y no soltar el dedo del botón izquierdo del ratón, así podemos arrastrar la marca de tabulación y una línea vertical discontinua nos evitará imaginarnos esa línea imaginaria que siempre comentamos, permitiendo alinear mejor la separación de la tabulación.

3. Si nos equivocamos de posición en la tabulación podemos hacer clic sobre su marca y arrastrarla hacia una nueva.

4. Si lo que no queremos es una tabulación en particular, hacemos clic sobre ella y sin soltar el ratón la arrastramos fuera de la regla. Primero se verá de un gris más apagado y al soltar el botón izquierdo del ratón desaparecerá sin más.

Nota: Con este método no se puede establecer el relleno de los espacios que hay entre tabulaciones, pero sin que se pierdan éstas podemos ir al cuadro de diálogo Tabulaciones y establecerlos allí.

Truco: Si hacemos doble clic sobre una marca de tabulación se abrirá directamente el cuadro de diálogo Tabulaciones.

Como vemos, esto parece casi más un juego que el establecer unas tabulaciones. Si el ratón no es lo nuestro mejor que vayamos al anterior apartado y lo hagamos escribiendo las medidas.

4.7.6. Los Estilos

Los estilos son una agrupación de características que afectan a cada uno de los párrafos del documento, entre los que están los formatos de párrafo, los tipos, color, tamaño, efecto, borde y relleno de letra, y algunos más. Cuando un documento es algo más que una simple hoja con una carta o un fax, lo normal es que haya apartados, secciones, títulos. Esta división del trabajo escrito necesita que para cada una de las diferentes secciones del documento se le aplique un estilo en particular. Así, si decidimos cambiar el aspecto de, por ejemplo, las secciones que tienen sólo listados, todos los listados que tengan el mismo estilo cambiarán a la vez.

Dicho de otra forma, los estilos separan lo que es el contenido del documento (los textos, imágenes...) de su apariencia. Cuando estamos a punto de escribir un documento grande y bien organizado, no debemos preocuparnos de cómo se va a ver hasta el final, porque cada vez que queremos una apariencia distinta en alguna parte del escrito crearemos un estilo (normal, listado, nota, destacado, comentario, cita, título1, título2, sección1, sección 2, etc.). Al final podremos modificar el aspecto de todos los elementos de texto que tengan un estilo en particular sin muchas complicaciones. Por ejemplo, que los textos con estilo "destacado" no aparezcan en amarillo, si no en rojo y además con una letra más grande.

Los estilos se encuentran en la pestaña Inicio, y ya pasamos por encima de ellos en el capítulo 2, pero conviene explicarlos más detenidamente en este capítulo ya que hablamos de la configuración de la página. Los que aparecen a primera vista son Normal, Sin espacio, Título 1, aunque se puede acceder a muchos más haciendo clic en las flechas o en el botón **Cambiar estilos**. El que estén por defecto dice mucho, porque si no se hacen documentos muy complejos, nos basta con los cuatro. El estilo Normal es con el que ha estado escribiendo hasta el momento, y los títulos se utilizan normalmente para eso, para definir el aspecto de los títulos de las secciones que tenga nuestro escrito.

Evidentemente, cada uno dispone de sus propias características de interlineado, fuente, color, tamaño, sangrías, espaciado, etc., pero estas configuraciones se pueden cambiar, o casi mejor, añadir nuestros estilos propios con nuestras propias combinaciones de formatos.

En la pestaña que nos atañe, **Diseño de página**, se encuentran al principio los **Temas**, que tienen mucho que ver con los estilos.

La creación de estilo ahora es mucho más fácil en las nuevas versiones de Word, sobre todo en las dos últimas. Para crear un nuevo estilo hay que hacer clic en **Cambiar estilos** y se mostrará el panel que se puede observar en la figura 4.15. Después hay que hacer clic en el primero de los tres iconos que aparecen en la parte inferior del panel ().

Figura 4.15. Estilos.

Entonces, se abrirá un cuadro de diálogo en el que tenemos las propiedades del estilo y el conjunto de formatos que le definirán, cada uno en su sección:

- En la sección **Propiedades** se define las cualidades del estilo, es decir, su nombre, su tipo (si aplica a un párrafo, a caracteres, a una tabla o a una lista), el estilo en el que se basa (hereda sus formatos) y, muy importante, el estilo que tendrá el siguiente párrafo cuando se cierre el actual con un retorno de carro. Esta última puede parecer sin importancia, pero seguro que agradeceremos que, por ejemplo, al escribir el título de una sección de nuestro documento y pulsar la tecla **Intro** el estilo del siguiente párrafo cambie a uno de texto normal, ¿verdad?

- En la sección **Formato** elegiremos la combinación de formatos de letra y párrafo que formarán el aspecto visual del estilo. Disponemos de dos barras de herramientas, la primera para elegir rápidamente el tipo, tamaño, formato y color de la letra, y la segunda para propiedades de párrafo, como la alineación, el interlineado, la separación superior e inferior y el sangrado izquierdo y derecho. No tengamos miedo de ir probando cada uno de los botones, pues tenemos un panel de vista previa más abajo, para que nos hagamos una idea de cómo quedará el estilo cuando se aplique a un párrafo de nuestro documento.

En la parte inferior todavía tenemos dos casillas de verificación, cada una con su cometido cuando se activa:

- **Agregar a la plantilla** hará que el estilo se memorice en la plantilla que se esté utilizando en este momento, para así ser reutilizada en otros documentos si utilizamos esa misma plantilla. Si no es así, el documento será el único que tenga este nuevo estilo. Ahora mismo veremos lo que son las plantillas.

- **Actualizar automáticamente** activará la función para que cada vez que haya un cambio en el párrafo que use este nuevo estilo, hará que éste guarde en él ese cambio. Sería algo así como decir que es un estilo dinámico.

Éstas son sólo las propiedades de formato más habituales, pero para disponer de todas tenemos el botón **Formato**, donde contiene un menú con todas las opciones posibles de cambio de formato del estilo. Algunas de ellas ya nos son conocidas, otras aún están por ver, pero hay una en particular que seguro nos llama la atención, y que tampoco es muy complicada de manejar. Se trata de la opción **Método abreviado...**, donde podremos asignar una combinación de teclas para que se aplique el estilo rápidamente. Seleccionando la opción nos encontraremos con el cuadro de diálogo **Personalizar teclado**.

Que no nos asuste tanto elemento, porque la mayoría son meramente informativas. Lo que realmente nos hace falta es pulsar una combinación de teclas, como por ejemplo **Alt-N**. Como el foco del teclado (y por tanto el cursor) está sobre el cuadro de texto **Nueva tecla de método abreviado:**, veremos cómo aparece escrita dicha combinación en el cuadro. Además, un mensaje nos advertirá que no está asignada a otro comando, porque puede darse el caso de algunas combinaciones de teclas que ya están cogidas para algunas funciones importantes de Word 2007, y podrían chocar. También se nos da la posibilidad de elegir la plantilla donde guardar este método abreviado y nada más. Sólo habría que hacer clic sobre el botón **Asignar** y después sobre el botón **Cerrar** (véase la figura 4.16).

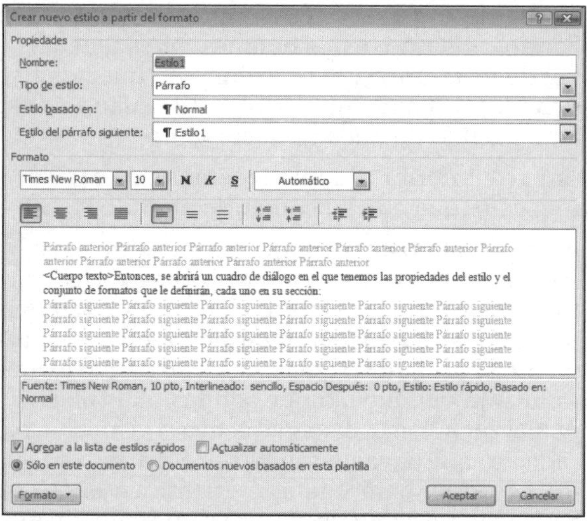

Figura 4.16. Crear estilo nuevo.

> **Nota:** *Para Word 2007, la aplicación de un estilo cualquiera puede considerarse un comando, y por tanto, tener asociado un método abreviado.*

Quizás piense que Word 2007 no nos lo pueda poner más fácil en la creación y definición de un nuevo estilo. Pues bien, se equivoca. No sé si se habrá dado cuenta (seguro que sí), pero si modifica el formato de un párrafo o texto también cambiará el nombre del estilo en la lista desplegable de estilos de la barra de herramientas Formato y de la sección Formato del texto seleccionado del panel de tareas Estilos y formato, si es que lo tiene abierto. Esto significa que Word va guardando temporalmente las combinaciones en los cambios de formato para crear estilos. Eso sí, los nombres de dichos estilos son un poco "matemáticos", como Normal + 11 pt, Azul, Subrayado, cuando a lo mejor nosotros queremos llamarlo Cabecera, porque cuando escribamos una cabecera de una sección del documento queremos texto basado en el estilo Normal, pero con 11 puntos de tamaño, de color azul y subrayado. Para registrar nuestro nuevo estilo sólo tenemos que escribirlo en el interior de la lista desplegable de estilos, en la barra de tareas Formato.

Para modificar estilos, necesitaremos de nuevo el panel de tareas Estilos y formato para cambiar las propiedades de un estilo. Localizamos el que queremos modificar y, bien con el botón derecho del ratón, o bien con la pequeña flecha que aparecerá a su derecha, desplegamos el menú flotante del estilo. Las cuatro acciones a poder realizar son:

- **Seleccionar las n veces que aparece**, siendo "n" el número de veces que se aplica el estilo en el documento. Esta función es casi idéntica a la que vimos en la función Seleccionar texto con formato similar en el segundo capítulo. Word marcará todo el texto que tenga aplicado el estilo elegido de la lista, muy interesante para hacer cambios rápidos a secciones comunes del documento.

> *Nota: La acción de eliminar el estilo se puede volver atrás con la función* Deshacer.

- **Modificar estilo**, o sólo **Modificar** si el estilo es uno de los predefinidos. Eligiendo esta opción tendremos de nuevo el cuadro de diálogo como en la creación de un nuevo estilo, solo que éste se llamará Modificar el estilo. Lo aplicado a un nuevo estilo, claro está que también valdrá para modificar sus propiedades y formatos.
- **Eliminar**. El estilo se borrará de la lista de Estilos y formato.
- **Actualizar para que coincida con la selección**. Esta opción recogerá los formatos del texto que tengamos seleccionado y los pasará al estilo que hayamos elegido.

Los estilos son una agrupación de muchas propiedades y formatos de carácter y párrafo. Para verlas todas resumidas Word 2007 nos ofrece el panel de tareas Mostrar formato. Para hacerlo aparecer podemos pulsar las teclas del método abreviado **Mayús-F1**.

> ***Nota:*** *Si queremos ver todos los estilos que Word 2007 ha creado pasa a utilizarlo con diversas funciones del programa, sólo tenemos que elegir la opción* Todos los estilos *de la lista desplegable* Mostrar:, *en la parte inferior del panel de tareas* Estilo y formato, *y echar un vistazo a la larga lista que aparece.*

El panel de tareas que aparecerá se verá como en la figura 4.17, y como vemos, es de lo más completito. Mejor vamos por secciones, y no en el orden que vemos precisamente:

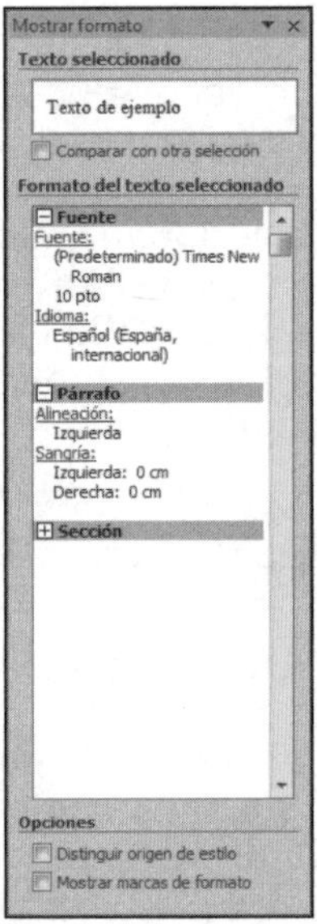

Figura 4.17. Mostrar formato.

- En la sección Formato del texto seleccionado es donde aparece una lista con el resumen de los estilos y formatos independientes que se aplican a la fuente, al párrafo y a la sección donde esté colocado el cursor o el texto seleccionado. Más información... ¡imposible!
- En la sección Texto seleccionado tenemos un área con una vista preliminar de la palabra donde está el cursor con el estilo y formatos que tiene. Si es una

selección sólo aparecerán las primeras letras y si no hay texto, Word escribirá "Texto de ejemplo". Además disponemos de la más que interesante opción **Comparar con otra selección**, donde si activamos su casilla de verificación veremos cómo crece esta sección. Aparecerá un segundo panel con el mismo texto y formato que el de antes, y en el área de resumen, ahora dentro de la sección **Diferencias de formato**, aparece el mensaje "No hay diferencias de formato". Esto nos indica que debemos seleccionar o dejar el cursor en la parte del documento donde queremos comparar las diferencias de formatos, con lo que veremos el milagro. Ahora veremos el resumen anterior, pero con cada propiedad comparada con la del nuevo formato a comparar.

Como vemos, todo son facilidades por parte de Word 2007 para que cuidemos el aspecto de nuestros documentos y nuestra productividad, porque no hay que negar que el uso de los estilos acelera enormemente el proceso de formateo de un documento, sobre todo para los más largos. Merece la pena dedicar un poco de tiempo a crear media docena de estilos (no muchos más) y luego disfrutar viendo con qué poco esfuerzo se cambia y organiza el aspecto general de nuestro escrito.

4.7.7. Guardar el formato: creación de una plantilla

Las plantillas son un conjunto de propiedades que definen la apariencia, los estilos y el comportamiento (comandos) de los documentos que la utilicen. Al igual que un estilo define una agrupación de formatos que se aplica a diferentes partes del documento y darles así una misma apariencia, una plantilla define el aspecto y comportamiento que tendrán los documentos donde se aplique. Otra forma de verlo es decir que una plantilla es un documento maestro, define un tipo de documento, como por ejemplo una carta, un libro, un díptico, la portada de un CD.

Todos los documentos creados en Word 2007 se basan en alguna plantilla, pues en ellas es donde se definen todas las propiedades del documento, como los menús, las macros, los estilos, la configuración personal, etc. Si nuestro documento lo hemos creado a partir de uno en blanco, sepa que pertenece a una plantilla Normal.dot, que define el entorno de trabajo por defecto para crear un nuevo documento.

Las plantillas son enormemente útiles, sobre todo acelerando todo el trabajo diario de una oficina, pues se definen modelos de documentos que se escriben habitualmente. Además, con la creación de plantillas personalizadas se creará un *look* de empresa (o personal) en los documentos, sin que tengamos apenas que retocar la apariencia de los mismos, sino sólo centrándonos en rellenarlos con texto. Seguro que más de un secretario o secretaria agradecerá la invención de las plantillas cuando tenga creadas algunas, como por ejemplo, para faxes, citaciones de reuniones, cartas a clientes, memorandos, modelos de currículos de los empleados, etiquetas para los sobres, etc. Y todas con el logotipo, colores, tipos de letra y diseño corporativos.

Siempre tendremos que basarnos en una plantilla para crear una nueva. Y cuando decimos crearla hablamos de guardarla en disco. Si nos basamos en la plantilla por defecto (Normal.dot) tendremos una base para empezar casi desde cero para definir estilos, macros, métodos abreviados, menús personalizados, etc. Si nos basamos en una más elaborada, como la de Fax moderno, podemos retocarla para que el *look* del fax sea más acorde con el diseño de la empresa, o el particular de cada uno.

Como hemos dicho que crear una plantilla nueva es guardarla en disco, lo único que necesitaremos es tener abierto al menos un documento en Word, sea del tipo que sea (incluso otra plantilla del disco duro o de Internet que hayamos abierto), y que ese documento tenga la configuración personal que más nos convenga. Para ello abriremos el cuadro de diálogo **Guardar como** haciendo clic en el **Botón de Office** y seleccionando la opción **Guardar como...** Dentro de este cuadro (que ya nos sonará del anterior capítulo) deberemos ir a **Otros formatos** y en el desplegable elegir la opción **Plantilla de documento** (*.dot). Luego escribiremos el nombre que le queramos dar a la nueva plantilla (por ejemplo, `Cartas a clientes.dot`) y lo guardaremos en alguna carpeta de nuestro equipo o red.

Y no hay mucho más que hacer, sólo darse cuenta de que los archivos de plantilla de Word 2007 tienen la extensión `.dot`, y el icono es el mismo que el de un documento normal, por lo que habrá que prestar una especial atención.

5

Otros elementos útiles

5.1. Introducción

Poco a poco, según hemos ido avanzando en esta Guía Práctica, se ha ido profundizando en las funciones más habituales y más sencillas de Word. Aquellas que son imprescindibles para conocer cómo utilizar de forma rápida y práctica este programa y poder crear documentos en el menor tiempo posible. En este capítulo vamos a ver algún elemento algo más complejo y menos usado habitualmente pero que, al fin y al cabo, forma parte del programa y le añade mucha más profundidad y calidad al permitir realizar labores automáticas que evitan mucho tiempo y esfuerzo. Pararemos en la pestaña de Referencias y en la de Correspondencia para conocer con detalle las funciones que Word incluye para los trabajos de documentación y bibliografía y para poder realizar envíos de correspondencia de una forma rápida y sencilla y, además, nos remontaremos un poquito para atrás para conocer de primera mano cómo realizar y utilizar plantillas predefinidas de documentos o cómo utilizar de forma más práctica los comandos de Abrir y Guardar.

5.2. Las referencias

Como ya hemos comentado durante esta Guía Práctica, Word es mucho más que un editor de textos. No sólo es utilizado por usuarios que pretenden hacer documentos de forma fácil y directa, sino que también se usa muy a menudo por profesionales de los medios o por gente que quiere realizar trabajos de investigación o documentos profesionales de calidad, por lo que Microsoft ha añadido, desde siempre, distintas funcionalidades que satisfacen las necesidades de este público más exigente y que, sin ser fundamentales a la hora de utilizar el software para la mayor parte de los usuarios, siempre viene bien conocer para tener una idea mucho más completa de las bondades de Word. Es el caso de esta pestaña **Referencias**, que hará las delicias de los bibliógrafos y documentalistas al ponerles muy fácil la creación de una serie de elementos muy útiles para sus documentos (véase la figura 5.1).

Figura 5.1. Pestaña Referencias.

5.2.1. Crear tablas de contenido

Word lo llama tablas de contenido pero, a la larga, se puede decir que esta función está dedicada a crear índices, de menor o mayor tamaño, que permitan organizar de forma sencilla un documento. Aún así, es cierto que es una de las herramientas que peor han sabido ajustar y no es fácil dominarla. Pasaremos por encima ya que estamos en una Guía Práctica, no en un manual al uso. Para crear una tabla de contenido no hay más que hacer clic en **Tabla de contenido**, seleccionar una plantilla y seguir las instrucciones que el propio Word va dando (véase la figura 5.2). Con las otras opciones que aparecen en este primer apartado, se completan las funcionalidades. Sirven para permitir la introducción de texto que formará parte de la tabla y para actualizarlo, respectivamente. Su función básica es seleccionar textos que tienen el mismo formato y agruparlos formando una tabla.

Figura 5.2. Tabla de contenido.

5.2.2. Escribir notas al pie

Es algo muy habitual redactar documentos con notas al pie de página que aclaren algún aspecto del que se ha escrito en el cuerpo del documento pero que no puede ser aclarado en esas líneas. Sobre todo, se utiliza mucho para aclarar citas, para explicar las fuentes de algunos datos técnicos, etc (véase la figura 5.3).

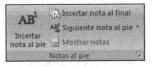

Figura 5.3. Notas al pie.

Las cuatro opciones que permite el apartado Notas al pie de la pestaña Referencias son:

- **Insertar nota al pie:** Es el procedimiento básico para insertar la típica nota al pie que comentábamos. La nota será puesta justo en el pie de la página en la que se está escribiendo. Se habilitará una línea y un espacio para escribir, con letra pequeña, la aclaración pertinente.
- **Insertar nota al final:** Utilizando esta opción, la nota se insertará al final del documento, no al pie de página.
- **Siguiente nota al pie:** Es un atajo para poder desplazarse de una nota a otra sin necesidad de bajar la barra del documento.
- **Mostrar notas:** Una forma rápida de visualizar todas las notas que se han ido creando.

5.2.3. Citas y bibliografía

En esta sección, también para usuarios más avanzados, y especialmente creada para redactar documentos bibliográficos o de documentación, se permite la creación de Citas y Bibliografías (véase la figura 5.4). Word 2007 pretende facilitar al usuario su trabajo y ha realizado esta herramienta para poder ir almacenando todas las citas y obras bibliográficas de manera que cuando se escribe una cita sobre un autor determinado se va almacenando en la memoria para que, en un futuro, a la hora de publicar una bibliografía (habitual cuando se realiza un trabajo documentativo), Word recuerde ese listado y que se pueda mostrar automáticamente. Las bibliografías, por cierto, se muestran como tablas de contenido.

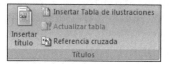

Figura 5.4. Citas y bibliografías.

5.2.4. Crear títulos específicos

Muchas veces, cuando se está escribiendo un documento, se necesita poner nombre a ciertos objetos que se van insertando para mantener una coherencia y una organización básica que de empaque al producto que se crea: imágenes, tablas, etc. Para esa razón se ha creado este apartado de Títulos dentro de la pestaña de Referencias. Haciendo clic en **Insertar título** se pueden crear títulos con diferente estilo, fuente y color, que diferencien un apartado de otro y que mantengan una estructura firme (véase la figura 5.5). Después, es posible insertar una tabla de ilustraciones utilizando el sistema de tabla de contenido y actualizarla con los datos insertados. La referencia cruzada, como ya hemos comentado, sirve para dividir el documento de forma interactiva para que se pueda saltar de un sitio a otro con un acceso directo.

Figura 5.5. Insertar título.

5.2.5. Crear índice

No hay trabajo bien presentado sin índice. Y si bien es cierto que un índice se puede hacer de forma manual, también es verdad que lo más cómodo es realizarlos de forma automática. En el penúltimo apartado de la pestaña Referencias, se permite realizar esta acción. Sin embargo, es cierto que esta opción tampoco es de las más sencillas y puede resultar algo confuso para los menos avanzados (véase la figura 5.6).

Figura 5.6. Crear índice.

Para ello sólo hay que seleccionar aquellas palabras que queremos que formen parte del índice y hacer clic en **Marcar entrada** (véase la figura 5.7). Aparecerá una ventana como la que muestra la próxima imagen. Es posible crear aquí también una referencia cruzada para que cuando aparezca esta entrada marcada, a su lado, se pueda leer un "Véase…" que nos direccione hacia el lugar deseado. Cuando se haya terminado, haga clic en **Marcar** y esta entrada quedará almacenada para el índice.

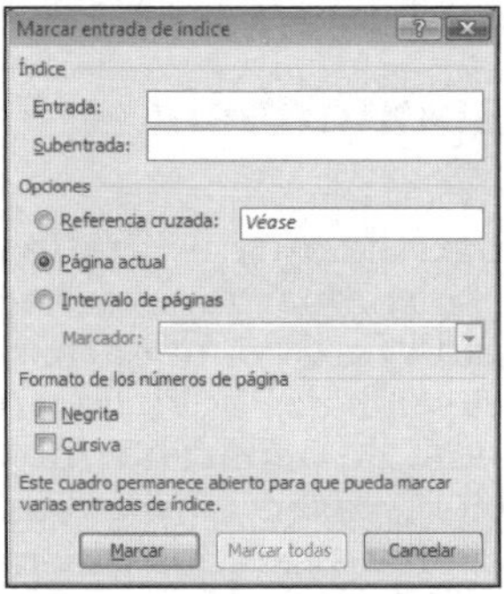

Figura 5.7. Marcar.

> **Nota:** *Ojo, al marcar una entrada para el índice Word activa automáticamente el formato oculto, por lo que aparecerán todos los símbolos de párrafo y formato que contenga el texto.*

Después, una vez se hayan guardado todas las entradas que formarán parte del índice, haga clic en el botón que se muestra en la figura 5.8 y se insertará el índice.

Figura 5.8. Insertar índice.

5.2.6. Tabla de autoridades

Esta opción está diseñada especialmente para determinados usuarios de Word que creen documentos oficiales o verdaderamente trabajados. Su función principal, utilizando el mismo estilo que la tabla de contenido, es ir almacenando citas especiales que pueden contener países, leyes, normas, etc., para crear a posteriori una tabla con todos esos datos y publicar todas esas citas al finalizar el documento (véase la figura 5.9).

Figura 5.9. Tabla de autoridades.

5.3. La correspondencia

Word es un programa muy utilizado en las oficinas, en trabajos en el que se comparten ordenadores o donde los trabajadores utilizan Word como parte natural de su día a día en su equipo de trabajo. Y las necesidades de las empresas, especialmente de departamentos como secretariados o administración, pasan en muchas ocasiones por la fabricación y creación de listados de envío de correspondencia, *mailings*, y acciones variadas de ese tipo. Para esos casos, desde hace ya muchos años, Word ha ido fabricando soluciones que permiten realizar esas tareas de forma casi intuitiva y muy mecanizada, evitando que cada envío individual haya de ser tratado como único, permitiendo crear estándares de funcionamiento fácilmente personalificables.

Esta vez, para facilitar aún más esta posibilidad, Word 2007 incluye una pestaña denominada Correspondencia que ha sido creada exclusivamente para tratar este acometido, por lo que esta vez, más que nunca, realizar envíos de cartas, crear etiquetas o configurar sobres es sencillísimo.

5.3.1. Crear sobres y etiquetas

Como decimos, una de las funciones más prácticas de este famoso editor de textos ha sido la posibilidad de crear *mailings* de forma sencilla y rápida. Una vez más, Word presenta un sistema mejorado que permite ganar tiempo y conseguir un trabajo mucho más cualificado con menos esfuerzo.

Lo primero que se puede hacer en esta nueva versión de Word es crear sobres o etiquetas.

Para ello, sólo hay que hacer clic en el botón **Crear** ( ). Una vez hecho eso, una ventana como la que muestra la figura 5.10 nos dejará elegir entre crear sobres o hacer lo propio con etiquetas.

Figura 5.10. Crear sobres o etiquetas.

Después, se abrirá un cuadro de diálogo como el que muestra la figura 5.11 en el que se pueden configurar las distintas opciones que permiten personalizar al máximo el trabajo.

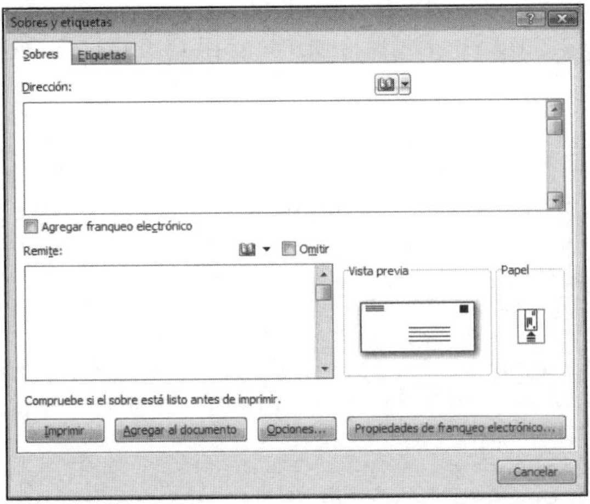

Figura 5.11. Cuadro diálogo sobres.

Así, en sobres, encontramos las siguientes opciones:

- **Dirección:** Es el lugar apropiado para introducir la dirección postal de la persona a la que queremos realizar el envío.

- **Agregar franqueo electrónico:** Esta es una opción avanzada que sólo está disponible si se instala un software específico para realizar franqueo electrónico. Es una opción más para profesionales que para usuarios comunes de Word.

- **Remite:** Lógicamente, al igual que en la escritura a mano tradicional a la hora de enviar sobres, el Remite es la persona que envía la comunicación, el encargado de enviar la carta y su función es doble: hacer al receptor conocedor de la persona que le envía la carta y servir como dirección de devolución en caso de pérdida o imposibilidad de entrega. En este campo se rellena de la misma forma que en el de dirección.

- **Libreta de direcciones:** Haciendo clic en el libro abierto que aparece en la parte central de la ventana es posible buscar alguna dirección almacenada en la libreta del Outlook, en lo que supone otro gran ejemplo de integración de todo el paquete Office.

- **Omitir:** Haciendo clic en esta casilla, el remite permanecerá oculto y no ha de ser rellenado.

- **Vista previa:** Haciendo clic en la imagen que muestra la vista previa del sobre que se está creando, se abrirá un nuevo cuadro de diálogo (véase la figura 5.12) que permite modificar el tamaño del sobre o la fuente del remite y la dirección.

- Haciendo clic en el icono que se encuentra debajo del texto Papel, se abrirá un nuevo cuadro de diálogo en el que se mostrará la segunda de las pestañas del cuadro anteriormente citado en el que se pueden modificar las opciones de impresión del sobre: el tipo de papel, etc.

- **Imprimir:** Obviamente, haciendo clic aquí se pasará directamente a las opciones de impresión.

- **Agregar al documento:** Con esta opción, un sobre será añadido al documento en curso.

- **Opciones:** De la misma forma que haciendo clic en los iconos ya comentados de vista previa y papel, así se consigue acceder al interesante menú de opciones.

Figura 5.12. Opciones creación de sobres.

Lo explicado hasta el momento se refiere en cuanto a la creación de sobres. Si, por el contrario, lo que el usuario desea es crear etiquetas, no tiene más que realizar el mismo proceso pero seleccionando el botón **Etiquetas**. Las opciones son muy similares aunque se puede seleccionar alguna característica propia de este formato: como las características de la propia etiqueta o sus propiedades de configuración.

5.3.2. Combinar correspondencia

Sin lugar a dudas, estamos ante una de esas funciones que hacen que el ser humano agradezca enormemente el desarrollo de las máquinas. Y es que hay procesos semiautomáticos que nos facilitan la vida y nos permiten dedicarnos a otras cosas en lugar de perder ingentes cantidades de tiempo en cosas que deberían ser innecesarias. Es el caso del envío masivo de cartas similares a distintas personas. Como comentábamos anteriormente, es muy habitual en empleos de administración o secretariado en casi todas las empresas realizar envíos de cartas a multitud de destinatarios que, a menudo, contienen el mismo contenido y que sólo se diferencian por el destinatario, ya que son cartas comunes en el contenido pero que han de llegar a diferentes personas que pueden estar en cualquier parte del mundo. Y hay pocas cosas más aburridas e inútiles que tener que ir escribiendo, a mano, cada una de esas direcciones postales en cada una de las cartas que se quieren enviar. Para eso los hombres inventamos las máquinas y,

145

particularmente, los ordenadores, para automatizar ciertas operaciones aburridas y matemáticas y conseguir
optimizar el tiempo.

Con la opción de combinar correspondencia de Word,
todo eso es posible. Para hacerlo, sólo hay que hacer clic en
Iniciar combinación de correspondencia, opción que se encuentra, lógicamente, en la pestaña **Correspondencia** y se
tendrá acceso al menú que muestra la figura 5.13.

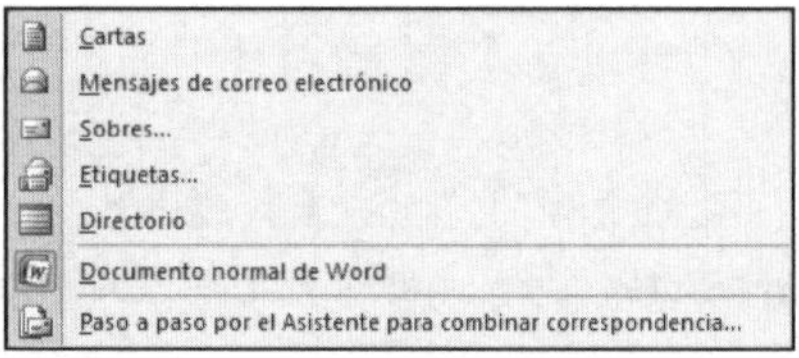

Figura 5.13. Opciones creación de sobres.

Para evitar errores, y porque se puede tratar de un proceso algo complejo para alguien que no está muy habitua-
do a realizar este tipo de operaciones, desde este manual
recomendamos al usuario que siga paso a paso el utilísimo
manual que se encuentra en la última de las opciones de la
ventana citada.

Haciendo clic en **Paso a paso por el asistente...** aparecerá un panel lateral que le guiará de la forma más fácil
posible en este proceso (véase la figura 5.14).

En este sencillo manual, se pueden aprender los trucos
más interesantes para realizar la combinación de correspondencia, ya sea trabajando con cartas, con mensajes de
correo electrónico, con sobres, con etiquetas o con listas de
direcciones.

El siguiente paso, una vez haya aprendido a utilizar
este proceso tras observar detenidamente lo que le recomienda el manual interactivo de Word, sería siempre crear
una selección de destinatarios, una lista de personas a las
que les será enviado el mailing. Para ello, haga clic en **Seleccionar destinatarios** y le aparecerá un menú como el
que muestra la figura 5.15.

En este pequeño menú podrá elegir entre crear una lista
nueva, utilizar una ya existente o integrar una libreta de
direcciones de Outlook. Si elige crear una lista nueva, le
aparecerá una ventana nueva como la que se pude observar en la figura 5.16.

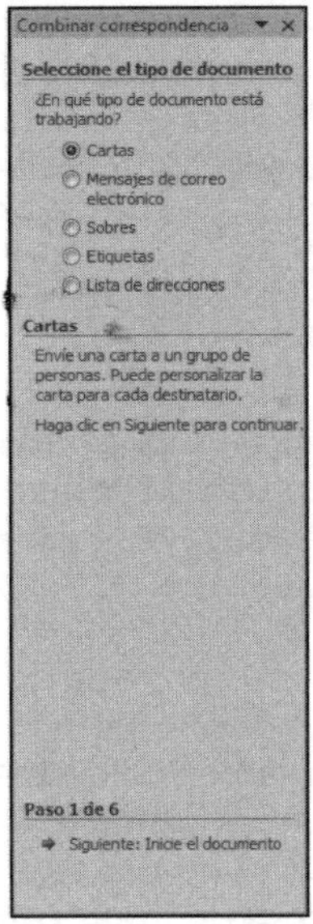

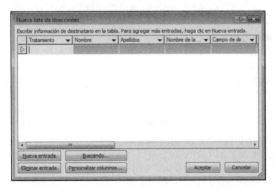

Figura 5.14. Panel de ayuda

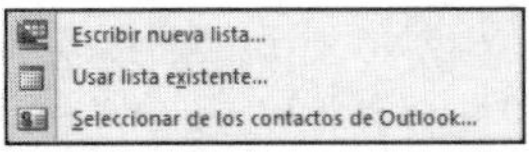

Figura 5.15. Seleccionar destinatarios.

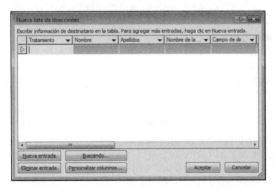

Figura 5.16. Nueva lista de destinatarios.

En esta lista puede rellenar los siguientes campos:

- **Tratamiento:** Para escribir Don, Doña, Señor, etc.
- **Nombre.**

- **Apellidos.**
- **Nombre de la organización:** Si pertenece a alguna empresa.
- **Campo de dirección:** Este es el lugar designado para la escritura de la dirección postal.

Además, en la parte inferior de la ventana se pueden leer algunas de las opciones que se permite realizar desde esta pantalla:

- Haciendo clic en **Nueva entrada** será posible introducir un nuevo destinatario en la lista.
- Haciendo clic en **Buscando** se realizará una búsqueda entre todos los contactos que ya se hayan introducido.
- Utilizando **Eliminar entrada** se borrará el destinatario que se haya seleccionado.
- Utilizando la opción **Personalizar columnas** se puede escribir el campo que se crea oportuno en cada una de las columnas que conforman esta tabla, de manera que se puede crear una lista de direcciones totalmente individualizada que se ajuste a las necesidades puntuales de cada cual.

Si, por el contrario, lo que desea es abrir una lista ya existente, no tiene más que hacer clic en **Seleccionar destinatarios>Usar una lista existente** y se abrirá una ventana como la que muestra la figura 5.15.

Busque la lista que tenía creada con anterioridad en su equipo utilizando el Explorador de Windows y, después, haga clic en **Abrir**.

Por último, si lo que pretende hacer es recuperar sus contactos de Outlook para realizar el envío como los que se muestra en la figura 5.17, aprovechando así la potente compatibilidad de ambos productos, seleccione la última de las opciones del menú **Seleccionar destinatarios>Seleccionar de los contactos de Outlook** y le aparecerá la ventana que puede ver en la figura 5.18.

Cuando ya se tiene abierta una lista de destinatarios, el apartado **Escribir e insertar campos**, que aparece en segundo lugar en la pestaña **Correspondencia**, quedará habilitado en la mayoría de sus opciones para que pueda seguir realizando acciones a efectos de la combinación de correspondencia.

Así, haciendo clic en **Bloque de direcciones** se abrirá una ventana como la que muestra la imagen 5.19.

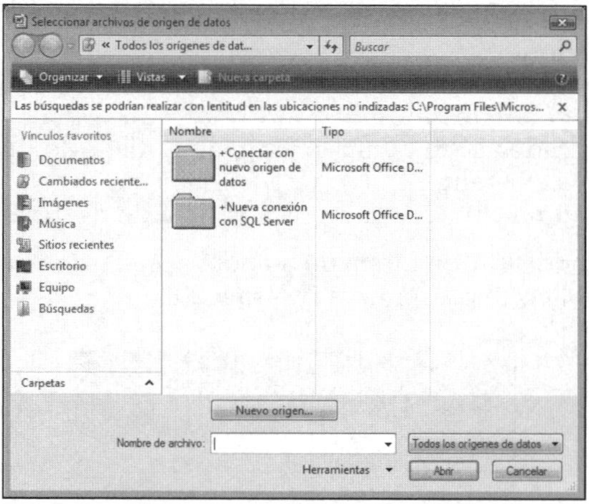

Figura 5.17. Importar contactos de Outlook.

Figura 5.18. Nueva lista de destinatarios.

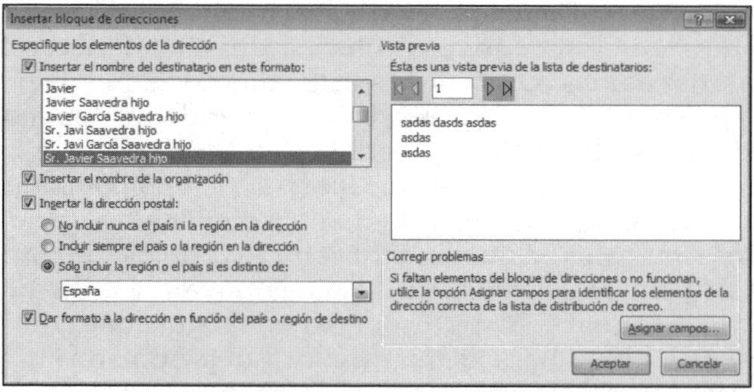

Figura 5.19. Bloque de direcciones.

Aquí podrá especificar algunas opciones para su correspondencia:

- Insertar el nombre del destinatario en el formato elegido.
- Insertar o no el nombre de la organización a la que pertenece el destinatario.

- Insertar la dirección postal incluyendo el país o la región.
- Dar formato a la dirección en función del país o región del destino.
- Acceder a una vista previa de la lista de destinatarios existente.
- Asignar nuevos campos a la lista de destinatarios.

Haciendo clic en **Línea de saludo**, accederá a una ventana como la que presenta la figura 5.20.

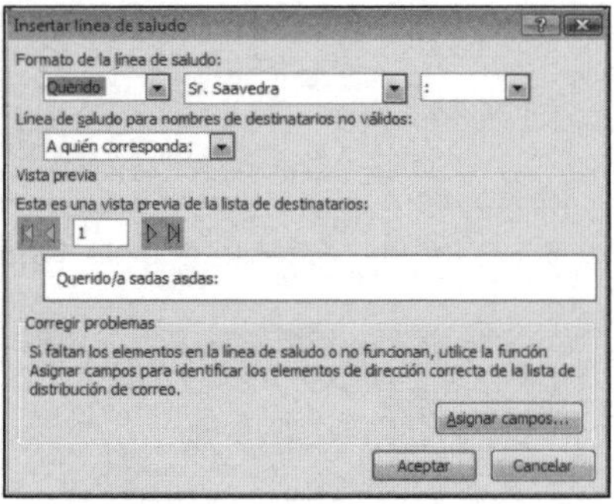

Figura 5.20. Línea de saludo.

Con esta útil función, podrá automatizar tareas un tanto aburridas y repetitivas de forma directa sin necesidad de perder demasiado tiempo en algo que no merece la pena. Así, podrá añadir saludos del tipo "Querido Sr. Saavedra" y asignarlo a los posibles destinatarios elegidos.

Mientras, haciendo clic en **Insertar campo combinado**, lo que se consigue es, directamente, acceder a las opciones de insertar campos nuevos a nuestra lista de destinatarios.

Los pequeños iconos que se muestran en la parte derecha de este apartado corresponden a las funciones de **Reglas**: que sirven para asignar a Word determinadas reglas que permitan discernir entre qué elementos de la lista son apropiados para ciertas acciones y cuáles no, **Asignar campos**, que permite asignar ciertos nombres de acción a algunas de las opciones que se le puede ordenar a Word para simplificar un proceso, y **Actualizar etiquetas**, sólo utilizado si se están usando etiquetas.

El apartado **Vista previa de resultados** es útil para moverse de forma sencilla y sin necesidad de abrir ventanas molestas por la lista de destinatarios que tenemos abierta.

Haciendo clic en las flechas se moverá hacia el contacto posterior o anterior. Además, podrá realizar una comprobación automática de errores que puede llegar a ser muy útil para evitar fallos inesperados.

Una vez que se hayan realizado todos los cambios deseados y después de haber entendido bien el funcionamiento de esta herramienta de Word gracias a la fenomenal guía de ayuda integrada en el propio programa, el último paso a dar Finalizar y combinar. Haciendo clic en este botón se abrirá un menú como el que muestra la figura 5.21.

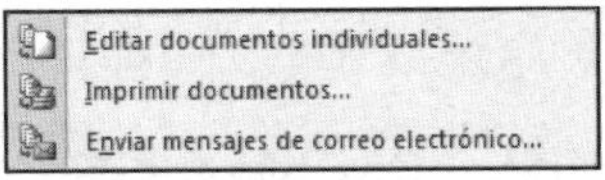

Figura 5.21. Finalizar combinación de correspondencia.

En este menú es posible Editar documentos individuales, Imprimir documentos y Enviar mensajes de correo electrónico.

5.4. Trucos para abrir y guardar documentos

5.4.1. Abriendo documentos

Parece que la manera más cómoda de abrir un documento de Word guardado en un archivo es, como hemos comentado anteriormente, haciendo clic sobre el archivo .doc que lo almacena explorando por Mi PC. Pero no es la única, y puede que tampoco la más cómoda (eso depende de cada usuario). Veamos otra forma de realizar esta tarea; abrimos antes el programa y elegimos entre:

- Abrir el menú Botón de Office. Al hacer eso, automáticamente aparecerán aquellos archivos que se han abierto últimamente en Word. Si no ha pasado mucho tiempo desde que utilizamos el documento puede que encontremos su archivo aquí.
- Haciendo clic en el botón **Abrir** del propio menú del Botón de Office.
- Pulsando la combinación de teclas **Control-A**.

La primera opción es un atajo creado por el programa para aquellos documentos que más utilizamos o los que son más recientes.

Lo que nos encontraremos al iniciar esta función es su cuadro de diálogo (por supuesto también llamado Abrir). Si es la primera vez que utiliza Word 2007, lo que verá es el contenido de la carpeta Mis documentos del usuario que inició la sesión en Windows (si no hay varios usuarios registrados en Windows serán sólo sus documentos) (véase la figura 5.22).

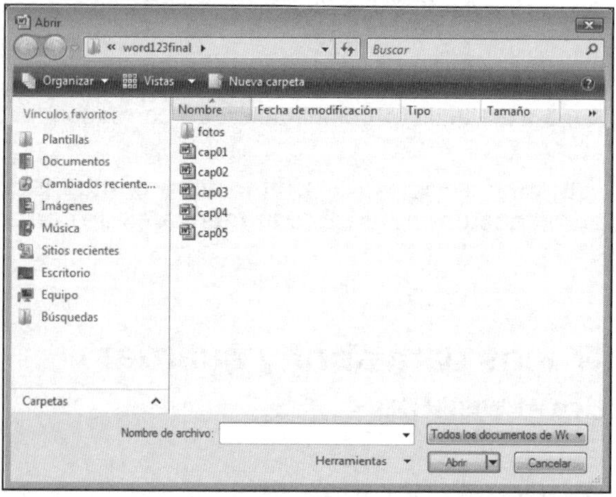

Figura 5.22. Abrir.

Para abrir el documento sólo tendremos que movernos por las carpetas, localizar el archivo y, o bien, hacer clic sobre él, seleccionarlo (o varios) y pulsar **Intro** o hacer clic en el botón **Abrir**.

Pero fijémonos en la cantidad de opciones que tenemos en el cuadro. Si observamos un poco, éste no parece ser un cuadro de diálogo habitual, fíjese con atención. A la izquierda aparecerá un panel con un fondo azulado que destacará del resto de elementos, llamado Vínculos favoritos, con varios iconos distintos, que son: Plantillas, Documentos, Cambiados recientemente, Imágenes, Música, Sitios recientes, Escritorio, Equipo, Búsquedas.

Estos iconos no son más que accesos directos a carpetas del sistema, las cuales, si buscamos un poco, las encontraremos con el Explorador de Windows. Veamos en detalle qué significan cada uno:

- **Plantillas**: Este acceso directo apunta a una carpeta que esconde el propio Microsoft Office Word y que ofrece una importante variedad de plantillas prefabricadas de multitud de documentos tipo. Es muy útil para conseguir documentos estándar muy sencillos y sin perder tiempo a la hora de crearlos.

- **Documentos**: Ya la mencionamos antes, porque es la opción que aparece la primera vez que vamos a abrir un archivo de Word. Es la carpeta que el sistema operativo pone a cada usuario que tiene registrado Windows para que se guarden ahí todos los archivos de datos que tenga cada uno, es decir documentos de texto, música, imágenes, vídeos y lo que se nos ocurra.

- **Cambiados recientemente**: Esta es una nueva funcionalidad de Word 2007, ya que, haciendo clic en esta función, Word delimita nuestra búsqueda a aquellos documentos que han sido cambiados recientemente de forma directa, sin necesidad de tener que buscar entre todos nuestros documentos.

- **Imágenes**: A través de este atajo Word nos hace llegar directamente hasta la carpeta en la que se guardan las imágenes de muestra, facilitando la apertura de este tipo de archivos con un solo clic.

- **Sitios recientes**: Otra nueva funcionalidad que puede llegar a ser muy útil. Aunque puede parecer a simple vista que se trata de la misma opción que **Cambiados recientemente**, no es así, ya que esa función sólo accede a los documentos recientemente modificados, pero en esta se accede a todos los sitios recientes: carpetas de todo tipo y archivos de la variedad que sean.

- **Escritorio**: Haciendo clic aquí se accede de un paso directo al escritorio de Windows, el lugar donde se guardan automáticamente los iconos de los programas para su apertura rápida y el lugar que, por defecto, suele estar identificado en la mayor parte de los equipos para guardar automáticamente los archivos descargados desde Internet.

- **Equipo**: Habiendo desaparecido la típica imagen de Mi PC, **Equipo** es el lugar indicado para realizar búsquedas de archivos en alguna parte en concreto del ordenador: discos duros, CD, disquetes, etc.

- **Búsquedas**: Aquí se podrán buscar archivos de forma directa, escribiendo su nombre y haciendo clic en **Buscar**, para ahorrar tiempo si no se conoce el lugar exacto donde ha sido guardado el archivo.

A continuación, nos situaremos en la parte superior del cuadro. En ella se encuentran elementos que tienen que ver básicamente con las carpetas, donde podremos ver en qué carpeta estamos o movernos por las del sistema, ir hacia atrás en la navegación, subir de nivel de carpeta, buscar, crear una nueva carpeta y ver los archivos con diferentes vistas.

Mientras, en la parte inferior de la ventana, se encuentra el desplegable **Herramientas**, donde aparecerán las opciones con algunas otras herramientas que no cabían en la barra superior como **Conectar a unidad de red**: esta utilidad del Explorador de Windows sirve para crear una unidad de red, como un disco duro virtual (con su letra de unidad y todo, como K:) que apunta a una carpeta compartida de otro ordenador dentro de la red.

En la lista desplegable **Todos los archivos de Word** tenemos algunos filtros para que sólo aparezcan aquellos archivos de documentos que Word es capaz de abrir, junto con su extensión entre paréntesis. Los formatos que Word admite son los que hemos comentado anteriormente.

- El botón **Abrir** es algo particular, pues dispone a su derecha de una marca para abrir un menú desplegable, con diversas opciones de apertura del documento:

  - La primera es la habitual, abrir el documento sin más.
  - La segunda, **Abrir como de sólo lectura**, abre el documento y lo protege de poder guardarlo con alguna modificación. De hecho, si queremos guardarlo con el mismo nombre, Word 2007 no nos dejará, y nos pedirá uno nuevo.
  - En **Abrir como copia** se duplica el documento con el mismo nombre pero con el prefijo "Copia (n) de ", donde la "n" es el número de copia que se ha creado.
  - Si el documento es una página Web se activará la opción **Abrir en el explorador**, dirigiendo la misma al navegador Web.
  - La opción **Abrir con transformación** hace que un archivo XML se pueda abrir transformándose con

una plantilla XSL/XSLT (sólo lo sabrán profesionales que manejen transformaciones XML).

- **Abrir y reparar** abre un documento y detecta si está dañado, cuando esto sucede lo intenta reparar.

- Y el botón **Cancelar**, que evidentemente cierra el cuadro de diálogo sin que se logre abrir ningún archivo, igual que si pulsamos la tecla **Esc**.

5.4.2. Guardando documentos

La ventana de **Guardar** funciona de forma muy similar a la de **Abrir**, con la única diferencia de que existen algunas opciones más en el desplegable **Herramientas** que veíamos en las líneas anteriores. Además de la opción **Conectarse a una unidad de Red**, es posible acceder a las **Opciones al guardar**, a las **Opciones Generales**, a las **Opciones Web** y a **Comprimir imágenes**. Otro dato a destacar es la posibilidad de establecer de forma rapidísima en este mismo lugar el nombre del titular del documento y alguna etiqueta que lo identifique (véase la figura 5.23).

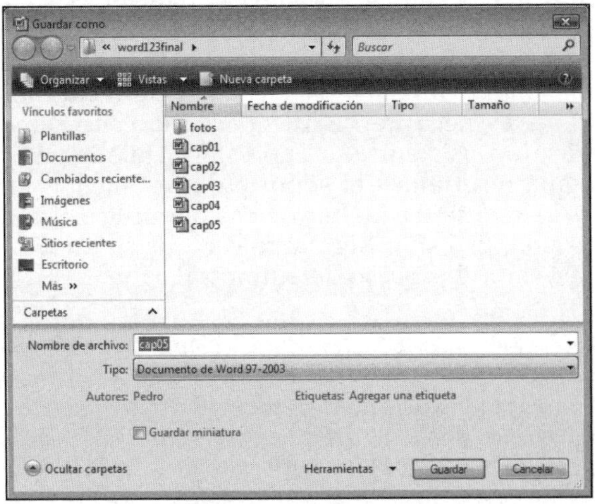

Figura 5.23. Guardar.

Para ello, sólo hay que hacer clic al lado de **Autores** y al lado de **Etiquetas** y escribir lo que se crea oportuno.

5.5. Cartas, faxes, currículos: plantillas predefinidas

Hasta ahora hemos tenido que elaborar todo el trabajo de realización del documento, escribiendo el texto, dándole formato e insertando algún que otro elemento extra. Pero también sabemos que existen plantillas que sirven para ayudarnos, una forma de acelerar el trabajo agrupando en un archivo el modelo base de un documento, como una plantilla de carta para los clientes, otra de carta para los proveedores, otra de fax, etc. El único problema, quizás, es dedicar tiempo a realizar esas plantillas, o conseguirlas de alguna manera.

5.5.1. ¿Dónde están las plantillas?

Acabamos de comentar que estos elementos nos facilitarán mucho la vida a la hora de generar documentos rápidamente. Pero la pregunta es averiguar de dónde salen.

En la instalación de Office 2007, si no se desactivan algunas opciones, se instalarán por defecto las plantillas y asistentes más comunes. Los no tan habituales se instalarán en el momento en el que se necesiten. Como ya explicamos en el capítulo de la instalación de Word 2007, existen ciertos elementos que no se instalan, pero que lo harán cuando se les necesite. Es decir, cuando utilicemos una plantilla o un asistente que no esté instalado, Word nos pedirá que insertemos el soporte de instalación (un CD-ROM es lo habitual) e incluirá dicha plantilla o asistente en el programa. Eso sí, la siguiente vez que se utilice no nos volverá a salir el proceso de autoinstalación.

> **Nota:** Ya sabemos que cuantos más componentes se instalan, más espacio ocupan en el disco duro de nuestro equipo. Si no tenemos demasiado espacio libre, deberemos elegir aquellas plantillas y asistentes que realmente usaremos más a menudo. El resto los dejaremos que se instalen cuando se utilicen la primera vez, por si acaso.

Aún así, si deseamos instalar sin más todas las plantillas disponibles en Word 2007, deberemos ir de nuevo al proceso de instalación de Office y pedirle que instale nuevos componentes. Cuando aparezca el árbol de componentes habrá que expandir la rama **Microsoft Office Word**, y elegir los componentes de la rama **Asistentes y plantillas**.

Además, tenemos dos tipos de plantillas:

1. Las plantillas globales, que son las que guardan la información y las opciones que tendrán cualquier tipo de documento durante la sesión de trabajo actual de Word 2005. La plantilla Normal.dot es de este tipo.

2. Las plantillas de documento, como las que veremos ahora mismo en el cuadro de diálogo **Plantillas**. Las opciones que guardan este tipo de plantillas sólo estarán disponibles para aquellos documentos basados en ellas. Por lo que, si por ejemplo, creamos un documento basado en la plantilla de memorando, sólo dispondremos de las opciones y características almacenadas en dicha plantilla.

> **Nota:** *El que una plantilla sea de documento o sea global depende de la manera que se cargue, por lo que cualquier plantilla puede ser global si se abre como tal. Hasta un documento de Word se puede considerar como una plantilla global si se abre dentro del cuadro de diálogo* **Plantillas y complementos**. *De la misma manera, un documento cualquiera puede utilizarse como si fuese una plantilla de documento si se guarda en la carpeta predeterminada para las plantillas y se abre como tal. Para tener acceso a las plantillas y asistentes de Word 2007, lo mejor será utilizar el* **Botón de Office** *y hacer clic en* **Nuevo documento**.

5.5.2. Las plantillas

Ahora nos centraremos en la creación de un nuevo documento a partir de una plantilla de Word 2005.

Una de las cosas que hay que destacar de esta nueva versión de Word es la nueva funcionalidad y apariencia que se le ha dado a la configuración y al uso de las plantillas predeterminadas. Para empezar, se ha añadido una vista previa de cada una de las plantillas, lo que facilita en gran medida la visualización del documento y evita tener que crearlo en primer lugar para saber si eso es exactamente lo que se busca. Ahora, no hay más que echar un primer vistazo a los documentos que se muestran en la vista previa para elegir el más apropiado para el documento que queremos crear.

Así, haciendo clic en **Nuevo>Plantillas instaladas**, aparecerá una ventana como la que muestra la figura 5.24.

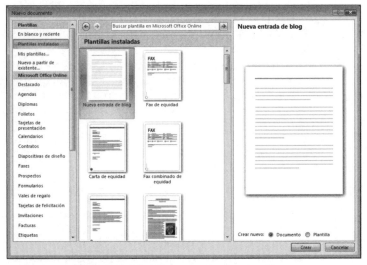

Figura 5.24. Vista previa de plantillas.

Los modelos que aparecen por defecto son suficientes como para que no sea muy difícil encontrar lo que estamos buscando; principalmente, porque han sido diseñadas para que cumplan con el cometido de convertirse en modelos fáciles para documentos estándar.

Los distintos tipos de plantillas que aparecen en Word 2007 son:

- Nueva entrada de blog.
- Fax de equidad.
- Carta de equidad.
- Fax combinado de equidad.
- Carta combinada de equidad.
- Informe de equidad.
- Currículum de equidad.
- Fax intermedio.
- Carta intermedia.
- Fax combinado intermedio.
- Carta combinada intermedia.

- Informe intermedio.
- Currículum intermedio.
- Fax mirador.
- Carta mirador.
- Fax combinado mirador.
- Carta combinada mirador.
- Informe mirador.
- Currículum mirador.
- Fax origen.
- Carta origen.
- Fax combinado origen.
- Carta combinada origen.
- Informe origen.
- Currículum origen.
- Fax urbano.
- Carta urbana.
- Fax combinado urbano.
- Carta combinada urbana.
- Informe urbano.
- Currículum urbano.
- Aspecto de Office Word 2003.

5.5.3. Ejemplo de uso de una plantilla: la carta de equidad

Siguiendo con el ejemplo anterior, vamos a conseguir crear rápidamente una carta utilizando la plantilla de cartas de equidad. Para conseguirlo sólo debemos seguir una serie de pasos (desde el principio):

1. Hacemos clic en el **Botón de Office.**
2. Seleccionamos la opción Nuevo...
3. Hacemos clic en el vínculo Plantillas instaladas del panel de tareas Nuevo documento.
4. Dentro del cuadro de diálogo, localizamos Carta de equidad y hacemos clic sobre ella y, después, sobre **Abrir**.

Lo que veremos es la generación de un nuevo documento, pero esta vez no está en blanco. En la figura 5.25 vemos el contenido completo del documento, que en un principio sólo ocupa una página. Parece ser que los elementos que aparecen son los propios de una carta empresarial, como el recuadro del remite, el nombre de la compañía, la fecha actual del sistema, los destinatarios, el cuerpo y la firma final.

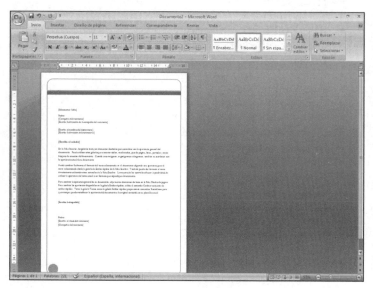

Figura 5.25. Plantilla carta de equidad.

Lo mejor de este documento es que se sigue comportando como la plantilla en la que se basa, pues vemos cómo nos va indicando las partes que tiene que rellenar el usuario, con frases que empiezan con un "Seleccionar fecha". Esto la da una interactividad al documento que hace que sea extremadamente fácil de crear.

Lo mejor es ir empezando a rellenar estos campos, haciendo caso de las indicaciones. Por ejemplo, la parte del remite es un cuadro de texto, que al hacer clic sobre él se seleccionará su interior, para que, directamente, empecemos a escribir y se elimine su anterior contenido. Lo mismo haremos con el resto de elementos, es decir, un clic para seleccionarlos y escribir encima la información que nos pide.

Para otros elementos, como el cuerpo de la carta y el nombre de la compañía, lo que hay que hacer es borrar manualmente su texto y escribir después lo que queramos. Esto es así porque se trata de contenido normal de texto, lo que nos indica que este modelo de carta se puede cambiar a nuestro antojo si queremos.

Quizás se habrá dado cuenta de que algunos elementos se rellenan automáticamente al abrirse por primera vez el documento. Se trata de campos de autotexto, que recogen información del sistema (como la fecha actual) y la muestran como un texto más. Eso sí, nada nos impide que podamos cambiarla a nuestro gusto, acercando el cursor y escribiendo otra fecha. O incluso podemos eliminarlos, con sólo seleccionarlos con un clic del ratón u pulsando la tecla **Supr**.

Una vez rellenada la información que se nos ha pedido, incluida la nuestra, y modificados los elementos que consideramos necesarios, sólo falta guardar el documento con algún nombre identificativo, e imprimirlo para enviar por correo, o bien adjuntarlo a un mensaje de correo electrónico.

Este es sólo un ejemplo, pero nos servirá de mucho, porque el resto de plantillas que trae Word 2007 son muy parecidas, con campos de autotexto (que incluso incluyan información personal del usuario de Office para poner en los remites o destinatarios), campos donde se nos piden datos y texto de ejemplo que podremos cambiar a nuestro antojo.

Lo mejor es que probemos unas cuantas plantillas, pues cada una se genera en un nuevo documento. Así, aprenderemos las posibilidades que ofrece cada una, y también a diferenciar los elementos de texto automático de los de texto o gráficos normales.

Así también nos ayudará a decidir los elementos que se pueden conservar y los que no, para crear nuestras propias plantillas personalizadas. Merece la pena gastar un poco de tiempo en ello, pues el trabajo diario con los documentos en Word 2007 puede acelerarse notablemente, y con un mínimo esfuerzo.

Si lo que queremos es personalizar una plantilla, hagamos los cambios que consideremos oportunos y, a la hora de guardar el documento, vayamos a la opción **Plantilla de documento** de la lista desplegable **Guardar como tipo:**. Así podremos, por ejemplo, distinguir plantillas de carta moderna para los clientes, otra para los proveedores, otra para los empleados, etc. Todas se guardarían junto con el resto de plantillas y con un doble clic tendríamos hecha la mayor parte del esfuerzo. Lo único que casi habría que hacer es redactar el contenido de la carta y los destinatarios, y poco más.

5.5.4. Plantillas online

Antes comentamos que cuando intentábamos acceder a las plantillas, veíamos muchas opciones que estaban relacionadas con Internet. Y es que, como sabemos, Internet es una inmensa biblioteca digital, donde podemos conseguir casi cualquier información o archivo. Y ésta es la manera de conseguir el acceso a muchas otras plantillas, que bien pueden ser algunas nuevas de Microsoft, bien creadas por usuarios, que las quieren compartir con el resto del mundo (aunque no lo parezca, en Internet hay mucha gente solidaria y con ganas de ayudar sin querer nada a cambio).

Para acceder a las plantillas que hay en Internet deberemos volver a hacer aparecer al panel de tareas Nuevo documento. Antes vimos que en su sección Plantillas tenemos más opciones aparte de las plantillas que hay guardadas en nuestro disco duro. En particular son tres:

- El cuadro de texto Buscar en Microsoft Office Online: Nos permitirá buscar plantillas en Internet filtrando sus nombres por los caracteres que escribamos. Así podríamos buscar plantillas de todo tipo con sólo escribir un nombre, como factura, recurso, horario, díptico, panfleto, etc. Esta opción aparece en la parte superior del cuadro de diálogo.

Nota: *Hay que tener en cuenta que se pueden buscar plantillas por su nombre en español o en inglés, y así conseguir más resultados en la búsqueda.*

- Con el vínculo Mis plantillas: Accederemos de forma rápida y directa a todas las plantillas ya creadas a través de email o nuevas
- En Nuevo a partir de existente se abrirá una ventana con el Explorador de Windows para que localicemos aquellas plantillas que ya hemos creado con anterioridad.

Pero eso no es todo. Word, a sabiendas de las bondades de Internet, ha preparado un facilísimo menú de acceso a plantillas por tipos a través de Office online. Para beneficiarse de ello, sólo hay que hacer clic en el tipo de plantilla que necesitamos y accederemos rápidamente a la Web de Office para descargarnos la que más nos guste.

6

Revisiones y ortografía

Es verdad que Word 2007 nos facilita mucho la vida a la hora de redactar cualquier trabajo escrito y, como programa informático que es, y como dicen que los ordenadores no se equivocan (es cierto; los que se equivocan son las personas que escriben los programas, para eso son humanas), nos va a ayudar cuando nosotros así lo queramos.

Ahora que ya tenemos el contenido y el formato del documento, tal y como habíamos imaginado antes de comenzar a redactarlo, sólo nos quedan los últimos detalles para poder obtener un documento correcto y de calidad.

Estos últimos detalles son comprobar la ortografía y la gramática del texto y utilizar el diccionario de sinónimos de Word para cambiar algunas palabras que se repitan demasiado a lo largo del mismo. Además, veremos algunas utilidades que nos ayudarán a escribir más deprisa, como son las de Autocompletar y Autoformato, así como el trabajo compartido con los documentos, para que cuando nuestros trabajos pasen por diferentes manos, al menos tengamos un control de los cambios que van sucediendo.

6.1. Corrector ortográfico y gramatical

Word 2007 dispone de varios procesos para revisar la ortografía y la gramática de nuestros documentos, y básicamente son de dos tipos: los procesos en segundo plano (trabajan automáticamente mientras nosotros escribimos), y los procesos con cuadro de diálogo, en primer plano (paramos de escribir para revisar la ortografía y gramática).

6.1.1. Automático

El proceso automático es el que trabaja en segundo plano. El corrector ortográfico automático no corrige las palabras que no reconoce, sino que las marca con un subrayado rojo. Este subrayado no significa necesariamente que la palabra esté mal escrita, sólo que no está en su diccionario. Así, será muy normal que subraye muchos nombres propios de empresa, personas, iniciales, etc. (aunque también tiene en su diccionario palabras de este tipo).

Sin tener que ir al cuadro de diálogo del corrector ortográfico, podremos realizar varias opciones de la revisión ortográfica sin salir del documento. Para ello sólo tenemos que hacer clic con el botón derecho del ratón sobre la palabra subrayada, y en el menú contextual que aparece (como el de la figura 6.1), elegir alguna de estas opciones:

- En el primer apartado del menú, vemos en negrita algunas sugerencias que ha encontrado el revisor de ortografía para la palabra que no reconoce. Si entre esas palabras está la que queremos, sólo tenemos que seleccionarla con un simple clic. También es posible que no encuentre ninguna, con lo que nos informará con el texto (no hay sugerencias) como primera opción del menú.

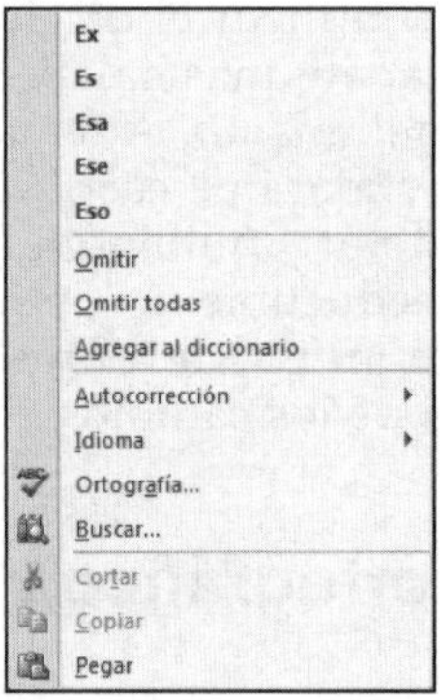

Figura 6.1. Menú contextual ortográfico.

- En el segundo, como primera opción está Omitir y, justo después, Omitir todas, con lo que olvidará la palabra mal escrita en las siguientes revisiones ortográficas de este documento abierto. Si lo cerramos y lo volvemos a abrir, se volverá a marcar como no reconocida. Esta opción es interesante por si repetimos mucho una palabra que no reconoce sólo en el documento actual, y no queremos que la marque como errónea.

- La siguiente opción de esta sección, **Agregar al diccionario**, guardará la palabra en nuestro diccionario personalizado por defecto. Así, dejará de marcarla como no reconocida y, aunque cerremos el documento, las siguientes veces la reconocerá por tenerla almacenada. Deberemos usar esta opción con palabras comunes que no encuentre, como nombres propios de personas, programas, empresas, etc.

- Aún así, es posible que la palabra esté mal escrita y que no esté la correcta entre las sugerencias. Ya veremos cómo podemos encontrar más sugerencias con el proceso del revisor ortográfico "manual". Para salir del menú contextual, podemos pulsar la tecla **Esc** o hacer clic en cualquier parte del documento o ventana. El cama de tu hermano es muy bonito. El lápiz es muy bonita. Tu

El corrector gramatical automático tampoco cambia las frases o palabras que tienen una gramática errónea, pero sí que las marca de una manera especial. En este caso, será con un subrayado de color verde.

Para ver las opciones de gramática que se pueden realizar sobre una palabra o frase marcado en verde, sólo tenemos que hacer clic con el botón derecho del ratón sobre ellas y elegir una de las siguientes opciones (véase la figura 6.2):

- La primera opción es el tipo de error gramatical que se supone que Word ha detectado. En la figura 6.1 vemos que el posible error está en un tiempo verbal no adecuado para la palabra seleccionada. En otras ocasiones, lo que aparecerá será una lista con diferentes palabras para cambiar la que se supone que está mal formada. Por ejemplo, si escribimos "un motocicleta" él nos subrayará la palabra "un", y nos dará como opción poner la palabra "una". Si hacemos clic sobre dicha opción, la cambiará automáticamente por la que estaba subrayada en verde.

- La segunda, **Omitir oración**, pasará de largo esa frase quitándole la marca verde, pero esa regla gramatical seguirá comprobándose en otras palabras o frases del documento.

- En Gramática... iremos directamente al cuadro de diálogo del corrector gramatical, como veremos ahora en la revisión manual.
- Si lo que se marca como error gramatical es una palabra, a veces aparecerá una opción llamada Omitir una vez, cuya función es idéntica a la de la omisión de la oración, no contar en esa frase con esa palabra mal formada, pero que seguirá buscando errores del mismo tipo.

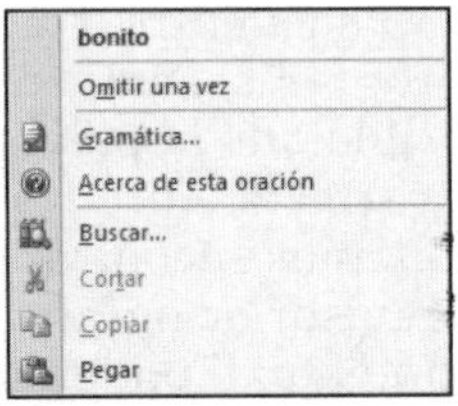

Figura 6.2. Menú gramatical.

Nota: *Dentro de la configuración de Word 2007, para desactivar las revisiones ortográfica y gramatical automáticas deberemos ir a la ficha* Revisión *del cuadro de diálogo de las* Opciones de Word, *que se encuentran en el* **Botón de Office**, *y activar las casillas de verificación que desactivan cada una por separado.*

Una de las novedades de esta última versión de Word es que, además de los subrayados de color rojo y verde, ha añadido también los de color azul. En este caso, se trata de correcciones de acentos en palabras con varias acepciones y similares. Cuando Word 2007 detecta que una palabra requiere el uso de un acento, como por ejemplo "cómo" cuando se trata de una oración que lo requiere, por ejemplo: "no sé cómo hacer eso", si esa palabra no contiene la tilde, Word la subraya de azul y, poniéndose encima de ella y dando al botón derecho del ratón, se puede acceder al menú que muestra la figura 6.3.

6.1.2. Manual

La revisión ortográfica y gramatical van normalmente juntas, y comparten el mismo cuadro de diálogo para poder revisar el documento por completo.

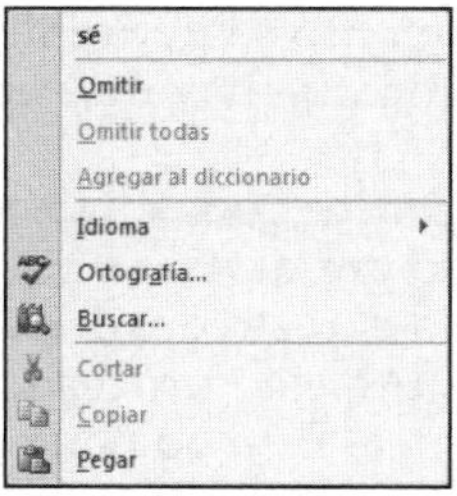

sé

Omitir

Omitir todas

Agregar al diccionario

Idioma ▶

Ortografía...

Buscar...

Cortar

Copiar

Pegar

Figura 6.3. Corrección subrayado azul.

Para acceder a dicho cuadro de diálogo, sólo tenemos que:

- Pulsar la tecla **F7**.
- Ir a la pestaña Revisar y hacer clic sobre la opción Ortografía y Gramática

Con esto veremos normalmente el cuadro de diálogo **Ortografía y gramática: XXXXX**, donde las equis será el idioma y alfabetización utilizada para las correcciones. En la figura 6.4 tenemos un ejemplo de lo que aparecerá.

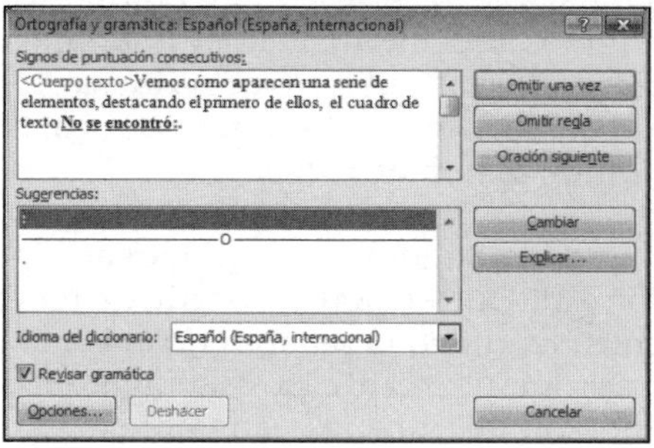

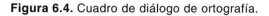

Figura 6.4. Cuadro de diálogo de ortografía.

Vemos cómo aparecen una serie de elementos, destacando el primero de ellos, el cuadro de texto **No se encontró:** En él aparecerá la frase donde está la palabra que se considera mal escrita. Además, debajo de ella tenemos algunas sugerencias (no siempre) sobre las diferentes palabras que pueden sustituir a la que está marcada.

En el cuadro de diálogo de un error ortográfico podremos hacer las siguientes acciones:

- Pasar de largo la palabra no reconocida sólo en el punto del documento donde se detecta, pues en el resto del documento se podrá detectar de nuevo esa palabra. El botón que hay que utilizar es **Omitir una vez**.

- Con el botón **Omitir todas** haremos que esa palabra se pase por alto por el revisor ortográfico en la revisión actual para el resto del documento. La siguiente vez que se ejecute este proceso, la volverá a encontrar como errónea. Esta opción se utiliza cuando hay una palabra en particular en el documento que es correcta, pero no lo suficientemente importante como para añadirla al diccionario, pues sólo se utilizará en el documento actual.

- Haremos clic en el botón **Agregar al diccionario** cuando hay una palabra no reconocida pero sí que es correcta, y que queremos guardar en nuestro diccionario personalizado para las siguientes revisiones gramaticales de éste y otros documentos.

- Para cambiar la palabra marcada por alguna de las que hay en la lista Sugerencias:, sólo tenemos que hacer clic sobre la palabra sugerida que queremos, o seleccionarla y hacer clic en el botón **Cambiar**.

- Si queremos adelantar trabajo y queremos ya de paso cambiar todas las palabras repetidas en el documento de la palabra marcada como errónea, haremos clic en el botón **Cambiar todas**.

- Haciendo clic en el botón Autocorrección, la palabra marcada y la sugerencia seleccionada pasarán a la función Autocorrección. A partir de entonces, si escribimos de nuevo la palabra errónea, Word la cambiará automáticamente por la sugerencia. Veremos esta función un poco más adelante.

- Para cambiar el idioma del corrector ortográfico, sólo tenemos que elegirlo de la lista desplegable Idioma del diccionario:.

- En el botón Opciones iremos a la ficha Revisión de las opciones generales de Word.

- Para corregir también la gramática, se activará la casilla de verificación Revisar gramática, que lo estará por defecto si así lo tenemos en la configuración de Word 2007.

- Si nosotros queremos escribir manualmente la corrección de la palabra, sobre todo porque no estuviera entre las sugerencias, podemos hacerlo de dos maneras:

- Cambiando la palabra directamente en el cuadro de texto No se encontró:, con lo que el botón **Omitir una vez** cambiará a **Deshacer edición**, por si lo que escribimos no nos convence y queremos volver atrás.
- Cambiando la palabra en el documento, detrás del cuadro de diálogo del revisor. Para volver a seguir con el proceso de revisión, el botón **Omitir una vez** habrá cambiado a **Reanudar**, y es ahí donde deberemos hacer clic para continuar.

Si el error es de tipo gramatical, habrán una serie de nuevos botones:

- El botón **Omitir regla** hará que se ignore la regla gramatical que se está corrigiendo en el resto de la corrección en el documento actual.
- Con el botón **Oración siguiente** saltaremos esa regla gramatical sólo en la frase actual.
- Si hacemos clic en el botón **Explicar** se nos mostrará una pequeña ayuda sobre la regla gramatical que, según Word, no se ha cumplido en la frase actual.

Una vez acabado el proceso de revisión ortográfica y gramatical, se nos informará con un mensaje diciendo que el proceso ha finalizado.

6.1.3. La escritura perfecta: autocorrección

Es posible que se haya dado cuenta que, mientras escribía, se han corregido automáticamente algunas palabras.

Nota: Esta función es de lo más útil cuando se tienen una velocidad alta de mecanografiado, pero nos puede crear algunos vicios que no quisiéramos afianzar. Es posible que en algunas palabras tengamos la insistencia de añadir o quitar un acento, y como Word las corrige, nosotros no nos damos cuenta. Luego, al escribir en otro programa, veremos cómo aparece la palabra más escrita siempre. El consejo es que se utilice con precaución, sobre todo con los acentos o con letras como la "h", "b", "v", "j"y la "g".

El proceso es tan rápido que a veces ni nos damos cuenta. Esta función es la Autocorrección de Word, donde empareja una serie de palabras que se supone que están mal escritas, y la palabra con la que se debe sustituir. Se suele utilizar para arreglar algunas malas costumbres de la escritura rápida en el teclado, como olvidarse de las mayúsculas al principio de las frase, los acentos, algunas letras cambiadas de orden (naide-nadie).

Para ver las opciones de la función Autocorrección, deberemos abrir su cuadro de diálogo en **Opciones de Autocorrección**, en la ficha **Revisión** de las opciones generales de Word, y aparecerá la ventana que muestra la figura 6.5.

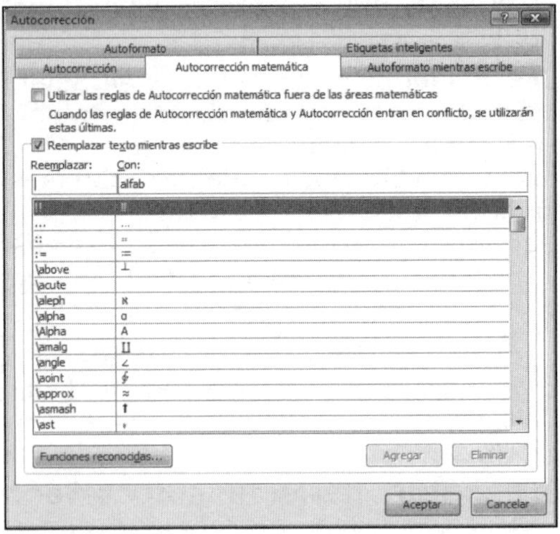

Figura 6.5. Opciones de Autocorrección.

En el título del cuadro también veremos el idioma y la alfabetización por defecto para las reglas de autocorrección, en el caso que acabamos de ver, es Español (España - alfab. internacional).

Las opciones que tenemos la mayoría son muy evidentes, pero echémosles un vistazo:

- La primera casilla de verificación, **Mostrar los botones de las opciones de Autocorrección**, hace que aparezcan unos símbolos al principio y debajo de la palabra después de un cambio automático realizado por esta función. Al acercarse sobre esa marca azul, aparecerá el botón de opciones de **Autocorrección**, al que podemos hacer clic y desplegar su menú contextual. En sus opciones tenemos la posibilidad de volver a la palabra como estaba y desactivar la corrección automática asociada a ella misma.

- En el siguiente grupo, los textos de las casillas de verificación hablan por sí solos. La opción que quizás más nos interesa es la de Reemplazar texto mientras se escribe, donde podemos añadir una nueva pareja de palabra mal escrita-palabra bien escrita, o seleccionar una de estas parejas de la lista que hay debajo y eliminarla. Para eso tenemos los botones **Agregar** y **Eliminar** respectivamente.

- Con la última casilla se activará o desactivará la función automática que tiene la Autocorrección ayudándose de las sugerencias del propio corrector ortográfico que antes hemos visto. Con esto se aumentan las posibilidades de la corrección automática.

- Con el botón **Excepciones** iremos a un nuevo cuadro de diálogo, donde tenemos varias fichas que agrupan las excepciones más típicas de una corrección automática, como son algunas palabras que no deben empezar con mayúsculas después de algunos puntos de abreviaturas, u otras excepciones más específicas. En la casilla de verificación Agregar automáticamente palabras a la lista, se añadirá la palabra que tenemos como excepción a la lista de parejas de palabras que vimos antes, para que no la cambie en la corrección automática del documento (véase la figura 6.6).

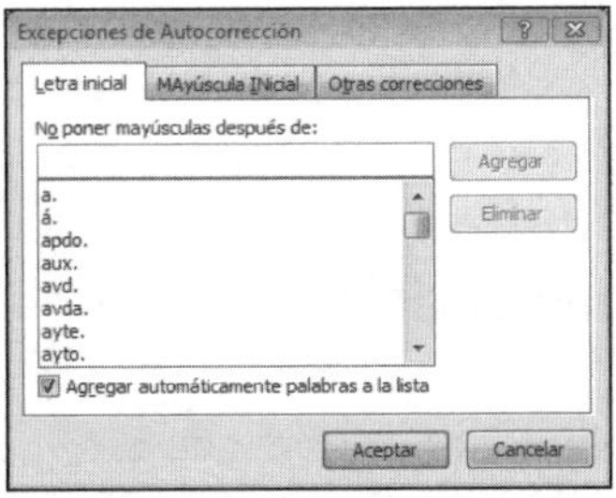

Figura 6.6. Excepciones Autocorreción.

6.1.4. Mi diccionario

Merece la pena comentar qué es el diccionario personalizado. Es el lugar donde se guardan las palabras correctas ortográficamente, pero que Word no encontró en sus diccionarios estándar.

Para poder ver éste y otros diccionarios, y poder cambiar algunas de sus palabras, deberemos ir a la configuración de Word 2007, en la ficha **Revisión** del **Botón de Office** y hacer clic en el botón **Diccionarios personalizados**. De esta manera, veremos un cuadro de diálogo con una lista de los diferentes diccionarios que tengamos creados. De esta forma, es posible crearse o bajarse de Internet algunos diccionarios asociados a algunos temas en particular, con palabras quizás menos comunes, como en el terreno de la informática, la abogacía, la administración, la medicina, etc. En el cuadro de diálogo podemos:

- Modificar el diccionario seleccionado, con lo que veremos un nuevo cuadro de diálogo. Ahí podremos escribir una nueva palabra y añadirla a la lista **Diccionario:** con el botón **Agregar**, o bien, seleccionar las que queramos y eliminarlas con el botón **Eliminar**, así como elegir en qué idiomas se utilizará dicho diccionario.
- Elegir un diccionario de la lista como el predeterminado en las correcciones ortográficas.
- Crear uno nuevo, asignándole un nombre de archivo, y donde podremos empezar a añadirle palabras.
- Agregar un diccionario personalizado que tengamos guardado en nuestro ordenador (u otro soporte), con el botón **Agregar**. En Internet tenemos varios que son específicos de alguna materia o tema en particular.
- Quitar de la lista de diccionarios el que tengamos seleccionado.

6.2. Diccionario de sinónimos

Word 2007 piensa en todo (más bien sus creadores), y nos facilita el diccionario de sinónimos. Y es que no sería la primera vez que nos quedamos con la mente en blanco intentando buscar otra palabra para evitar su repetición en una misma frase (o en frases cercanas) o porque el contexto hace que una palabra sea más apropiada que otra. El diccionario de sinónimos también guarda los antónimos de muchas palabras, como un diccionario de papel real.

Para buscar sinónimos y antónimos de una palabra en Word 2007 tenemos, al igual que en la revisión ortográfica y gramatical, dos maneras de hacerlo. Con el botón derecho del ratón (proceso semiautomático) y con el cuadro de diálogo (proceso manual).

6.2.1. El botón derecho

Con el botón derecho del ratón se ejecuta un proceso automático que busca los sinónimos de la palabra donde hacemos clic. En la figura 6.7 tenemos un ejemplo de cómo elegir un sinónimo a la palabra "ejemplo", en el submenú Sinónimos del menú contextual. En la última opción de este menú, iremos panel que ahora mismo veremos.

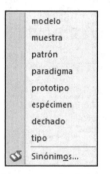

Figura 6.7. Sinónimos con botón derecho.

6.2.2. El panel de Referencia

Con esta opción tenemos muchas más posibilidades de elección de sinónimos, a la vez que disponemos de los antónimos si los necesitamos.

Para acceder a este proceso, deberemos dejar el cursor sobre la palabra que queremos y pulsar las teclas **Mayús-F7**, o bien, ir la ficha Revisar>Sinónimos. Con esto veremos cómo aparece el panel de tareas Referencia, como se ve apartado en la figura 6.8.

En la lista aparece un árbol con los elementos principales (las ramas) en negrita, indicando diferentes variedades de sinónimos y antónimos que tiene la palabra en cuestión. Los elementos finales (las hojas) no están en negrita, y son las palabras que podemos cambiar por la actual. Para sustituir la palabra donde estaba el cursor por el sinónimo o antónimo deseado, aunque parezca raro, no es haciendo clic, sino que hay que desplegar el menú de la palabra, haciendo clic en la flecha de su derecha o con el botón derecho, y elegir la opción Insertar. Si hacemos clic sólo (o un doble clic), lo que haremos es buscar los sinónimos y antónimos de dicha palabra, para refinar aún más la búsqueda.

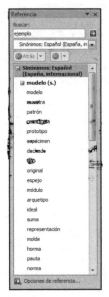

Figura 6.8. Panel de Referencia.

Con la opción Copiar sólo capturaremos la palabra en el portapapeles, para después pegarla en cualquier otra parte del documento, o incluso, en cualquier documento o cuadro de texto de Windows.

6.3. Buscar referencias

Hemos visto el panel de tareas Referencia en algunas ocasiones (y lo volveremos a ver en algunas otras más, como en la traducción de idiomas). Esta novedad es una funcionalidad de lo más útil, pues se consigue una búsqueda de alternativas y acciones para una cierta palabra.

Para activar el panel de tareas Referencia, y ver qué acciones alternativas ha encontrado para una cierta palabra podemos:

- Pulsar la tecla **Alt** y, sin soltarla, hacer clic sobre la palabra.
- Situar el cursor sobre la palabra, y hacer clic en el botón **Referencia** (⊞) de la barra de herramientas Estándar.
- Dejar el cursor en la palabra y elegir la opción Referencia de la ficha Revisar.

De esta forma veremos el panel de tareas en la parte final de la lista. El contenido de dicho panel será el de las diversas funciones de sinónimos, traducción y otras búsquedas tanto en apartados de Word como en la Web.

Para configurar dónde tiene que buscar la función de referencia, deberemos hacer clic en el vínculo Opciones de referencia de la parte inferior del panel. Así veremos el cuadro de diálogo de la figura 6.9, donde tenemos los siguientes elementos:

- La lista Servicios:, donde aparecerán los servicios de referencia que tenemos disponibles y los que tenemos activados, tanto los libros (internos a Word) como los sitios (en Internet). Podemos activarlos y desactivarlos haciendo lo propio con sus casillas de verificación.
- El botón **Agregar servicios**, para añadir más servicios a la lista. Esta opción necesita de una conexión a Internet.
- **Actualizar o quitar...** abrirá un cuadro de diálogo donde podremos elegir entre actualizar los libros internos de referencia de Word 2003 desde Internet, o bien, eliminar los que realmente no necesitemos.
- Con el botón **Control parental...** entramos ya en una función avanzada del control de los contenidos que se verán en los sitios de referencia. Activando esta opción (en su cuadro de diálogo) se permitirá establecer una contraseña para que se controle quién puede acceder a los sitios de referencia a Internet.
- Haciendo clic en el botón **Propiedades...** accederemos a una información detallada sobre el libro de referencia que hayamos seleccionado, así como la posibilidad de configurar sus opciones (en algunos).

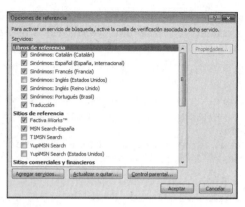

Figura 6.9. Opciones de Referencia.

6.4. Utilidades varias

Aquí vamos a agrupar algunas utilidades que, aunque parecen poco importantes, nos serán de mucha utilidad en más de una ocasión.

6.4.1. Contar palabras

Tenemos la función para contar todas las palabras, líneas y caracteres de nuestro documento actual. Además, como novedad, tenemos la barra de herramientas Contar palabras, la cual, vemos a continuación.

Para utilizar esta función, sólo tenemos que ir a la ficha Revisar y seleccionar la opción Contar palabras ( ). Así veremos el cuadro de diálogo de la figura 6.10, donde aparece la estadística de páginas, palabras, caracteres (con y sin espacios en blanco), párrafos y líneas, así como la posibilidad de incluir o no los caracteres de las notas y pies de página.

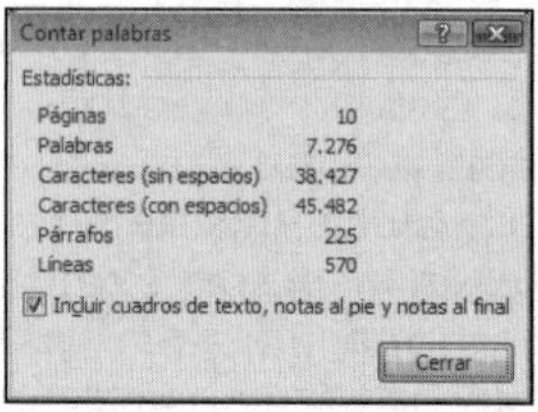

Contar palabras	
Estadísticas:	
Páginas	10
Palabras	7.276
Caracteres (sin espacios)	38.427
Caracteres (con espacios)	45.482
Párrafos	225
Líneas	570

☑ Incluir cuadros de texto, notas al pie y notas al final

Cerrar

Figura 6.10. Contar palabras.

Además, en esta versión, Word ha incorporado un contador automático de palabras en la parte inferior derecha de la pantalla, justo al lado de la numeración de las páginas, que va aumentando instantáneamente según se va escribiendo en el documento (Palabras: 7.229).

6.5. Word trabaja por nosotros: funciones automáticas

Ahora vamos a comentar algunas de las funciones de Word 2007 que se ejecutan de forma automática, y que aún no hemos visto. Todas ellas pertenecerán al grupo de la funcionalidad de Word Autocorrección. Es el caso del Autoformato y todas sus opciones de personalización.

6.5.1. Autoformato

Con la función de Autoformato, Word cambiará de manera automática el formato del texto y de otros elementos mientras escribimos. En su configuración, Word distingue entre el Autoformato mientras se está escribiendo, y el normal, cuando revisamos el documento con esta función manualmente.

- Para configurar el autoformato mientras se escribe, tenemos la ficha con su mismo nombre en el cuadro de diálogo Autocorrección, accesible en la ficha Revisar de Opciones de Word>Opciones de Autocorrección, como vemos en la figura 6.11, las opciones, todas en casillas de verificación, hablan por sí mismas. Cabe destacar las más usuales, como la de Rutas de red e Internet por hipervínculos, que consiguen que una frase que empieza por "http://" (por ejemplo) se subraye por completo y se transforme en un hipervínculo Web. O también, la opción de establecer automáticamente el estilo de listas numéricas y de viñetas al empezar a escribir un párrafo con un número o un asterisco, respectivamente.
- Para el autoformato manual, tenemos la ficha Autoformato del mismo cuadro de diálogo anterior, aquí tenemos muchas de las funciones que ya vimos en la anterior ficha, y que se aplicarán cuando inicia-

177

mos el proceso de Autoformato de Word. Para iniciar este proceso, deberemos ir a la opción **Autoformato** de la ficha **Revisar** de las **Opciones de Word**. Así veremos el cuadro de diálogo **Autoformato**, donde elegiremos entre aplicar el autoformato en ese momento, o bien, aplicarlo y registrar los cambios para una revisión (tema que ahora veremos). También tenemos la lista desplegable donde se elegirá una especie de plantilla, o tipo de documento para asignar los formatos adecuados según la elección. Tenemos a elegir entre **Documento general**, **Carta** y **Correo electrónico**.

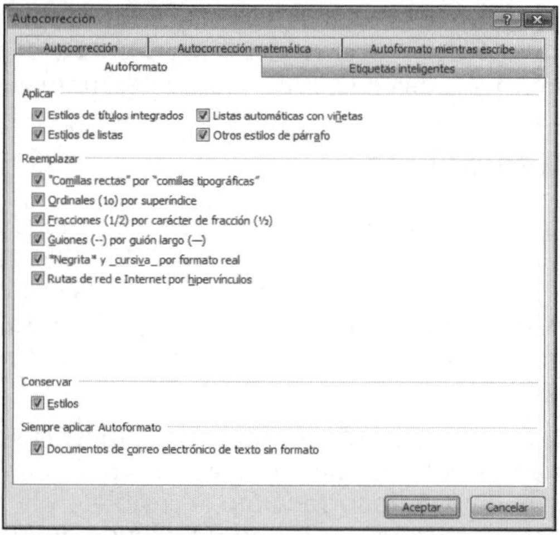

Figura 6.11. Autoformato.

6.6. Nuestro documento sufre cambios

En esta sección nos meteremos en el tema de las revisiones en los documentos. Muchas veces, al entregar un trabajo o un manual o libro realizados en Word, esos escritos pasan por un proceso de revisión, donde se añadirá texto, se eliminará, se cambiará y se insertarán comentarios del propio revisor. Lo mejor de todo es que en el mismo documento se guardará el documento original y los cambios, para poder elegir si queremos aplicar dichos cambios, o dejar el documento como estaba.

6.6.1. Control de cambios

De esto precisamente se trata el control de cambios, una herramientas para que los revisores puedan realizar cambios al documento y que éstos queden grabados, pero conservando el documento original.

Para empezar la revisión de un documento, deberemos activar la función Control de cambios:

- Pulsando la combinación de teclas **Control-Mayús-E**.
- Eligiendo la opción Control de cambios en la pestaña Revisar.

Al activar el Control de cambios, conviene mantener abierta la pestaña Revisar para continuar con nuestro proceso ya que, al haberse eliminado las barras de herramientas flotantes, todas las funcionalidades propias de la revisión aparecen por defecto en la propia pestaña (véase la figura 6.12).

Figura 6.12. Pestaña Revisar.

Antes de comentar los elementos de dicha pestaña, probemos a empezar a cambiar texto u otros elementos del documento.

Notaremos que el nuevo texto que escribimos aparecerá subrayado en rojo, indicando de esta manera que es nuevo texto en relación al original. Si además borramos texto, aparecerá una flecha con una línea roja apuntando al punto donde estamos borrando, y si el zoom nos lo permite (si no, lo podemos ver con la barra de desplazamiento horizontal), veremos un globo informativo en el margen derecho del documento, donde veremos la acción que acabamos de realizar, eliminar un texto.

Estos mismos globos aparecerán al realizar casi cualquier tipo de cambio, como cambiar una palabra a negrita, por ejemplo.

Ahora sí, los diferentes elementos que tenemos en la ficha Revisar, más concretamente en el apartado Seguimiento y Cambios, son:

- En la primera lista, elegimos el formato de revisión que queremos ver en el documento:

  - **Marcas Mostradas finales:** Aparece el documento con las marcas de cambio pero con el aspecto del documento final, es decir, si se inserta texto, aparece sin más (aunque subrayado en rojo) y se elimina, también lo hace del documento, pero con la nota del globo a su derecha.
  - **Final:** Aparece el documento como quedará después de los cambios.
  - **Marcas mostradas originales:** Esta es la apariencia opuesta a la primera. Aquí, la apariencia de los cambios es con relación al documento original. Es decir, si se añade texto, éste no lo hará, porque entonces no parecería el original. En su lugar aparecerá el texto añadido en el globo de la derecha. Con el borrado es justo al contrario, pues cuando se elimina texto, éste aparece en rojo y tachado, conservando las letras del documento original en su lugar.
  - **Original:** Aparece el documento original sin los cambios realizados.

- En el menú **Mostrar marcas** tenemos diversas opciones de qué es lo que queremos o no ver en la revisión del documento, como las inserciones, las eliminaciones, los cambios de formato o los comentarios adicionales. Además, podemos elegir si ver los cambios de todos los revisores, o sólo de algunos, pues cada uno tiene su propio color (el primero es en rojo). También podemos elegir si ver los globos informativos o no y elegir las opciones de revisión. Éstas aparecen en la configuración de Word 2007 y, entre otras cosas, se puede elegir el color de las revisiones, el formato de las indicaciones de cambio, etc.

- El botón **Anterior** dará un salto al anterior cambio realizado.

- Por el contrario, el botón **Siguiente** dará un salto al siguiente cambio en el documento.

- Con el botón **Aceptar** podremos confirmar el cambio hecho por el revisor, y darlo por zanjado. De esta manera no aparecerá marcado en adelante como un cambio. Si desplegamos el menú que hay en su flecha de la derecha, tenemos la posibilidad de aceptar también todos los cambios del documento, o sólo todos los que se ven (los que aún no se han aceptado o rechazado) (véase la figura 6.13).

Figura 6.13. Cambios.

- Lo contrario lo tenemos con el botón **Rechazar**, donde dejamos el texto o elemento original del texto y, por tanto, quitamos la marca de cambio. Este botón también dispone de un menú desplegable, donde podremos elegir opciones como la de rechazar todos los cambios del documento o sólo los que se muestran, así como la eliminación de todos los comentarios del documento, sólo los que se ven o sólo manuscritos (con un Tablet PC).

Nota: La aceptación o el rechazo de los cambios se pueden deshacer con la función de su mismo nombre, como cuando escribimos texto normal y deshacemos los cambios.

- El botón Nuevo comentario añade un globo con la posibilidad de escribir un comentario en una palabra o frase del documento. Además, desde los botones aledaños podrá eliminar comentarios o moverse hacia los comentarios anteriores o siguientes (véase la figura 6.14).

Figura 6.14. Comentarios.

- Con el botón **Resaltar**, que se encuentra, extrañamente, sólo en la pestaña Inicio en el apartado de **Fuentes** podremos hacer la función de uno de esos rotuladores de colores chillones que sirven para destacar texto en una hoja. Hay para elegir diversos colores que imitan a los de los rotuladores reales.

- El botón **Control de cambios** es el que utilizaremos para activar y desactivar esta función cuando deseemos.
- Con el botón **Panel de revisiones** ( 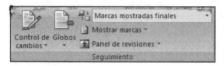), podremos elegir si queremos que aparezca en horizontal o en vertical, veremos donde aparecerán los cambios del documento organizados en categorías, y presentados en filas informativas. Haciendo clic en el botón derecho del ratón sobre cada cambio podremos realizar las mismas funciones que con los botones comentados hasta ahora. Esta sería otra forma de trabajar con las revisiones de los documentos (véase la figura 6.15).

Figura 6.15. Seguimiento de cambios.

Combinar el contenido de dos documentos

Imagine que ha hecho cambios en algún documento, lo guardó con otro nombre, pero resulta que quiere compararlos más tarde. O que estamos añadiendo o mejorando un documento y, a la hora de guardarlo, quiere conservar el original y los cambios como en la revisión. Para esto tenemos la función de combinación de documentos en Word 2007. Disponemos de dos formas para combinar documentos.

La primera consiste en guardar todo lo escrito a partir de un documento guardado previamente. Hemos realizado una serie de cambios, pero ahora queremos combinarlos con el documento original. Lo que tenemos que hacer es ir a la opción Guardar como del Botón de Office, y elegir el mismo nombre de archivo del documento que hemos cambiado. Nos aparecerá el cuadro de diálogo habitual con tres opciones. Elegiremos la tercera, Combinar cambios en un documento existente y aceptaremos con el botón **Aceptar** (véase la figura 6.16). Lo que veremos es el documento original con los cambios realizados hasta este momento.

Figura 6.16. Combinar documentos al guardar.

La segunda opción está en la propia ficha de Revisar, en la opción Comparar>Combinar. En el cuadro de diálogo que aparece en la figura 6.17 tenemos varias opciones para combinar los documentos:

- Si hacemos clic en **Más** se abrirán una serie de opciones interesantes. Allí podemos elegir entre la opción Combinar (los cambios aparecen en el documento de destino), Combinar en el documento actual (los cambios se guardan en el documento que tenemos abierto) y Combinar en el nuevo documento (se generará un nuevo documento con la combinación de ambos).

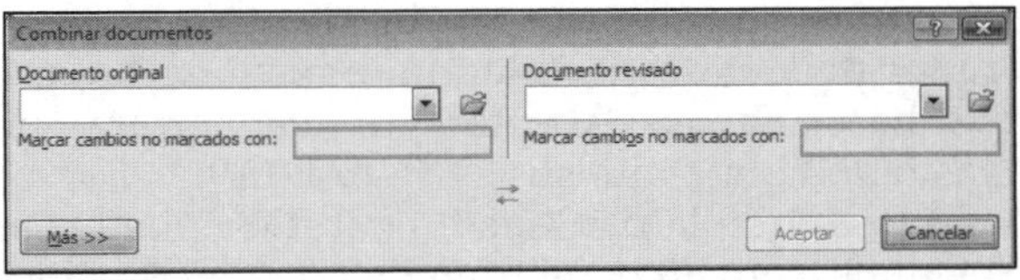

Figura 6.17. Cuadro de diálogo Combinar documentos.

- Podemos conservar el formato con el documento que se va a combinar desactivando la casilla de verificación Formato.

6.6.2. Comparar dos documentos a la vez

Para ver lo que cambia un documento de otro distinto a la vez en la pantalla, tenemos la opción de comparación de dos documentos en paralelo. Así, el tamaño de las ventanas de cada uno será el de cada mitad de la pantalla, y al moverse por un documento lo haremos a la vez por el otro.

Comparar documentos es una utilidad buenísima para los correctores, ya que permite conocer los cambios verdaderos en el aspecto final de los documentos. Por eso, Word ha mejorado en esta versión esta posibilidad.

Para llevar a cabo esta acción, hay que hacer clic en **Comparar** en la pestaña **Revisar** y, a continuación, aparecerá un cuadro de diálogo como el de la figura 6.18.

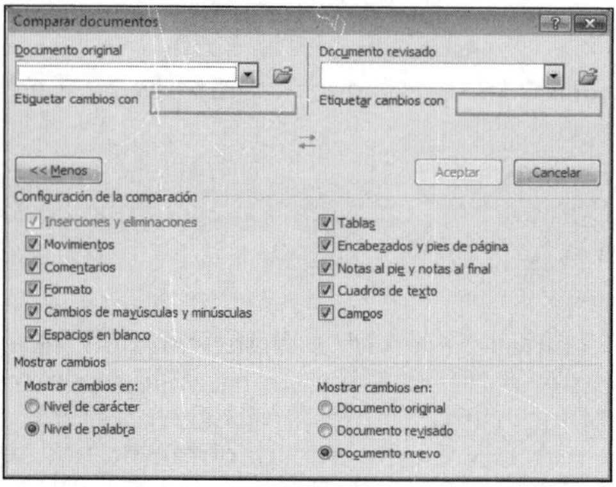

Figura 6.18. Comparar documentos.

Ahora, sólo tiene que seleccionar los documentos que quiere comparar a través de los desplegables o del propio Explorador de Windows. Cuando lo haya hecho, no tiene más que hacer clic en **Aceptar** y se encontrará con una ventana como la que muestra la figura 6.19.

Lo cierto es que la pantalla en cuestión puede asustar, no nos vamos a engañar. Se trata de una de las principales novedades de Word 2007 y, aunque parece que la presentación es un poco caótica, es una gran solución para poder comparar de forma eficiente varios documentos y se trata de un notable avance con respecto a versiones anteriores. Analizando la pantalla que tiene delante de su ordenador ahora mismo, podemos ver en la parte de la izquierda el **Panel de cambios**, ya conocido, en el que se notifican los últimos cambios que se han llevado a cabo en el documento. Después, lo que parece una maraña de texto sin sentido, es una buena ordenación, en tres partes, de lo que un revisor se puede encontrar. Así, en el centro y ocupando una gran parte de la pantalla se encuentra el documento que quiere ser comparado, en la parte superior derecha aparecerá el documento original acompañado del título y de su autor y, en la parte inferior derecha, nos encontramos con el documento ya revisado. De esta forma, el revisor tiene en un mismo panel, sin necesidad de andar moviendo ventanitas para arriba y para abajo, todas las herramientas que necesita para llevar a cabo su trabajo. Si, para estar más cómodo, desea tener más espacio en la pantalla dedicado a los documentos, no tiene más que hacer clic en **Panel de revisiones** en la pestaña **Revisar** y el panel lateral que ocupaba el extremo izquierdo de la pantalla desaparecerá inmediatamente.

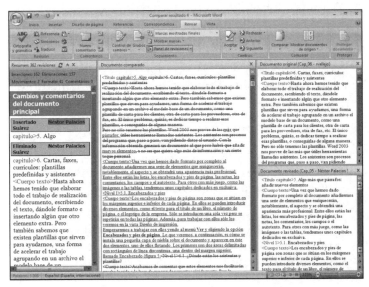

Figura 6.19. Documentos comparados.

6.7. Compartir documentos

Para acabar el capítulo, veremos lo que fue una de las novedades más destacadas de Word 2003, y es la gestión de documentos compartidos por varios usuarios. Aunque se trata de una herramienta que depende de una red y unos servidores dentro de un entorno profesional, es interesante que la comentemos un poco, pues es un gran avance en el programa.

Para que los documentos se compartan entre diferentes usuarios, debe tenerse primero un área de documento. Éstos son almacenes (como carpetas) que se encuentran en un servidor Web, el cual forma parte de unas infraestructura de Microsoft llamada Microsoft Windows SharePoint Services. Así, los miembros de un equipo de trabajo podrán compartir diversos documentos, guardar un listado de tareas y datos de cierta importancia y estar actualizados constantemente sobre los cambios realizados en la información guardada en esa área. Estas áreas de documento se podrán ver y tratar en un explorador Web reciente, como veremos, en el panel de tareas Área de trabajo compartida de Word (y otras aplicaciones Office).

6.7.1. Creación de un área de documentos

Para la creación y la gestión de estas áreas hace falta tener la infraestructura que antes hemos comentado. En particular, para la creación, se pueden utilizar dos formas.

La primera es enviar los documentos a los destinatarios con los que queremos compartirlos a un cierto URL de Windows SharePoint Services (el servidor donde se alojarán los documentos). Así, el remitente del mensaje será el administrador (creador) del área y los destinatarios sus usuarios o miembros, con permisos para realizar cambios y añadir más documentos.

La segunda es con el panel de tareas Área de trabajo compartida, que podremos abrir en el **Botón de Office**, en la opción Publicar y, después, en Crear Área de documentos compartidos, como podemos ver en la figura 6.20.

6.8. Proteger documentos

Otra de las nuevas y útiles funcionalidades de Word es la posibilidad de Proteger documentos. Los documentos electrónicos son cada vez más valiosos. Hoy en día, en la mayor parte de las empresas de todo el mundo, los trabajadores utilizan Word en su día a día como su editor de textos predeterminado. Por eso, multitud de documentos importantes circulan de una parte a otra del mundo a través de Internet y, la mayoría, están en formato creado por Word. Y, claro, existen documentos que deben estar debidamente protegidos debido a su relevancia y al contenido restringido y altamente confidencial que llevan. Por eso, a sabiendas de que hay programas que están apostando fuerte por este tipo de funcionalidades, Microsoft no ha querido desaprovechar la oportunidad y ha mejorado de forma importante sus opciones de este tipo.

Figura 6.20. Administración de documentos.

El último de los apartados de la pestaña Revisar, denominado Proteger, se encarga de estas funciones. Haciendo clic sobre el botón, se abrirá un pequeño menú con algunas opciones que muestra la figura 6.21.

- Restringir formato y edición: Haciendo clic en esta opción, se desplegará un panel lateral como el que muestra la figura 6.22. En él se pueden seleccionar restricciones de formato como limitar el formato a una selección de estilos (para más detalles haga clic en **Configuración**), restricciones de edición como admitir sólo algún tipo de edición en el documento (en este caso hay que elegir del desplegable el tipo de edición permitida: marcas, comentarios, etc.), se pueden habilitar excepciones para que algún usuario en particular (el autor del texto o el revisor) pueda llevar a cabo revisiones pese a la restricción, y, finalmente, se pueden aplicar. Para ello, hay que hacer clic en **Sí, aplicar la protección** y, en caso de hacerlo, el documento quedará bloqueado. Si lo ha hecho y no lo deseaba, tranquilo, se puede desactivar.

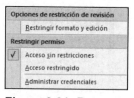

Figura 6.21. Proteger.

Figura 6.22. Panel de restricción.

- **Restringir permiso:** Esta opción permite restringir el uso del documento en cuestión a determinados usuarios. Se trata de una herramienta muy poderosa, por lo que es importante utilizarla con cautela. Aunque siempre va a ser posible volver a una situación inicial siempre que sea el mismo usuario que lo llevó a cabo quien lo intente, lo cierto es que no conviene toquetear mucho un documento importante si no se está seguro de lo que se está haciendo. Además, esta restricción necesita de ciertas credenciales específicas creadas por Microsoft para asegurar el buen funcionamiento de esta característica. Si el documento es de libre acceso, solo tiene que dejar el símbolo de visto bueno en la acción **Acceso sin restricciones,** que viene por defecto con Word 2007. Si, por el contrario, está convencido de crear un documento protegido, haga clic en **Acceso restringido** y le aparecerá una pantalla como la puede ver en la figura 6.23 en la que le informa de que será redirigido al portal online de Office para habilitar una cuenta del estilo de las requeridas para aprovecharse de esta función.

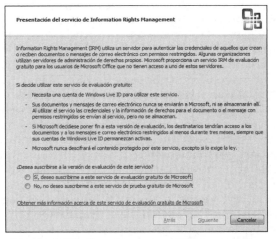

Figura 6.23. Cuenta para restringir accesos.

- **Administrar credenciales:** Haciendo clic en esta opción se encontrará de nuevo con la ventana que acaba de ver en la figura 6.23, ya que se trata de un acceso directo a la administración de credenciales que le comentábamos en las líneas anteriores, de forma que si aún no dispone de esas credenciales, su acceso está restringido.

6.9. Otras funciones útiles

Ya nos hemos aproximado durante este capítulo a la mayor parte de las funciones que ofrece Word 2007 en cuanto a la corrección ortográfica y gramatical y a la revisión de documentos, pero aún quedan algunos elementos que no queremos que se queden en el tintero. Vayamos a ello:

- **Traducir:** En muchas ocasiones, los correctores o revisores, que son las personas que más partido sacan a este tipo de funcionalidades, son también traductores. Para todos ellos y para aquellos que no se apañan con otros idiomas y en ocasiones necesitan traducir algún texto, Word ha incorporado un acceso rápido a un traductor. Es cierto que no se trata de un traductor instantáneo perfecto y que en muchas ocasiones no nos otorgará los resultados esperados, pero también es verdad que este traductor ha mejorado mucho y, sobre todo, es muy eficiente para encontrar palabras sueltas o expresiones comunes en otras lenguas.

  En la mayor parte de los casos, Word utiliza la traducción obtenida por parte de WorldLingo. Además, también incorpora otras muchas opciones por si la traducción no fuera de su agrado, permitiéndole el acceso, de forma rápida y directa, a otros traductores Web instantáneos, a presupuestos para traducciones personales, etc.

  Al hacer clic en Traducir, en la pestaña Revisar, aparecerá el ya conocido Panel de Referencia. Eso sí, esta vez, ya viene automáticamente desplegado en la pestaña Traducción. Para usarlo, sólo hay que escribir la palabra que se quiere traducir, seleccionar los idiomas que han de participar en el proceso (el de origen y el de destino) y hacer clic en la flecha verde que indica buscar. En unos instantes, la búsqueda será mostrada (véase la figura 6.24).

- **Definir idioma:** Haciendo clic en el icono correspondiente (![icon]), que se encuentra en el apartado Revisión de la pestaña Revisar, se accede a un cuadro de diálogo como el que muestra la figura 6.25 en el que es posible elegir el idioma en el que se quiere corregir el documento tanto para la ortografía como para la gramática. Si se quiere, es posible predeterminar un idioma distinto al español, que es el que, lógicamente, viene por defecto en nuestra versión de Word 2007.

- **Globos:** Haciendo clic en Globos (![icon]), se puede determinar el aspecto que tendrán las señales que se realizan durante la revisión de los textos. Así, se puede decidir que cada corrección aparezca dentro de un globo de un color diferente para cada una de las acciones, etcétera. Es otra función útil para los revisores y correctores, ya que les facilita su trabajo al crear una estructura de imágenes habituales que les permite reconocer los cambios simplemente por el color o la forma de los globos que los señalan.

Figura 6.24. Panel Referencia en Traducción.

Figura 6.25. Definir idioma.

7

Páginas Web y Blogs

La funcionalidad de Word es la de crear y editar documentos de todo tipo (o casi). Y en este tipo de documentos se encuentran los de página Web. Es cierto que hay programas editores HTML (el lenguaje de creación de las páginas Web) que se dedican en exclusiva a este tipo de documentos, pero Word 2007 es una buena alternativa para realizar páginas Web de manera rápida y fácil (siguiendo la línea del programa).

La llegada de Internet ha cambiado por completo la concepción de los sistemas operativos (como Windows) y de los programas en general, como Word 2007, que se apoya e integra con la gran red para consultar su ayuda, descargar plantillas, enviar correo electrónico, etc. En este capítulo nos centraremos en los diferentes aspectos, elementos y funciones de Word 2007 que están pensados para la creación de una página Web y, además, en aquellas opciones novedosas que incorpora esta nueva versión de Word y que permiten editar desde este software directamente las entradas o posts que se pueden publicar en los blogs, una de las herramientas de comunicación más revolucionarias de los últimos tiempos y que se han convertido en indispensables para comprender la comunicación del siglo XXI.

7.1. Una página Web sencilla

Aunque en las últimas versiones de Word la posibilidad de crear páginas Web de forma sencilla era una de sus novedades más sonadas, lo cierto es que en esta nueva actualización parece ser que han decidido dejar esta edición un poco de lado. Suponemos que el motivo es que casi nadie utiliza este software para la creación de contenido específico para páginas Web debido a la espectacular capacidad del software específico diseñado por y para esos menesteres. Y la razón principal es la evolución en la que se ha visto inmersa la Red en los últimos años. Hasta ahora, crear páginas Web se veía como algo no especialmente complicado que se ponía al alcance de todos los que quisieran perder unos minutos investigando y que con programas ajenos como Word no tenían nada más que intentarlo. Sin embargo, la enorme evolución que ha seguido creciendo exponencialmente ha hecho que lo que entendemos como página Web haya quedado casi estrictamente delegado a los auténticos informáticos o profesionales del medio. Y esto no ha sucedido porque se haya complicado en exceso o porque los usuarios de Internet hayan decidido dejar de lado el intento de crear sus propios espacios, ni mucho menos. La razón real es porque en los últimos años se han desarrollado algunos programas y conceptos novedosos que han provocado un cambio radical en el comportamiento de la sociedad de la información. Como los blogs. Desde hace un tiempo, los blogs (weblogs o bitácoras) se han convertido en un elemento fundamental del día a día de muchos usuarios de Internet y de muchas personas que quieren tener voz en la Red. Y los blogs, son, a efectos de la programación en Internet, unas páginas Web simplificadas que requieren "cero" conocimientos de programación. Aún mucho menos de lo que ocurría con las páginas Web sobre HTML que se podrían crear con Word.

Por eso, Word 2007 ha dedicado sus esfuerzos a aportar a los bloggers mundiales sus capacidades en detrimento de los usuarios que querían hacer sus pinitos con la programación.

De todas formas, existe la posibilidad de seguir guardando los documentos en formato Web y, por lo tanto, existe la posibilidad de utilizar algunos elementos propios y muy útiles para este respecto.

Para crear una página, lo habitual es que creemos una página Web como si fuese un documento más de Word, pues el programa ya se encargará de convertir y adaptar muchas de las características propias de Word al formato HTML estándar de las páginas Web.

Tenemos diversas maneras de empezar a trabajar con una página Web en Word 2003.

Lo más normal es aprovechar el uso de un documento en blanco de Word y guardarlo como si se tratara de una página Web.

Así, se deberá ir a la opción **Guardar como** del **Botón de Office**, y elegir **Otros formatos**. Después, sólo tiene que elegir el tipo de archivo **Página Web**.

Una vez creada una página Web, algunas de las características de Word se verán limitadas, para que puedan ser compatibles con las posibilidades del navegador de destino de dicha página.

De esta manera, lo que veremos en Word 2007 será prácticamente idéntico a lo que aparecerá en la ventana de nuestro navegador Web.

A partir de ahora podremos añadir muchos elementos de Word a la página Web. Muchos de ellos ya los hemos visto en los documentos normales, por lo que nos centraremos un poco en los más específicos de las páginas Web, como los temas, vínculos, marcos, hojas de estilo en cascada (CSS), etc.

7.1.1. Temas

La funcionalidad que aportan los temas son de gran ayuda para empezar rápidamente a generar una página Web sin tener que preocuparnos del formato de cantidad de elementos, como el de los vínculos, de las listas, las viñetas, los títulos, etc.

Para aplicar un tema a nuestro documento de página Web necesitaremos ir a la pestaña **Diseño de Página** y hacer clic en **Tema**.

Aparecerá una ventana como la que muestra la figura 7.1 en la que podrá elegir el tipo de tema que quiere aplicar en esta página. Word 2007 ha integrado un buen número de temas variados que se pueden observar fácilmente en la vista previa.

En los botones que están al lado del principal de temas, se pueden configurar a gusto de cada cual. Haciendo clic en cada uno de los botones, Word mostrará de forma rápida las opciones para que sean de fácil acceso para el usuario. La aplicación del tema a veces es mejor dejarla para el final, una vez escrita la página. Se deberá seleccionar todo el contenido y, después, aplicar el tema de nuevo. Veremos cómo se aplican los estilos a todos los elementos de la página Web.

Figura 7.1. Temas.

7.2. Insertar elementos

Veamos ahora cómo insertar algunos elementos propios de una página Web.

7.2.1. Línea horizontal

Las líneas horizontales son uno de los elementos gráficos más antiguos desde la existencia de las páginas Web. De hecho, tiene su propia etiqueta HTML (<hr>) desde casi los inicios. La utilidad fundamental de estas líneas es la separación de los diferentes apartados de una misma página Web, o para separar el título principal del resto del contenido. Para insertar una línea horizontal en nuestro documento deberemos:

1. Colocar el cursor en el párrafo donde queremos insertar la línea.
2. Ir a la pestaña Diseño de página y, en el apartado Fondo de página, hacer clic en Bordes de página.
3. Hacer clic en el botón Línea horizontal... de la parte inferior del cuadro de diálogo.
4. En el cuadro de diálogo (véase la figura 7.2.) aparecerá un cuadro de lista con todos los tipos de línea que tengamos disponibles o los que cargue de Internet

(puede que tarde un poco). Cada opción de la lista es una vista preliminar del aspecto de la línea, luego sólo tenemos que echar un vistazo para ver cuál es la que más nos gusta y hacer clic sobre ella, o seleccionarla haciendo clic y hacer otro en el botón **Aceptar**.

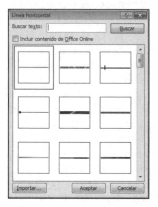

Figura 7.2. Línea horizontal.

5. Para añadir más tipos de línea a la galería de clips que hay registrada en Office 2007, deberemos hacer clic en el botón **Importar...** Así aparecerá el famoso cuadro de diálogo de abrir un archivo, pero ligeramente cambiado para la importación de un formato gráfico a la librería de líneas de Office 2007, donde vemos que hay un botón que antes no había aparecido, **Agregar a...** De esta forma, se podrá decir en qué categoría de la galería de clips queremos insertar el gráfico importado para la línea.

7.2.2. Hipervínculos

Como ya debe saber, los hipervínculos son elementos de texto o gráficos que guardan la localización de algún otro elemento, como puede ser otra página Web, un archivo cualquiera, una carpeta, incluso un salto a otro lugar de la misma página Web. Los pasos para crear un hipervínculo son:

1. Seleccionamos el texto o el gráfico que queremos que se comporte como un hipervínculo.
2. Se hace clic con el botón derecho del ratón sobre él y se elige la opción Hipervínculo... de su menú contextual.

Nota: Para que se aplique el tipo de línea horizontal de un tema, lo que habrá que hacer es seleccionar primero las zonas de la página en las que queremos aplicar los estilos del mismo, y después aplicar el tema. Así veremos cómo todas las líneas horizontales que había se han convertido a las predeterminadas por el tema.

3. En el cuadro de diálogo que aparecerá, Insertar hipervínculo (véase la figura 7.3.), disponemos de varios elementos para crear el hipervínculo. Lo normal es que sólo tengamos que escribir la dirección del destino del hipervínculo en el cuadro de texto Dirección: y hacer clic en el botón **Aceptar**. Esta dirección se puede escribir, por ejemplo para una dirección de Internet (como `http://www.anayamultimedia.es`), o bien, elegirla de entre los archivos que hay en nuestras carpetas. Esto es así porque lo habitual es que los hipervínculos de nuestras páginas Web apunten cada uno a otra página, y así poder navegar correctamente por todas ellas.

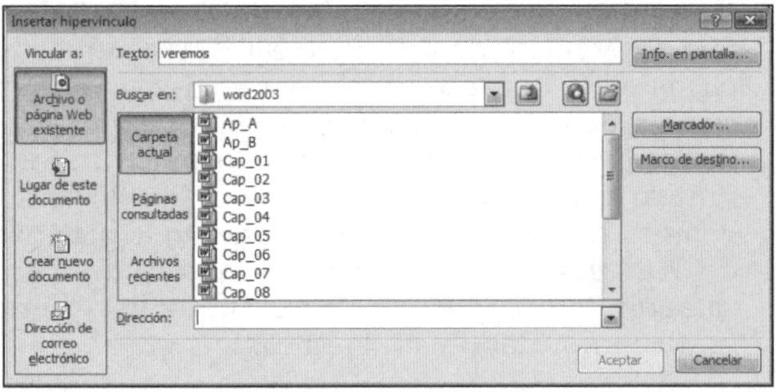

Figura 7.3. Hipervínculo.

Nota: Para que una imagen (o autoforma) que haga de hipervínculo tenga su texto alternativo, también podemos ir al formato de la imagen (con el botón derecho del ratón sobre ella) y en la ficha Web *escribir ese texto alternativo.*

4. Con el botón **Info. en pantalla** podremos escribir el texto alternativo al hipervínculo, un pequeño mensaje emergente que aparecerá al dejar el puntero del ratón encima del mismo hipervínculo.

5. Con el botón **Marcador...** podemos elegir si el destino del hipervínculo será una marca (ancla) de la página Web, para dar un salto dentro del mismo documento (o un salto dentro de otro).

6. El botón **Marco de destino** es para elegir el nombre del marco (*frame*) donde aparecerá la página de destino del hipervínculo. Los marcos los veremos un poco más adelante.

Esto es para crear un hipervínculo que apunte a un archivo o página Web existente. Pero los destinos de estos elementos pueden ser otros, y los tenemos también en la pestaña Insertar y, más específicamente, en el apartado Vínculos como Insertar hipervínculo que acabamos de ver. En el panel de la izquierda del cuadro de diálogo que acabamos de ver tenemos las siguientes opciones:

- Archivo o página Web existente, para vincular la selección a una página que ya ha sido creada o que existe en Internet.

- Lugar de este documento, aparecerá, como en la figura 7.4, un nuevo contenido en el centro del cuadro de diálogo, donde surgirán las distintas marcas que hay dentro del documento, como los marcadores, el principio del documento, etc. Los marcadores los explicamos a continuación.

Figura 7.4. Lugar de este documento.

- Crear nuevo documento, aquí tendremos también un contenido muy distinto, como el de la figura 7.5. Esta opción sirve para ir creando las páginas Web de destino del hipervínculo a la vez que vamos creando dichos enlaces. Resulta una manera muy rápida de ir creando las diferentes páginas de nuestro sitio Web. Escribiremos el nombre de la nueva página en el cuadro de texto **Nombre del nuevo documento:**, y le cambiaremos a la carpeta donde se almacenará con el botón **Cambiar...** El botón **Marco de destino...** es idéntico al anterior, pero tenemos dos nuevos botones de opción en la sección **Cuando modificar:**. En el primero elegimos crear el documento de página Web en blanco y que Word no lo abra, lo dejaremos para otro momento, o la segunda opción, donde lo creará y lo abrirá para que lo modifiquemos inmediatamente.

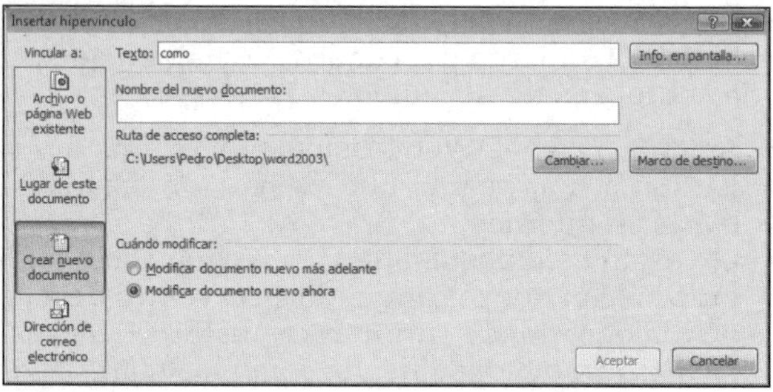

Figura 7.5. Crear nuevo documento.

- **Dirección de correo electrónico,** apareciendo el contenido que apreciamos en la figura 7.6. En este nuevo apartado podremos escribir la dirección de correo electrónico y el asunto del mensaje que se redactará cuando se haga clic sobre el hipervínculo que estamos creando.

Ahora, para probar que nuestro hipervínculo funciona, basta con que pulsemos la tecla **Control** al hacer clic sobre el hipervínculo deseado, o bien, hacer clic con el botón derecho del ratón sobre él y elegir la opción **Abrir hipervínculo.** Así se abrirá el navegador Web predeterminado de Windows con el destino de dicho hipervínculo.

Para eliminar el hipervínculo, pero no el texto o el gráfico que forma parte de él, sólo tenemos que hacer clic con el botón derecho del ratón sobre él mismo y elegir la opción **Quitar hipervínculo.**

De manera parecida procederemos para la modificación del texto del hipervínculo (si no es una imagen): con el botón derecho del ratón sobre él haremos clic en la opción **Modificar hipervínculo** de su menú contextual, y aparecerá de nuevo el cuadro de diálogo que acabamos de ver, pero con el título **Modificar hipervínculo** en su lugar.

Figura 7.6. Dirección de correo electrónico.

7.2.3. Marcadores

A estos elementos los hemos mencionado antes. También se llaman anclas, y son unas marcas invisibles que se colocan en cualquier lugar del documento para luego poder acceder a ellas directamente, y así poder "navegar" por el interior del mismo. Estos elementos son muy útiles en páginas Web con mucho contenido, pues ganarán mucha altura y en las partes de más abajo interesará tener vínculos a las partes superiores. También es muy útil si hacemos un pequeño índice en la parte superior de la página y al hacer clic sobre una línea se salte directamente al título o apartado que se encuentra más abajo.

Para insertar un marcador dentro del documento, sólo tenemos que:

1. Dejar el cursor en el lugar de la página Web donde queremos insertarlo.
2. Ir a **Insertar>Marcador** para que aparezca el cuadro de diálogo **Marcador** (véase la figura 7.7).
3. En dicho cuadro, escribiremos el nombre identificativo y único del marcador en el cuadro de texto **Nombre del marcador:** y haremos clic en el botón **Agregar**.
4. En la lista que tiene justo debajo aparecerán todos los nombres de los marcadores del documento. Si seleccionamos uno podremos eliminarlo o dar el sal-

to directamente a su posición con los botones **Eliminar** e **Ir a**, respectivamente.

Figura 7.7. Marcadores.

5. Para ver sólo los marcadores ocultos (no tienen ningún elemento de texto o imagen asociado) deberemos activar la casilla de verificación Marcadores ocultos.

7.3. Documentos para blogs

Si se ha decidido a comprar esta Guía Práctica de Word, suponemos que no debe de ser un usuario muy avanzado de los ordenadores en general y, por tanto, que aún es un poco ajeno al maravilloso mundo de Internet. Por eso, lo primero que vamos a hacer en este apartado es explicarle, a grosso modo, lo que significa un blog: lo que es, para lo que sirve, lo que está suponiendo y, cómo no, lo que Word ha hecho para aportar su granito de arena a este mundillo.

Lo primero que le recomendamos cuando esté leyendo estas líneas, si aún no conoce la palabra blog, es que pierda unos minutos en meterse en Internet y busque sobre ello utilizando algún buscador popular tipo Google o Yahoo.

7.3.1. La revolución de los blogs

Un blog (también denominado weblog o bitácora) es un espacio personal en Internet creado por usuarios que emula el funcionamiento de un diario y que puede estar dedicado a cualquier tipo de tema. Los blogs nacieron como la conversión natural de los diarios personales de toda la vida a formato digital, pero han evolucionado hasta convertirse en un instrumento poderosísimo de comunicación y opinión con influencia mundial en una sociedad globalizada como la actual.

Y es que, en un blog, el usuario que lo cree, que, por cierto, no tiene por qué tener ni el más mínimo conocimiento de programación o de informática, puede hablar de aquello que más le interese y lo va haciendo a modo de pequeñas (o largas, depende de cada cual) anotaciones que van apareciendo en pantalla de más reciente a menos reciente y que permiten la interacción con los lectores (que pueden ser todas aquellas personas de todo el mundo que lo deseen y que lleguen al sitio a través de la navegación por Internet), que dejan comentarios y crean auténticas conversaciones valiosísimas.

Se puede decir que el secreto de los blogs viene dado por algunas razones concretas:

- **Facilidad de creación:** Los blogs pueden ser creados por personas sin conocimientos informáticos y en menos de un par de minutos. Puede llegar a ser más fácil crear un blog que encender el ordenador. Algunos programas de creación de blogs como Blogger (uno de los más populares) permiten crear estas bitácoras con tres sencillos pasos y, en nuestro caso, explicados totalmente en español para evitar dudas.

- **Actualidad:** Esta ventaja va ligada a Internet. Uno de los mayores secretos del éxito de la Red es, sin lugar a dudas, que permite comunicar y, por tanto, acceder a información instantánea gracias a la posibilidad de crear comunicación directa y actual, a tiempo real, sin necesidad de verse limitada o sostenida por los límites del tiempo. Con los blogs ocurre igual. Todo lo que está pasando puede estar siendo contado ahora mismo en un blog cualquiera escrito en cualquier parte del mundo.

- **Audiencia ilimitada:** Internet es un medio de comunicación masivo. De hecho, es el más masivo. Si bien la televisión y la radio siempre han sido consideradas de masas por sus importantísimas audiencias, Internet ha conseguir superar su rango de actuación debido a su increíble capacidad de expansión. Hay pocas cosas más fáciles hoy que conectarse a Internet, de manera que todo lo que se escribe en los blogs puede llegar a un número ilimitado de personas (lógicamente, el límite está puesto en la población mundial) con el menor esfuerzo posible. Puede ser que alguien escriba algo en un blog y que alcance una trascendencia brutal sin apenas haber invertido en ello mucho tiempo, ni medios. Si bien es cierto que existen maneras de promocionar un contenido en Internet porque aunque la audiencia es inmensa la cantidad de contenidos es ingente y no es fácil hacer llegar un texto a otros y que lo sepan encontrar, los lectores potenciales son casi innumerables.

- **Blogs como medio de comunicación:** Cada vez es más común que los habitantes del Planeta utilicen Internet para comunicarse y para mantenerse informados. Con el paso del tiempo, los medios de comunicación tradicionales están perdiendo terreno a pasos agigantados con los nuevos medios incipientes y, sobre todo, con Internet. Los propios medios de comunicación tradicionales, de hecho, están realizando grandísimas inversiones para adaptar sus redacciones, sus contenidos, sus producciones y toda su infraestructura al nuevo panorama mediático al que estamos tendiendo, apostando cada vez más por las ediciones digitales de sus publicaciones y priorizando contenidos para sus páginas Web. Sin embargo, la audiencia está cambiando. En un mundo tan globalizado como el actual en el que el usuario está empezando a tener el poder en sus manos debido a la infinidad de tareas que se pueden realizar en Internet sin necesidad de salir de sus casas o de sus despachos, en una sociedad en la que los medios de comunicación están cada vez más manchados por intereses políticos y pierden su independencia en beneficio de su economía, los usuarios, los lectores, la audiencia de los medios de comunicación han visto en los blogs un espacio en el que su opinión es tan válida como la de los líderes de opinión habituales, en los que las opiniones vienen especificadas como tales y no ocultas bajo un disfraz camaleónico tildadas de verdad y donde la participación social se ha convertido en una necesidad vital.

Por todo esto, los blogs son ya, a día de hoy, una herramienta revolucionaria que merece la pena ser conocida y que amenaza el estado natural y hasta ahora conocido de los medios de comunicación. Suponen el avance de la conversación ciudadana, el medio más sencillo para que el ciudadano se comunique, se queje, pida, participe y viva. Los blogs son ya el presente pero, sobre todo, son también el futuro. Los bloggers (así se conoce generalmente a los autores de los weblogs) se han convertido ya en líderes de opinión y muchos de ellos son personas que influyen verdaderamente en la forma de pensar de sus lectores. Los bloggers pueden ser periodistas, pero muchos no los son. De hecho, en España, el mayor número de autores de blogs se encuentra, sin duda, entre los informáticos, que fueron los primeros en conocer esta nueva modalidad de expresión y que llevan un tiempo de ventaja al resto, lo que se demuestra al observar que la mayor parte de los blogs temáticos más leídos en nuestro idioma tienen como tema principal los ordenadores, la informática o temas que suelen ser afines a sus gustos.

7.3.2. ¿Qué tiene que ver Word con esto?

Es muy fácil. Los blogs, como ya hemos comentado, se crean mediante programas específicos realmente sencillos que no necesitan ningún conocimiento de informática.

Uno se crea un blog en unos pocos pasos, se pone a escribir en un propios sistema de edición independiente que tiene cada uno de estos sistemas creativos, lo publica y lo deja accesible en Internet para que cualquiera que pase por allí, cualquiera que lo busque o cualquier que lo encuentre lo lea.

Y la verdad es que algunos de estos programas que permiten crear blogs tienen algunos editores de textos sencillos pero resultones. En general, la mayoría de ellos no tienen tanta variedad de opciones como suele permitir Word a la hora de crear multitud de documentos de lo más variopinto, pero en general son suficientemente útiles como para que permitan personalizar al gusto el documento que se va a escribir y que guarde una apariencia atractiva.

Sin embargo, Word, inteligentemente, ha decidido ponerle fácil a los bloggers la opción de crear sus posts o entradas para su publicación directamente desde Word, utilizando todas y cada una de las ventajas que esta nueva versión 2007 contiene y que, de manera cómoda y sencilla, pueda ser exportado y publicado directamente al blog sin necesidad de tener que guardar e importar desde el otro programa.

Y si esto lo ha decidido hacer Microsoft es porque sabe que la mayor parte de los usuarios de Internet y de los ordenadores, en general, utilizan Word para editar sus textos de trabajo o caseros y no es nada raro encontrarse con que la mayor parte de los ordenadores activos tengan Word ya abierto en su pantalla. Así, si alguien quiere publicar en su blog, no tiene por qué abrir un nuevo programa y perder tiempo en encontrarlo, arrancarlo y, después, editar su texto en otro formato que no domine.

Gracias a esta integración, sólo hay que crear un nuevo documento y configurar Word 2007 para que el resto lo haga él casi sin ayuda.

A continuación veremos cómo hacer para que nuestro blog se pueda actualizar directamente desde Word 2007.

7.3.3. Configurando Word para blogs

Para realizar un nuevo documento que pueda ser publicado directamente en un blog, simplemente hay que hacer clic en el **Botón de Office**, seleccionar Nuevo y, posteriormente, hacer lo propio en Nueva entrada de blog.

Si es la primera vez que realiza esta acción, le aparecerá una ventana como la que muestra la figura 7.8.

Figura 7.8. Nueva entrada de blog.

No la desdeñe ya que se trata de una ventana muy importante para el correcto funcionamiento de este proceso. Como ya hemos dicho, Word no es un programa que gestione blogs y que permita su tratamiento de forma directa, sino que ha desarrollado una función que permite integrar sus documentos directamente en otros programas que sí lo hacen. Por eso, es fundamental que se lleve a cabo una configuración inicial correcta que permita la buena marcha de este proceso.

Así, si es la primera vez que lanza esta aplicación, haga clic en **Registrar ahora**. Al hacerlo, le aparecerá una ventana como la que aparece en la figura 7.9.

Figura 7.9. Registrar blog.

Una vez lo haya realizado, el siguiente paso es determinar cuál es su proveedor de blogs para que Word realice los ajustes necesarios. Si hace clic en el desplegable le saldrán algunos de los sistemas de edición de blogs más comunes. Si no lo encuentra, haga clic en **Otros**. Una vez lo tenga, haga clic en **Siguiente**. Le aparecerá la imagen que muestra la figura 7.10.

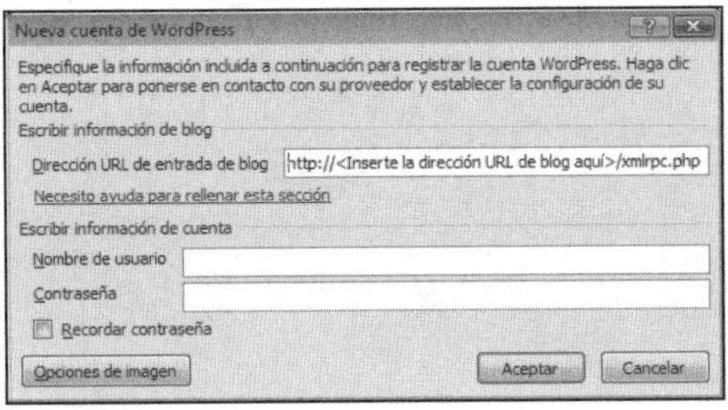

Figura 7.10. Rellenar parámetros del blog.

Rellene correctamente los datos que le solicita y haga clic en **Siguiente**. Word necesita, en ese momento, conectarse a Internet para configurar verdaderamente todos los parámetros. Además, necesita acceder con el número de usuario y contraseña introducidas al servidor que guarda los datos facilitados sobre el editor de blogs en cuestión, por lo que esta operación no se puede realizar de ninguna forma posible sin estar conectados a Internet y sin permitirle a Word realizar esta comprobación.

Un mensaje le avisará de la correcta activación de su cuenta. A partir de ahí, sólo queda escribir y publicar.

7.3.4. Creando una entrada para un blog

Ya tenemos configurado Word. A partir de ahora, publicar su propio blog desde Word es la tarea más sencilla del mundo. Bienvenido al nuevo mundo de la comunicación del siglo XXI. Póngase cómodo y disfrute del poder que un teclado de un ordenador le otorga. Escriba y sepa que sus textos pueden ser leídos por cualquier persona curiosa a lo largo y ancho del planeta.

Cuando, después de configurar todos los parámetros necesarios, por fin se abre el nuevo documento que permitirá crear una nueva entrada en su blog, la pantalla de Word mostrará una estampa similar a la que se puede observar en la figura 7.11.

Figura 7.11. Documento de Word para blog.

Como habrá observado, la pantalla de Word es prácticamente similar a la de los documentos tradicionales pero con algunos cambios, incluyendo la propia apariencia, adaptada al formato para que el usuario pueda ver automáticamente cómo quedará su entrada publicada en su blog.

Lo primero que haremos será fijarnos en el propio documento. Cualquier usuario observador ya se habrá dado cuenta de que el documento está dividido en dos espacios claramente diferenciados por una raya separadora. La parte superior delimita el título de la entrada y la parte inferior el cuerpo del texto. Y es que los posts o entradas de los blogs, en general, respetan el formato periodístico tradicional y mantienen, por tanto, un titular que da nombre al resto del artículo y que permite así su fácil localización y su integración en un todo. Además, los titulares también son luego muy importantes a la hora de posicionar los documentos que se publican en Internet en los buscadores, que es la mejor forma posible conocida para publicitar un texto por Internet y promover su lectura y, por tanto, para aumentar su difusión.

Como habrá observado, en letra muy grande aparece una leyenda clara y evidente: "Introduzca aquí el título de la entrada del blog". Claro y conciso. Word, una vez más, ha querido dar casi todo hecho al usuario para que éste no tenga más que escribir lo que desea y despreocuparse de la programación y el estilo. Sólo hay que escribir un titular y automáticamente Word lo mantendrá con un formato mayor que el del resto del texto. Luego veremos que es posible, lógicamente, adaptarlo al gusto de cada cual y personificar el estilo al máximo, pero esta es, sin duda, la forma más fácil de publicar un blog sin apenas ayuda.

Pasemos ahora a la parte de arriba, a lo que sería la pestaña. Como se puede ver, el documento de Word tiene una parte superior totalmente diferente al resto de documentos habituales. Para empezar, han desaparecido el resto de pestañas a las que el usuario ya tenía que estar acostumbrado y se han cambiado por otras dos que rezan: Entrada de blog e Insertar. La primera de las dos (véase la figura 7.12.) se puede decir que se corresponde con la habitual pestaña de Inicio (aunque adaptada para la ocasión) y la segunda de ellas (véase la figura 7.13.) hace lo propio con su pestaña homónima (aunque también es particular).

Figura 7.12. Pestaña Entrada de blog.

El siguiente paso ya es escribir. Ponga un titular a su entrada y escriba el texto que considere oportuno. Para editar el texto, actúe de la misma forma que hemos visto durante este libro con la edición de textos en Word.

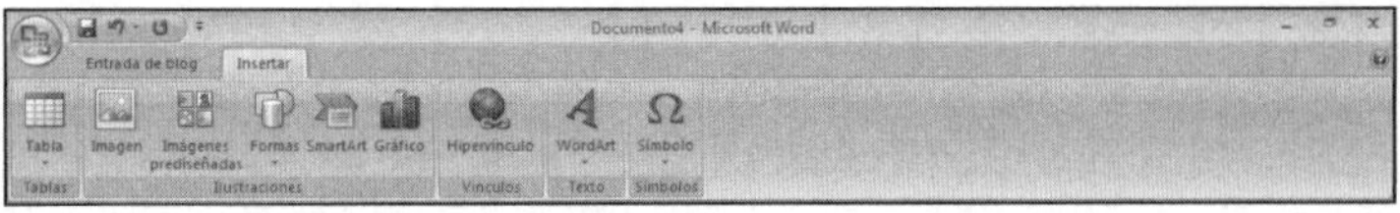

Figura 7.13. Pestaña Insertar.

Podrá cambiar el tipo de letra, su tamaño, el formato (negrita, cursiva, subrayado, etc.), elegir los estilos, revisar la ortografía, utilizar las acciones de **Cortar** y **Pegar** y la utilidad del **Portapapeles**... Disfrute de Word 2007 y de los blogs. El único apartado en el que hay que fijarse especialmente al tratarse de unas funcionalidades totalmente novedosas es el apartado Blog de la pestaña **Entrada de blog**. Allí, tenemos acceso a una serie de funciones que detallaremos a continuación:

- **Publicar:** Es el botón más importante de esta pestaña y de toda la actividad de los blog y hay que utilizarlo con cuidado y conocimiento, ya que una vez se haya configurado previamente la sincronización entre Word 2007 y el gestor de blogs particular de cada cual, la publicación es directa. Por eso, antes de hacer clic en **Publicar**, hay que estar muy seguro de querer hacerlo. De todas formas, todos los blogs son editables y cuando se publica algo que no se quiere hacer o que se quiere modificar, hacerlo es lo más fácil del mundo, pero, claro, como el acceso a Internet es libre e inmediato, cualquiera ha podido ya ver lo que hemos publicado aunque haya estado online apenas unos instantes. Haciendo clic en la parte inferior del botón **Publicar** veremos que se abre un pequeño menú como el que muestra la figura 7.14.

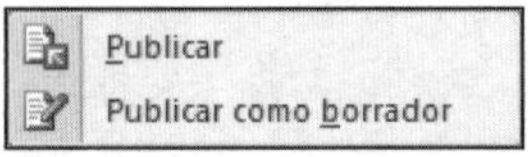

Figura 7.14. Publicar blog.

Para evitar males mayores y porque más vale prevenir que curar, es más que recomendable desplegar siempre ese menú y hacer clic en **Publicar como borrador**. El borrador es una versión previa que se almacena como tal en el gestor de blogs y que permite revisar por última vez que todo lo que se quiere publicar es correcto. De todas formas, si el contenido escrito en Word es ya definitivo y está seguro de querer publicarlo directamente en su bitácora, simplemente haga clic en **Publicar** y, acto seguido, su entrada será publicada.

- **Página principal**: Haciendo clic en este botón (), se abrirá directamente una página de su navegador de Internet predeterminado que le dirigirá de forma automática hasta la página principal de su blog. De esta forma, podrá ver inmediatamente la entrada que acaba de publicar o hacerlo previamente para recordar cuál era la última entrada de su blog o el aspecto que tenían sus anteriores post. Se trata de una forma rápida y sencilla de dirigirse hacia su blog sin tener que abrir una nueva página de Internet.

- **Insertar categoría**: Haciendo clic en este icono (), se podrá incluir el post que se está escribiendo dentro de alguna de las categorías en las que se divide nuestro blog. Pero, ¿qué son las categorías de los blog? Es muy fácil. Como decíamos cuando explicábamos a grandes rasgos lo que es un blog, una bitácora es un lugar personal donde escribir de todo aquello que le venga en gana a su autor. Por eso, en la mayor parte de los editores de blogs se ha añadido la posibilidad de agrupar los temas por categorías para hacer más fácil al autor y a los lectores localizar textos o entradas antiguas. Así, si un blog, por ejemplo, trata sobre deportes en general, se podrá realizar una división por categorías que comprenda diferentes actividades como fútbol, motor, etc. Normalmente, los editores de blog están preparados también para ser muy fáciles de usar por los usuarios no expertos, por lo que suele ser de lo más sencillo realizar este tipo de categorizados. A menudo, lo único que hay que hacer para catalogar una entrada como parte de una categoría es seleccionar con un clic el apartado al que ha de ser incluido. Ese apartado, que suele venir creado como un modelo, ha sido editado previamente por el autor para que aparezca la palabra "fútbol", o "motor", o la que pretende convertir en categoría. Así,

Word ha emulado ese efecto y haciendo clic en **Insertar categoría**, el programa se pondrá en contacto automáticamente con el editor de blogs y seleccionará las categorías que ya teníamos creadas, mostrándolas en un desplegable justo debajo del título y antes de comenzar a escribir el cuerpo del texto de la entrada, como se puede ver en la imagen 7.15.

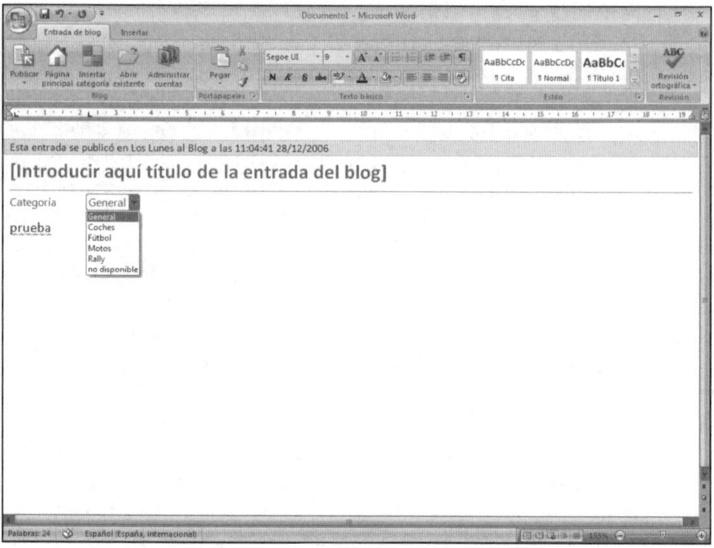

Figura 7.15. Insertar categoría.

- **Abrir existente:** Como decíamos previamente, en los blogs siempre es posible, de forma fácil y simple, editar el contenido antes escrito para evitar erratas y corregirlas. Word también ha pensado en eso, ya que lo que pretende con esta nueva funcionalidad añadida es evitar que los usuarios de Word tengan que abrir el editor de blog específico que usan en cada momento para llevar a cabo ciertas acciones. Es decir, lo que Word pretende es convertirse en el editor de textos definitivo, en el editor de textos global, en el único. Para ello, también ha incluido la función **Abrir existente**. Esta función permite acceder al editor de blog seleccionado para recuperar alguna de las entradas ya escritas y, si es necesario, editarla y volverla a publicar. Si quiere llevar a cabo este proceso, sólo haga clic en el icono **Abrir existente** (📋) y aparecerá, tras un breve lapso de tiempo de sincronización entre Word y el editor predeterminado, una pantalla como la que muestra la figura 7.16. Cuando la vea, sólo tiene que hacer clic en la entrada elegida (verá que aparecen por orden de actualidad y nombradas por el título) y hacer clic en **Aceptar**. Entonces, la entrada que quiere editar se abrirá en la ventana de Word. Si tiene integrados varios blogs, deberá seleccionar del desplegable superior el nombre del blog para el que quiere recuperar la entrada.

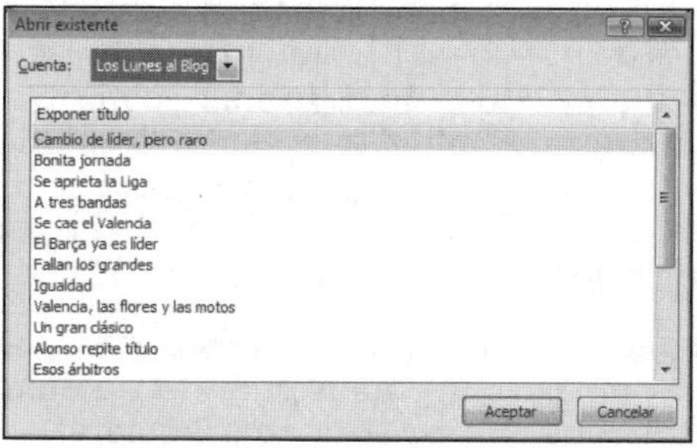

Figura 7.16. Abrir existente.

- **Administrar cuentas:** Este icono (📋) es un acceso rápido a lo que podemos considerar un breve panel de administración de las distintas cuentas de blogs que se pueden administrar con Word. Es la forma más sencilla de tener controlados nuestros blogs y de poder dar de alta nuevos, eliminar antiguos, etc. (Véase la figura 7.17.)

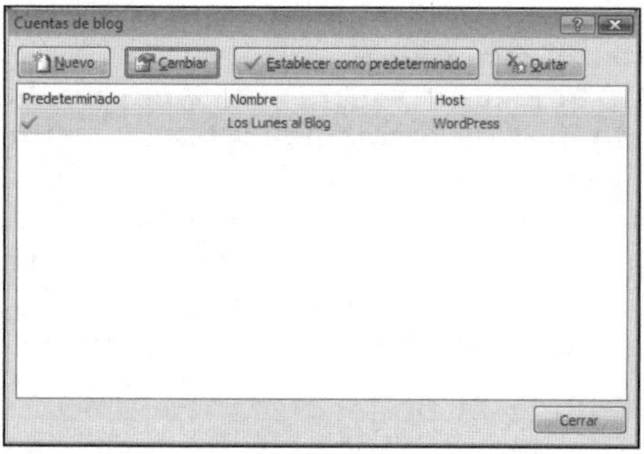

Figura 7.17. Administrador de blogs.

- Haciendo clic en **Nuevo**, se tiene acceso de nuevo (valga la redundancia) a la ventana que invita a seleccionar el editor de blogs en el que se tiene la cuenta y, posteriormente, a la que permite rellenar los datos concretos del blog en cuestión.
- Haciendo clic en **Cambiar**, lo que se puede hacer es reescribir de nuevo la configuración de acceso al blog seleccionado.
- El botón **Predeterminado** permite elegir, si es que se ha añadido más de un blog a las funciones de integración de Word, entre los blogs seleccionados para elegir a uno de ellos como el principal, como el que se abrirá por defecto siempre que se abra de nuevo un documento de creación de blogs.
- Mediante el botón **Eliminar**, como es lógico, se suprimirá el blog que esté seleccionado en ese momento y, si en algún momento se deseara volver a escribir una nueva entrada en ese blog, habría que volver a habilitarlo de nuevo.

En la pestaña Insertar, lo que podemos hacer es añadir a la entrada un buen puñado de elementos que pueden conseguir que la apariencia visual del blog sea del gusto de cada uno.

Cada uno de los objetos que se pueden insertar, funcionan de la misma manera que sus "hermanos" para Word, aunque a continuación haremos un repaso por cada uno de ellos parándonos en las opciones particulares que se abren en la pestaña especial de herramientas que tienen individualmente.

- Tabla: Haciendo clic en **Tabla** se abrirá la ventana que permite seleccionar de forma rápida y directa el estilo de tabla que queremos añadir a nuestra entrada del blog. Como ejemplo, vamos a crear una tabla de tres por tres (véase la figura 7.18.). Seguramente, al realizar este proceso como ejemplo, ya habrá observado que, de forma instantánea, según ha creado la tabla se ha abierto en la parte superior de la pantalla una nueva pestaña llamada Herramientas de tabla que contiene, a su vez, otras dos pestañas nuevas específicas para este objeto (véase la figura 7.19). Las dos pestañas en cuestión son las siguientes:

- Diseño: Esta pestaña contiene varios apartados. En el apartado Opciones de estilo de tabla se encuentran una serie de funciones que permiten personalizar al máximo la apariencia que queremos dar a la tabla para nuestro blog: **Fila de encabezado**, **Fila de totales**, **Filas con bandas**, **Primera columna**, **Última columna** o **Columnas con tabla**.

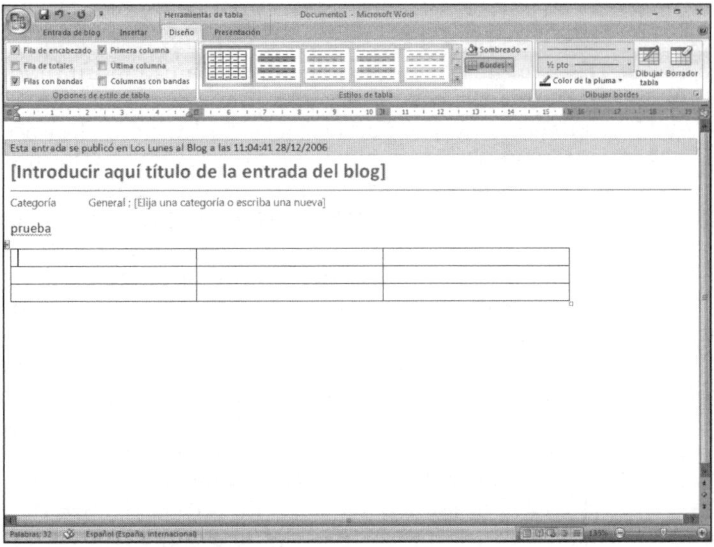

Figura 7.18. Insertar tabla en blog.

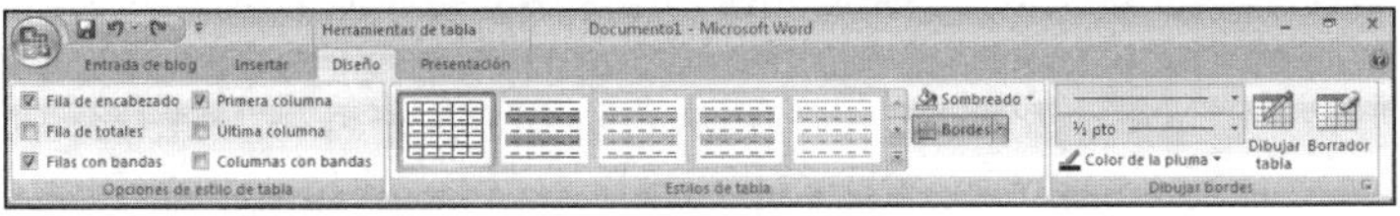

Figura 7.19. Pestaña Herramientas de tabla.

El segundo de los apartados, denominado Estilos de tabla, muestra a modo de vista previa algunos ejemplos de estilos de tabla que podemos otorgar a nuestra creación. Si no encontramos a simple vista ninguno que nos convenza, no hay más que seleccionar en las flechas hacia abajo hasta hacerlo. Además, es posible personalizarlas aún más gracias a las funciones de Sombreado y Bordes. En el último de los apartados, que se ha llamado Dibujar bordes, se encuentran algunos de los ele-

215

mentos más habituales de las tablas en las versiones de Word: se puede seleccionar el grosor de las líneas que conforman las celdas, el color de la línea, e incluso se pueden crear a mano nuevas tablas o borrar las ya existentes. Además, haciendo clic en la flecha que se encuentra en la parte inferior derecha de la pestaña, se accede al cuadro de diálogo **Bordes y sombreado**.

- **Presentación**: Esta subpestaña contiene un buen número de funciones añadidas que facilitan el ajuste de la tabla a las necesidades de cada uno. En el apartado **Tabla** es posible realizar selecciones de celdas, filas o columnas o acceder al cuadro de diálogo de **Propiedades de tabla** (véase la figura 7.20.). En el apartado **Filas y columnas** se pueden eliminar celdas, columnas, filas o tablas de la forma más fácil posible, insertar filas o columnas en la parte de arriba o de debajo de la tabla, a la derecha o a la izquierda. Sólo hay que seleccionar el botón adecuado (véase la figura 7.21.) de forma intuitiva y Word lo hará todo por nosotros. Este apartado sustituye al habitual cuadro de las anteriores versiones de Word, también disponible aquí haciendo clic en las flechas que hay al lado del nombre del apartado **Filas y columnas** (véase la figura 7.22.). Las opciones contenidas en el apartado **Combinar** permiten realizar combinaciones de celdas, de manera que se consigue juntar el contenido de dos celdas, por ejemplo, en una sola más amplia o, por el contrario, dividir las propias celdas o las tablas completas. En el apartado **Tamaño de celda** accedemos a los parámetros de configuración del tamaño de la celda, pudiendo modificarlos al gusto. En el apartado **Alineación** se pueden configurar todos y cada uno de los parámetros relativos al texto que se quiere introducir en la tabla. Su formato, su dirección o los márgenes que ha de tener con respecto a las líneas de la tabla.

Y, por último, en el apartado final, **Datos**, se pueden ordenar alfabéticamente los contenidos de la tabla, repetir las filas de encabezados en todas las páginas, convertir texto o insertar fórmulas matemáticas.

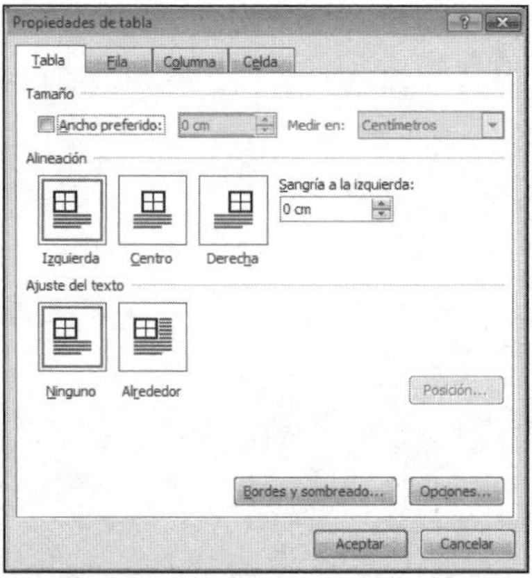

Figura 7.20. Propiedades de tabla.

Figura 7.21. Filas y columnas.

Figura 7.22. Añadir o quitar filas o columnas.

- **Imagen**: Insertar una imagen en un blog requiere el mismo proceso que requería hacerlo en un documento original de Word. Ya que antes no nos detuvimos específicamente a contar las posibilidades que tiene, vamos a hacerlo ahora. Lo primero es hacer clic en **Imagen** (). Lo siguiente es seleccionar la imagen que se quiere insertar haciendo uso del Explorador de Windows. En este ejemplo, vamos a insertar una imagen de prueba de las que contienen el propio Windows por defecto. La primera visión que observamos nada más hacerlo es la que muestra la figura 7.23.

Figura 7.23. Insertar imagen.

En ese momento, al igual que pasaba con las tablas, automáticamente se abre una nueva pestaña especial denominada **Herramientas de imagen>Formato** que incluye todas las opciones posibles para modificar las propiedades de la imagen insertada.

- **Brillo**: El primer icono del apartado permite modificar el brillo que se le quiere otorgar a la imagen insertada. Hacerlo es de lo más sencillo. Sólo hay que hacer clic en **Brillo** y elegir del desplegable (véase la figura 7.24).
- **Contraste**: De la misma forma que con el brillo, con **Contraste** tenemos que hacer clic en el icono apropiado para desplegar una serie de funciones posibles que nos transforman el contraste de forma automática, como se puede ver en la figura 7.25.
- **Volver a colorear**: Esta función nos permite jugar con el color de la imagen insertada y alterar la composición original. Haciendo clic en **Volver a colorear** accederemos a una serie de iconos que nos dejan claro de forma muy visual cómo quedará nuestra imagen si aplicamos alguna de esas opciones.

Figura 7.24. Brillo.

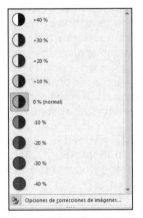

Figura 7.25. Contraste.

Figura 7.26. Volver a colorear.

- **Comprimir imágenes:** Con esta opción se pueden convertir las imágenes insertadas a un formato más pequeño que pesa menos y permite su importación con mayor facilidad.

- **Cambiar imagen:** Haga clic aquí para sustituir la imagen insertada por otra que ocupará su mismo espacio.

- **Restablecer imagen:** Si, una vez haya realizado cambios en una imagen, no está finalmente de acuerdo con ellos, siempre podrá regresar a la imagen predeterminada tal y como estaba cuando la insertó.

- **Estilos de imagen:** Con las vistas previas del estilo de imagen se puede observar cómo quedaría la imagen a insertar siempre que se le atribuya algún estilo en particular como algún marco que la rodee, etcétera. Muy útil para personificar la apariencia de nuestra imágenes en el blog.

- **Forma de la imagen:** Lo mejor de este editor es que permite hacer multitud de acciones y dar formas insospechadas a las imágenes que insertamos con sólo un clic. Todo un placer visual. Haciendo clic en **Forma de la imagen** se abrirá una ventana en la que se pueden ver multitud de formas que otorgar al cuadro que contiene la imagen. Para seleccionar uno de ellos, sólo haga clic en el elegido y Word hará el resto.

- **Contorno de la imagen:** Añada colores al contorno para personalizar aún más la imagen y darle el toque final que desea.

- **Efectos de la imagen:** Una nueva vista previa de efectos se abrirá ante usted en el momento en que haga clic en este botón. Si desea aplicar alguna sobre la imagen, haga clic sobre ella y vea el resultado en su entrada del blog.

- **Posición:** Determine qué posición ha de tener el texto con respecto a las imágenes y viceversa. Selecciónelo a su gusto.

- El resto de las opciones del apartado **Organizar** tienen que ver con las capas y las determinadas posiciones de los objetos insertados en el documento.

- En el apartado **Tamaño** se pueden determinar los parámetros preferidos de tamaño de la figura. Esta opción es fundamental para ajustar la imagen a nuestra entrada y no dejar que toda la imagen ocupe el grueso de nuestro post, sino seleccionar la medida que queremos que tenga la imagen dependiendo de su importancia. Haciendo clic en las flechas que se encuentran al lado de las palabras Tamaño tendremos acceso al cuadro de diálogo clásico **Tamaño**, que nos será muy útil para establecer todas las prioridades a este respecto (véase la figura 7.27).

Figura 7.27. Cuadro de diálogo Tamaño.

- Imágenes prediseñadas: Como ya comentamos en su momento, estas imágenes que suelen venir con Office por defecto y a las que, en todo caso, podemos acceder de forma directa y sencilla a través de Office online, permiten encontrar un buen número de gráficos o fotografías curiosas e interesantes que nos solucionen el papel de vez en cuando. Haciendo clic sobre el icono propio se accederá al Explorador de Windows. Busque una imagen o, si no la encuentra, busque en Office online. Cuando lo haya hecho, la imagen se insertará en el documento y la pestaña especial de imágenes que acabamos de ver le permitirá modificarla como ya le hemos explicado (véase la figura 7.28).

- Formas: Haga clic en el botón **Formas** y se abrirá una ventana en la que, una vez más, tiene una vista previa de todas las formas que puede seleccionar. Elija la que más le convenga y haga clic sobre ella. Le aparecerá dibujada en la ventana como se puede ver en la figura 7.29. Inmediatamente después se abrirá una nueva pestaña especial denominada Herramientas de dibujo>Formas que puede ver en la figura 7.30 y que tiene las opciones que comentaremos a continuación.

Figura 7.28. Imágenes prediseñadas.

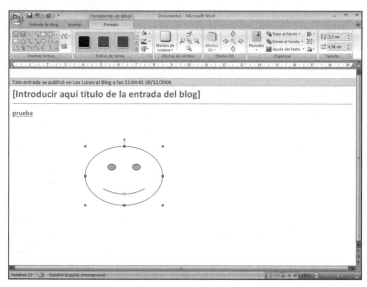

Figura 7.29. Insertar formas.

Figura 7.30. Pestaña Herramientas de dibujo.

- **Insertar formas:** Puede añadir todas las formas que quiera de la misma manera que lo hizo con la original. Es igual de sencillo.
- **Estilos de formas:** Una vez más, a modo de vista previa, se pueden ir viendo una serie de estilos que Word nos presenta de forma automática y que, en este caso, permiten insertar color al fondo y a la forma, de la manera más sencilla. Si no se encuentra el que se busca, haga clic en las flechas hasta que lo haga o elija personalmente sus características preferidas con los botones pequeños que encontrará al lado y que le permiten cambiar el color o el formato.
- **Efectos de sombra:** Añada también los sombreados que desee a su figura siguiendo los fáciles ejemplos que presentan las vistas previas. Es de lo más fácil. Haga clic en Efectos de sombra y seleccione la que más le guste. Además, puede mover hacia la dirección que desea la sombra en cuestión haciendo clic en los iconos con forma de flecha que tiene el botón de al lado (　).
- **Organizar:** Este apartado tiene las mismas características que su homónimo en la pestaña especial de las imágenes y permite alinear el texto con respecto a la imagen y viceversa.
- **Tamaño:** Ajuste el tamaño de la forma a su gusto.

- SmartArt: Aunque ya hablamos de esta nueva y espectacular opción de Word en el apartado correspondiente a insertar objetos en los documentos, es interesante detenernos más a fondo en la funcionalidad de esta opción ya que, además, es muy útil para utilizar sus propiedades en entradas de blogs. SmartArt son gráficos inteligentes que permiten crear diagramas, pirámides u organigramas de forma brillante sin apenas esfuerzo y que dan una apariencia interesantísima a los documentos creados.
A modo de ejemplo, vamos a introducir en el blog un SmartArt con forma de pirámide y vamos a aco-

meter rellenarlo de contenido. Al hacer clic en el icono correspondiente, aparecerá una ventana como la que muestra la figura 7.31.

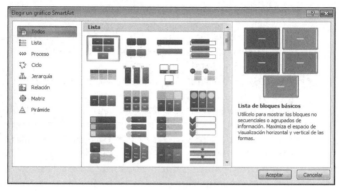

Figura 7.31. Insertar SmartArt.

Busque y seleccione la imagen que más le interese. En este caso, vamos a añadir una pirámide. Al hacerlo, quedará una imagen insertada en el documento como muestra la figura 7.32.

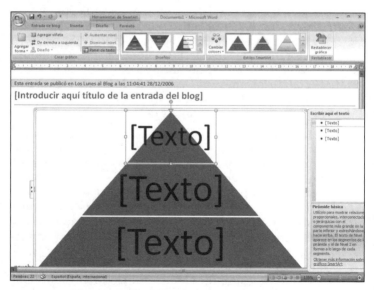

Figura 7.32. SmartArt insertado en blog.

La gran ventaja de esta nueva forma de integrar gráficos en Word es que está pensado de forma muy inteligente para ahorrar mucho tiempo y evitar los incontrolables descuadres de texto y gráficos. Como habrá observado, en la parte derecha de la pantalla se ha habilitado un pequeño panel en el que le aparecen todos los bloques en los que está dividido el gráfico para que escriba encima de ellos el texto que quiere que rece, en este caso, la pirámide que incluye su entrada en el blog. Hágalo y verá los resultados: son espectaculares por sencillos y prácticos.

Además, al igual que ocurre con el resto de elementos a insertar, en el momento de aparecer en pantalla, se ha habilitado en la parte superior una nueva pestaña especial llamada, en este caso, Herramientas de SmartArt que, además, es doble. Sus posibilidades las veremos a continuación.

- Diseño: En el apartado Crear Gráfico se pueden seguir añadiendo propiedades gráficas a la imagen que hemos creado para personalizarla al máximo y conseguir el efecto deseado. Se pueden agregar formas por arriba, por debajo, por los laterales, se pueden añadir viñetas para escribir más texto relacionado, etc. En el apartado Diseños, como es habitual, se pueden observar algunos ejemplos de vistas previas de diseños diferentes para el SmartArt por si se quiere presentar de alguna forma especial (véase la figura 7.33). En Estilos SmartArt es posible personalizar los colores o el estilo y, por último, en el apartado Restablecer se puede volver a dejar el gráfico tal y como se encontraba en su inserción original.

Figura 7.33. Subpestaña Diseño.

- Formato: En el apartado Formas es posible editar el gráfico en dos dimensiones, cambiar la forma, darle mayor relevancia a alguna parte específica del gráfico haciéndolo más grande, o lo contrario haciéndolo más pequeño, etc. En el apartado Estilos de forma, de nuevo, es posible ver algunos de los estilos prediseñados en una vista previa y seleccionar el más apropiado o crear uno propio haciendo uso de los distintos botones que acompañan esa función. Y con Estilos de WordArt se pueden integrar textos desde WordArt, aplicación que ya vimos en un capítulo previo. Por último, al igual que con los otros objetos, es posible ajustar el tamaño y organizar la posición del gráfico (véase la figura 7.34).

Figura 7.34. Subpestaña Formato.

- Gráfico: Un gráfico se inserta en un documento para blog de la misma forma que el resto de objetos, pero tiene la peculiaridad de que, como se conforma a través de medidas propias creadas con tablas (interesantísima su integración con Excel), cuando se inserta un gráfico la pantalla queda dividida en dos partes (véase la figura 7.35).

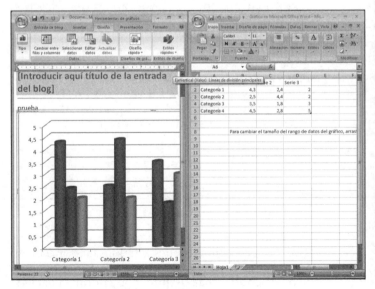

Figura 7.35. Insertar gráfico.

Además, al abrirse el gráfico, se aparece una nueva pestaña, **Herramientas de gráficos**, que tiene, a su vez, tres subpestañas más que veremos a continuación.

- **Diseño**: Esta subpestaña contiene un importante número de funciones que permiten crear gráficos sorprendentes en cuanto a su calidad visual. Y es que Word 2007 ha dejado de ser un editor de textos plano cuando de gráficos se trataba y ha dado un buen salto de calidad en este respecto. Y para publicar en Internet, como es este caso, interesa tener gráficos de calidad, animados, interesantes. En el apartado **Tipo** es muy sencillo cambiar el tipo de gráfico por si no nos hemos quedado satisfechos con el elegido, al mismo tiempo que es posible guardar el elegido como una plantilla para el futuro. En el apartado **Datos** se puede **Cambiar entre filas y columnas**, **Seleccionar datos**, **Editar datos** o **Actualizar datos**. Haciendo clic en **Diseño rápido** se puede elegir entre algunas de las opciones predeterminadas para realizar modificaciones visuales en nuestro gráfico. Y en **Estilos de diseño**, como es habitual, se puede seleccionar de entre las vistas previas disponibles, el estilo que más se acerca a nuestra idea final (véase la figura 7.36).

Figura 7.36. Subpestaña Diseño en gráfico.

- **Presentación**: Aquí se tiene acceso a modificar, por partes o de manera completa, aspectos internos del gráfico. Se pueden añadir distintos elementos como imágenes o formas, poner títulos, rotular, incluir leyendas o etiquetas, crear nuevas tablas de datos, mostrar ejes para aclarar de forma más matemática el contenido de un gráfico, modificar el fondo y añadirle efectos 3d o realizar análisis. Para conocer individualmente el funcionamiento de cada uno de los elementos en cuestión le recomendamos que pierdan algo de tiempo curioseando. Word 2007 es muy intuitivo y viene muy bien explicado en las ayudas y esta guía no tiene espacio suficiente para poder detenerse pormenorizadamente en cada una de sus opciones (véase la figura 7.37).

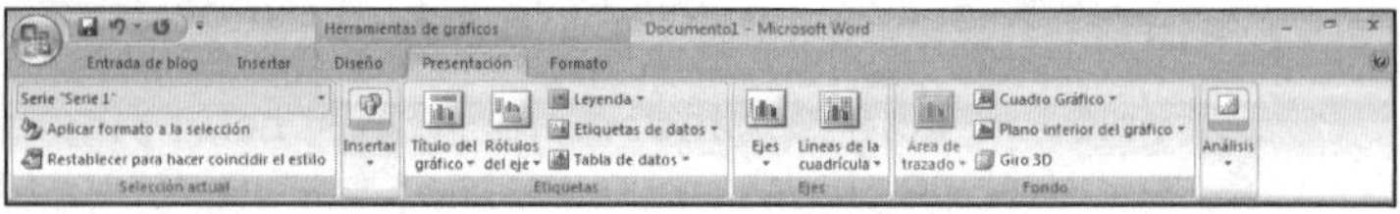

Figura 7.37. Subpestaña Presentación en gráfico.

- **Formato:** La subpestaña **Formato** funciona de la misma forma que la del resto de los objetos que se pueden insertar en documentos para blogs y contiene características muy similares: estilos personalizables y predeterminados, posibilidad de introducción de estilos de WordArt, capacidad de organización y selección de tamaño (véase la figura 7.38).

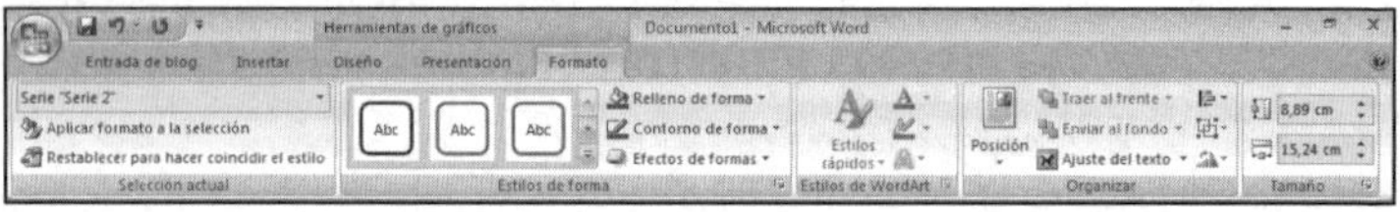

Figura 7.38. Subpestaña Formato en gráfico.

- **Hipervínculos:** Aunque ya hemos hablado en este libro de la importancia de los hipervínculos y de las funciones que Word incluye para poder integrarlos en el texto, hay que hacer realmente hincapié en ellos durante este capítulo. Aunque sólo sea para recordarle su importancia. Y es que los hipervínculos, los enlaces, son excepcionalmente importantes en los blogs. De hecho, toda la cultura del blog se basa en ellos. En los vínculos, en las conexiones. Para que se hable de algo es importantísimo citarlo, hablar de ello, y para ello, lo más útil es el hipervínculo. Seleccionar un texto y añadirle un enlace a otra página en la que se trata ese tema es el mejor favor que le puede hacer a su lector y él se lo agradecerá. Pero, además, se lo agradecerá todo el mundo de Internet. Porque los hipervínculos dan a conocer lugares desconocidos, blogs muy personales, blogs de contenido fantástico pero mal posicionados, rincones perdidos y apasionantes... Utilizar los hipervínculos en un blog es formar parte de su revolución; es formar parte de la comunicación del siglo XXI. Bienvenido a ella.

- WordArt: Puede ser interesante en ocasiones realizar inserciones de texto con formato particular en las entradas de los blogs. Aunque no es muy habitual, sí que es cierto que la posibilidad de incluir texto de WordArt en un blog puede dar juego. Es cuestión de proba, insertar un texto en el formato deseado y ver qué tal queda. Si le convence, ya sabe, haga clic en **Publicar** y toda la "blogosfera" tendrá acceso a ello.
- Símbolos: Al igual que ocurre cuando se está escribiendo un documento en formato habitual, a la hora de crear una entrada de un blog puede ser necesario utilizar símbolos que no están presentes en un teclado. Esta función es muy interesante para realizar ese proceso.

8

Entorno de trabajo
e impresión avanzada

Cuando trabajamos con nuestros escritos disponemos de varias formas de ver sus contenidos en el área de documento. Lo normal es que trabajemos casi siempre con la vista de Diseño de impresión, pues, aparte de ser la que aparece por defecto al abrir Word 2007 por primera vez, nos sirve para ir viendo lo que se verá en el futuro por papel. En este capítulo veremos que disponemos de más formas de representar nuestro documento en la pantalla, cada una de ellas con sus ventajas. Estas vistas son cinco: Diseño de impresión, Lectura de pantalla completa, Diseño Web, Esquema y Borrador. Esta última es una novedad en Word 2007.

Además de estas vistas como tales, Word 2007 nos ofrece la posibilidad de ver el mapa del documento, es decir, un índice completo de todos los títulos del documento a la izquierda de éste, a modo de menú. Incluso podremos ver las miniaturas de las páginas del documento, para reconocerlas rápidamente y utilizarlas de índice.

Word 2007, como ya hemos comentado en capítulos anteriores, supone una ruptura casi total con el estilo visual de la saga. El cambio más llamativo ha sido, sin duda, la desaparición casi total de las barras de herramientas, ya fuera de las fijas como de las flotantes (aunque en este caso han aparecido otras que veremos más adelante). Por eso, el diseño de vistas se ha acoplado para esta nueva versión, dando verdadera importancia a las pestañas, en la parte superior de la pantalla, ya que son ellas las que llevan el grueso de la relevancia en esta nueva versión. Además, el **Botón de Office** también ha supuesto una gran novedad y una forma elegante de eliminar el popular menú Archivo que, hasta ahora, acompañaba siempre a todos los programas del paquete Office.

Éstas y otras opciones de personalización las veremos en breve.

Y para acabar, haremos mucho más cómodo nuestro entorno si conseguimos "capturar" las secuencias de acciones que realizamos frecuentemente, y luego las reproducimos con un simple clic de ratón o una combinación de teclas. Nos referimos a las macros, cuya utilización nos va a ahorrar tiempo en los trabajos de nuestros futuros documentos.

8.1. Vistas

Veamos cada una de las vistas de las que dispone Word 2007, sin olvidar la novedad de esta versión, la vista de Borrador. Las tenemos todas disponibles en la pestaña Vista, que se puede ver en la figura 8.1 y que es la última de las pestañas fijas que aparecen en esta versión de este popular editor de textos.

Figura 8.1. Pestaña Vista.

> *Truco: Además de los tipos de vista que explicaremos a continuación, cabe destacar que Word 2007 ha incluido en la parte inferior derecha de la imagen una barra que tiene a sus extremos un signo positivo y otro negativo y que, pasando el ratón por encima y haciendo clic sobre ella, nos permite aumentar o disminuir el nivel de zoom de la vista, por lo que podremos acercar o alejar la visión y, por tanto, tener más texto y más pequeño en pantalla o menos texto más grande. Justo a la izquierda del signo negativo se muestra un porcentaje que corresponde al nivel de zoom marcado en ese momento.*

Como podemos ver, son las cinco primeras opciones las que corresponden con las vistas disponibles en Word 2007. Además, a la derecha, en el siguiente apartado denominado Mostrar u ocultar, tenemos las opciones que antes mencionamos brevemente, Mapa de documento y Vistas en miniatura, junto con otras como Regla o Línea de cuadrícula, que comentaremos un poco más adelante. Aunque, si no recuerdo mal, esta no es la única forma posible de acceder a las distintas vistas que presenta Word 2007. Sin necesidad de cambiar de pestaña, en todo momento en Word 2007 se puede acceder a cualquier tipo de vista haciendo clic en alguno de los iconos que se muestran en la parte inferior derecha de la pantalla y que se pueden observar en la figura 8.2.

Están situados en el mismo orden que en las pestañas, de tal manera que el primero es la Vista de Diseño, el segundo es la Vista de lectura, el tercero es la Vista Web, el cuarto es el Esquema y el quinto es el Borrador.

Figura 8.2. Iconos para cambiar de vista.

8.1.1. Para escribir

En general, la vista que más utilizaremos siempre en Word es la vista de Diseño de impresión. Es la más cómoda, la más rápida y, también, la más interesante para editar la mayor parte de los documentos. Viene por defecto con Word y, por tanto, es a la que más fácil se acostumbran los usuarios.

En las versiones anteriores del programa, existía también la versión Normal, que ha sido eliminada en este caso. Su principal diferencia era que en la anterior se eliminaban algunos elementos que no se usaban de forma continua o habitual para simplificar aún más la pantalla y que el usuario sólo se preocupara, prácticamente, de escribir. Pero, a efectos reales, hay ciertos elementos que no viene nada mal tenerlos a mano y, en la mayor parte de las ocasiones se utilizaba, por tanto, la vista de Diseño de impresión (véase la figura 8.3).

En ella se presentará al documento con un aspecto muy cercano al que tendrá en papel, con sus encabezados y pies de página, sus gráficos, etc.

Esta vista está centrada en la página y en cómo quedará impresa. Por lo tanto, con ella también podremos ajustar los márgenes de cada página, modificar las imágenes y su colocación con respecto al resto del texto, y otros ajustes precisos del resto de elementos del documento.

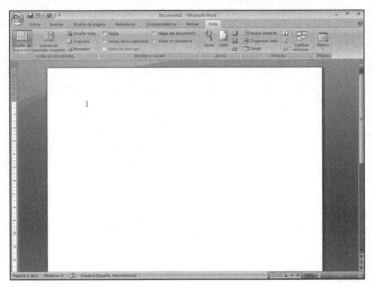

Figura 8.3. Vista Diseño de Impresión.

Además, veremos cómo las páginas se separan unas de otras con un espacio vacío, dando la apariencia de auténticas hojas de papel. Si quisiéramos hacer desaparecer este espacio, sólo tendríamos que mover el puntero del ratón encima de uno de esos huecos, y cuando el icono del mismo puntero cambie al de dos flechas opuestas hacer clic con el ratón. El hueco se sustituirá por una línea horizontal. Para hacer que aparezca de nuevo ese hueco, haremos lo mismo con esta nueva línea de separación de páginas, sólo que el puntero del ratón tomará un aspecto ligeramente distinto al anterior.

Mientras se tenga seleccionada esta lista y si ninguna de las opciones que se pueden ver en el apartado Mostrar u ocultar esté activada, lo único que se verá en toda la pantalla es el documento y las pestañas, así como la Barra de acceso rápido y el **Botón de Office**. Si se acerca el ratón a la parte izquierda de la pantalla y se mantiene allí el cursor durante unos segundos, aparecerá automáticamente la regla lateral que permanecía en modo oculto, como muestra la figura 8.4.

Figura 8.4. Regla oculta.

8.1.2. Para leer

La novedosa vista Diseño de lectura que se presentó en la anterior versión de Word, se pensó para la optimización de la lectura del documento, ocultando todas las barras de herramientas que por entonces había, menos Diseño de lectura y Revisión. Hoy en día, al adaptar esta vista a la nueva forma visual de Word 2007, lo que se ha decidido es eliminar de esta vista las pestañas y todos los elementos que pudieran distorsionar la lectura, dejando simplemente un par de detalles en forma de botones en la parte superior de la pantalla, como son el botón **Herramientas**, las Opciones de vista y algún que otro pequeño detalle (véase la figura 8.5).

Como lo que se quiere conseguir es una mejor legibilidad del documento, el tipo de letra se verá de forma automática con la tecnología Microsoft ClearType, que hace que se suavicen los bordes de los caracteres para que parezcan que están escritos sobre un papel.

Advertencia: Esta tecnología está disponible a partir de los sistemas operativos Windows XP, Service Pack 1.

Figura 8.5. Vista Lectura de pantalla completa.

> **Nota:** *Esta vista será la que aparezca automáticamente cuando se abra un documento de Word como un dato adjunto de un mensaje de correo electrónico. Para evitar esta acción, deberemos desactivar la casilla de verificación* **Permitir el inicio en diseño Lectura** *de la ficha* **Más frecuentes** *del cuadro de diálogo* **Opciones de Word.**

Las opciones disponibles propias de esta vista las tenemos en el menú que se despliega al hacer clic en **Opciones de vista** (véase la figura 8.6), donde podremos fundamentalmente:

- **No abrir archivos adjuntos…:** Haciendo clic en esta primera opción, conseguimos el mismo efecto que haciendo lo que acabamos de comentar algunas líneas más arriba en las opciones generales de Word. Los archivos adjuntos que se envían en los correos electrónicos, siempre se abren, por defecto, en esta vista. Si se desea modificar, esta es una buena manera de hacerlo.

- Mostrar el texto con un tamaño mayor, haciendo clic en el botón **Aumentar el tamaño del texto**.

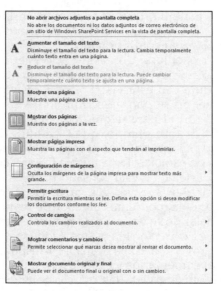

No abrir archivos adjuntos a pantalla completa
No abre los documentos ni los datos adjuntos de correo electrónico de un sitio de Windows SharePoint Services en la vista de pantalla completa.

A **Aumentar el tamaño del texto**
Disminuye el tamaño del texto para la lectura. Cambia temporalmente cuánto texto entra en una página.

A Reducir el tamaño del texto
Disminuye el tamaño del texto para la lectura. Puede cambiar temporalmente cuánto texto se ajusta en una página.

Mostrar una página
Muestra una página cada vez.

Mostrar dos páginas
Muestra dos páginas a la vez.

Mostrar página impresa
Muestra las páginas con el aspecto que tendrán al imprimirlas.

Configuración de márgenes
Oculta los márgenes de la página impresa para mostrar texto más grande.

Permitir escritura
Permitir la escritura mientras se lee. Defina esta opción si desea modificar los documentos conforme los lee.

Control de cambios
Controla los cambios realizados al documento.

Mostrar comentarios y cambios
Permite seleccionar qué marcas desea mostrar al revisar el documento.

Mostrar documento original y final
Puede ver el documento final u original con o sin cambios.

Figura 8.6. Opciones de vista.

- Mostrar más texto en la pantalla, disminuyendo el tamaño del mismo, para lo que tenemos el botón **Reducir el tamaño del texto**.
- Mostrar la página tal y como aparecería al imprimirla en papel. Haciendo clic en **Mostrar una página**.
- Mostrar dos páginas a la vez, con el botón **Mostrar dos páginas**.
- Volver a la vista anterior, haciendo clic en el botón **Cerrar** o pulsando la tecla **Esc**.

> **Nota:** *Al aumentar y disminuir el tamaño del texto, las páginas que se representan en la vista* Diseño de lectura *se ajustarán a la pantalla, pero no será el texto que se verá en papel. Además, si el documento tiene elementos más complejos, como tablas, columnas o gráficos amplios, éstos no se recolocarán junto con el texto de alrededor, por lo que lo mejor será verlo en la vista* Diseño de impresión*.*

- Configuración de márgenes: Haciendo clic en esta opción será posible cambiar los márgenes del documento que se está mostrando de manera que aparezcan en pantalla, que se supriman en beneficio del texto o que se permita a Word determinar de forma automática su configuración.

- **Permitir escritura:** Con esta opción activada se permite escribir en los documentos mientras se están mostrando con esta vista. Si está desactivada, lógicamente, no se podrá escribir sobre ellos. Esta opción es útil al pensar que, por defecto, la vista de Lectura se abre siempre que recibimos documentos adjuntos en mensajes de correo electrónico.

- **Control de cambios:** De la misma forma que la anterior opción, este botón está pensado para los documentos que recibimos a través del correo electrónico, ya que habilitándola, podremos acceder de manera rápida a los paneles de revisión de documentos, sin necesidad de que el corrector tenga que cambiar de vista para poder moverse hacia la pestaña correspondiente.

- **Mostrar comentarios y cambios:** Permite decidir desde esta misma vista las marcas y comentarios que serán mostrados en el documento: comentarios, añadidos, etc.

- **Mostrar documento original y final:** Recordemos que Word 2007 ha diseñado unas importantes mejoras a la hora de revisar documentos y presentar los originales y los finales a los usuarios. Por ello, no han querido dejar pasar la oportunidad de facilitar el acceso a estas funciones aunque sea desde esta vista de Lectura a pantalla completa. Haciendo clic aquí se puede elegir qué documento ver: el original, el final, o los marcados.

Además de este pequeño menú, tenemos algunas opciones en la parte superior izquierda de la pantalla. Entre ellas están las de guardar e imprimir el documento, representadas por un par de iconos bastante obvios.

A su lado, nos encontrados otro pequeño menú llamado Herramientas y que, al hacer clic sobre él, muestra un desplegable con las opciones que muestra la figura 8.7.

- **Referencia:** Ya hemos visto en otros capítulos las bondades del panel de Referencia. Haciendo clic en este botón, abriremos estas opciones y podremos, por tanto, buscar palabras mientras leemos en todas las funciones posibles como sinónimos, traducciones, etcétera.

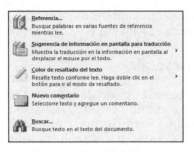

Figura 8.7. Herramientas en vista de Lectura.

- **Sugerencia de información en pantalla de traducción:** Los traductores, habitualmente, usan programas de edición de textos como puede ser Word. Por eso, para simplificar su trabajo y para ayudar a los usuarios comunes que quieran traducir algo en algún momento, han introducido esta cómoda herramienta en esta vista para que se puedan ir encontrando de forma rápida soluciones a palabras desconocidas en otro idioma.

- **Color de resaltado de texto:** Al lado de esta opción de **Herramientas,** se encuentra el botón que permite la acción de **Resaltado.** Para seleccionar el color que queremos darle a esta función, sólo hay que hacer clic en esta opción y, desde ese momento, usted podrá resaltar cualquier palabra, frase o párrafo del documento que está leyendo emulando el uso de rotuladores fluorescentes que se suelen utilizar para el estudio o para realizar posteriores resúmenes de un trabajo.

- **Nuevo comentario:** Aunque, al igual que con el **Resaltado,** existe un botón justo al lado de estas herramientas de acceso directo, también se ha incluido la función de insertar nuevos comentarios dentro de este menú. Como ya vimos en su momento, ahora puede insertar comentarios libremente en un texto también desde la vista de lectura.

- **Buscar:** La ya conocida función de búsqueda que permite encontrar y localizar texto en un documento, también accesible desde esta vista.

Como lo que se pretende es que se vea al completo cada página en este tipo de vista, para poder leer las letras Word subirá por defecto el tamaño de la letra, por lo que las páginas que se verán contendrán mucho menos texto que las que se imprimirán en papel.

8.1.3. Para navegar

Ésta es la siguiente opción de las vistas disponibles. Será la que utilicemos cuando estemos trabajando con un documento que formará parte de una página Web, o que simplemente queremos que se guarde con el formato HTML, y así se pueda visualizar en cualquier parte del mundo donde se tenga un navegador Web.

En ésta sí podremos ver los fondos del documento, al igual que los gráficos, que aparecerán de la misma forma que en un navegador Web. Esto no impide que podamos seguir introduciendo y editando el texto del documento, como en la vista de Diseño de impresión, sólo que siempre veremos cómo quedará en formato HTML y, además, se consumirán más recursos del ordenador (memoria, disco duro, procesador), algo muy poco apreciable con un ordenador moderno.

Otra diferencia que notaremos es que la vista de documento siempre ajusta su tamaño al ancho de la ventana de Word. Esto es algo normal, pues el destino de un documento Web no es imprimirlo fundamentalmente, sino verlo en un navegador Web. Y los documentos HTML del navegador siempre intentan ocupar todo el ancho de la ventana. La figura 8.8 muestra un ejemplo de un documento con la vista de Diseño Web.

8.1.4. Para organizar

Con la vista Esquema (véase la figura 8.9) veremos la estructura del documento, la organización del mismo como si fuese un esquema, donde, además, iremos configurando según nos vaya pareciendo. De esta manera sólo podremos ver los títulos del documento, aquellos párrafos con algún estilo de título de algún nivel. La aparición o no de estos títulos, así como de otras opciones, la podremos controlar en la pestaña Esquema (véase la figura 8.10), que aparecerá al activar esta vista.

Con esta vista podremos copiar, mover o reorganizar los textos de nuestro documento con sólo arrastrar los títulos que lo componen.

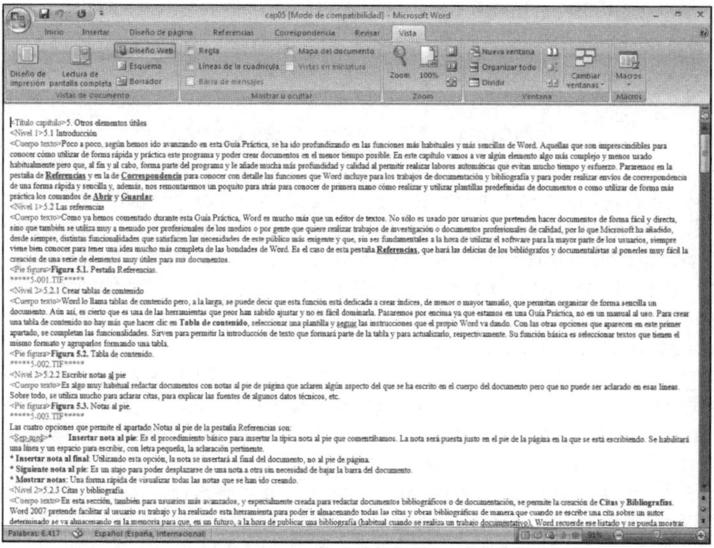

Figura 8.8. Vista Diseño Web.

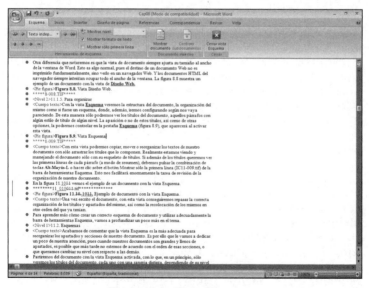

Figura 8.9. Vista Esquema.

Realmente estamos viendo y manejando el documento sólo con su esqueleto de títulos.

241

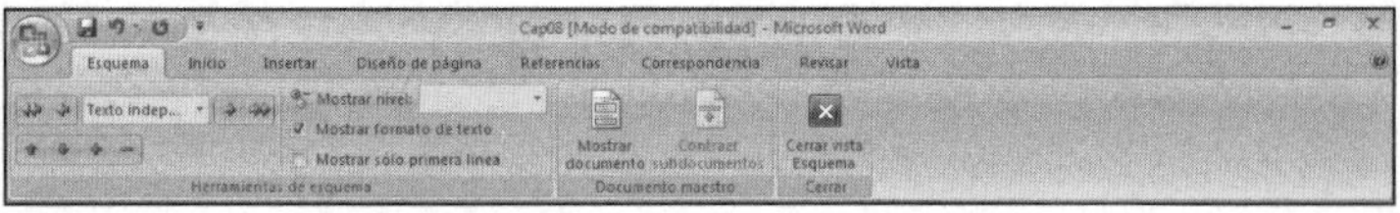

Figura 8.10. Pestaña Esquema.

Si además de los títulos queremos ver las primeras líneas de cada párrafo (a modo de resumen), debemos pulsar la combinación de teclas **Alt-Mayús-L** o hacer clic sobre la opción Mostrar sólo la primera línea de la pestaña Esquema. Esto nos facilitará enormemente la tarea de revisión de la organización de nuestro documento.

Una vez escrito el documento, con esta vista conseguiremos repasar la correcta organización de los títulos y apartados del mismo, así como la recolocación de los mismos en otro orden del que ya tenían.

Para aprender más cómo crear un correcto esquema de documento y utilizar adecuadamente la pestaña Esquema, vamos a profundizar un poco más en el tema.

8.2. Esquemas

Acabamos de comentar que la vista Esquema es la más adecuada para reorganizar los apartados y secciones de nuestro documento. Es por ello que le vamos a dedicar un poco de nuestra atención, pues cuando nuestros documentos son grandes y llenos de apartados, es posible que más tarde no estemos de acuerdo con el orden de esas secciones, o que queramos cambiar su nivel con respecto a las demás.

Partiremos del documento con la vista Esquema activada, con lo que, en un principio, sólo veremos los títulos del documento, cada uno con una sangría distinta, dependiendo de su nivel dentro de la estructura general del documento. Debemos recordar que los párrafos que se consideran títulos deben tener aplicado algún estilo que indique su nivel (del título 1 al título 9), o algún nivel de esquema directamente (también del nivel 1 al nivel 9). También hay que recordar que cualquier cambio de nivel en algún título afectará automáticamente a todo el contenido que tenga por debajo de él hasta el siguiente título del mismo nivel.

Con los botones que aparecen en el principio de la pestaña **Esquema** podremos realizar diferentes cambios en la estructura del documento (a sus títulos). Para ello lo mejor es seleccionar previamente el texto que queremos modificar, o situar el cursor sobre algún título del documento. Las funciones de las que disponemos son:

- El botón **Subir** (⬆) o **Bajar** (⬇) desplazará el texto seleccionado a un apartado del documento anterior o posterior, respectivamente.

- El botón **Aumentar nivel** (⬅) y **Disminuir nivel** (➡) cambiarán el nivel del título o títulos que tengamos seleccionados.

- Para aumentar al primer nivel, o disminuir al texto llano (sin nivel) tenemos respectivamente los botones **Aumentar de nivel a Título 1** (⬅) y **Disminuir a Texto** (➡).

- Con los botones **Expandir** (➕) y **Contraer** (➖) haremos que el texto subordinado a un título se vea al completo, o que sólo se vea el título sin más.

- El botón **Mostrar sólo primera línea** (☐ Mostrar sólo primera línea) hará que sólo se vea la primera línea de cada párrafo que hay por debajo de cada uno de los títulos del documento.

- Con el botón **Mostrar Formato** (☑ Mostrar formato de texto) eliminará el formato que tenga el texto, y así podrá ver mejor el esquema del documento, como si fuese un índice de un libro. Al volver a hacer clic sobre el botón conseguiremos que aparezcan de nuevo los formatos de los textos.

> **Nota:** *Además de estos botones, aparecen otros más, relacionados con la Tabla de Contenido (TDC) y con los subdocumentos, documentos de Word insertados dentro del principal. Este tipo de herramientas se utilizan fundamentalmente en el ámbito profesional, y se escapan al nivel y el propósito de esta guía.*

8.3. Mapa del documento

El mapa del documento es un panel que aparece a la izquierda del área de documento a modo de índice. Aparecerá una lista con los títulos del documento que correspondan con los niveles de esquema (Nivel 1 a Nivel 9) o los títulos (Título 1 a Título 9) predefinidos en Word 2007.

Para activar la visualización del panel de Mapa del documento, sólo tenemos que ir a la pestaña **Vista** y seleccionar la opción **Mapa del documento**. Como dijimos, aparecerá por el lado izquierdo de la ventana, como se ve en la figura 8.11.

Figura 8.11. Mapa del documento.

> **Nota:** *Esta opción no aparecerá si al seleccionar la pestaña* **Vista** *se elije la vista de* **Lectura** *a pantalla completa o la vista* **Esquema,** *que tienen sus propias pestañas o su apariencia diametralmente opuesta. Por el contrario, es una opción compartida por las otras vistas que presenta Word 2007.*

Gracias a este mapa podemos desplazarnos rápidamente por el documento, pues su función es básicamente la de índice del mismo. Al hacer clic sobre alguno de los elementos de la lista del mapa el cursor irá directamente al título asociado. Se comportan como hipervínculos de una página Web. Y no sólo eso, sino que al dar el salto sabremos la posición relativa en el documento, al aparecer resaltado el título en el que nos encontramos en el mapa del documento.

Para ajustar la anchura del panel del mapa, deberemos llevar el puntero del ratón sobre la línea vertical divisoria entre el panel y el área de documento, hacer clic sobre ella y arrastrar sin soltar hasta la nueva posición. Además, con los signos más y menos que aparecen a la izquierda de los títulos podremos expandir o contraer los subtítulos que tengan por debajo.

El resto de acciones que se pueden realizar sobre un elemento del mapa las tenemos haciendo clic con el botón derecho del ratón sobre dicho elemento. En el menú contextual que nos aparece (véase la figura 8.12.) podremos elegir si cerrar de nuevo el Mapa del documento, si queremos también expandir o contraer el título seleccionado, o qué nivel de título queremos mostrar.

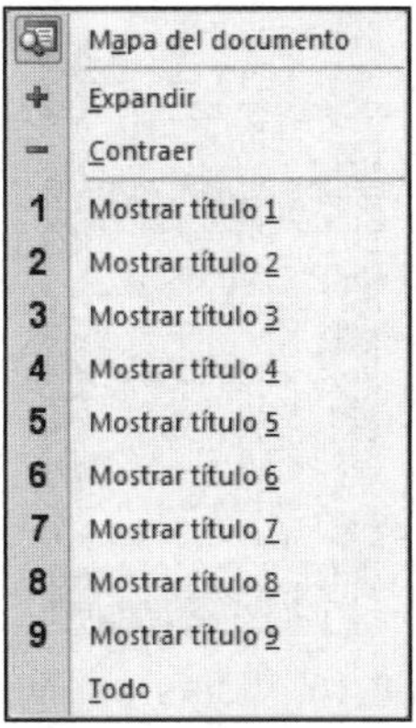

Figura 8.12. Menú interno del Mapa del documento.

8.3.1. Vistas en miniatura

Esta función es muy similar a la que acabamos de ver con el Mapa del documento, pues también se intenta hacer la función de índice del documento. En esta ocasión aparecerá igualmente un panel en la parte de la izquierda de la ventana de la aplicación, pero en su lugar no habrá texto, sino miniaturas de las páginas que componen la vista actual del documento. Sólo está disponible en la vista Diseño de impresión. Para que se vea este panel sólo tenemos que activar la opción Vistas en miniatura del propio Mapa del documento, que acabamos de explicar. Lo que se verá será algo parecido a lo que aparece en la figura 8.13. La otra opción para acceder a esta herramienta es haciendo clic, directamente, en la casilla Vistas en miniatura que se muestra en la pestaña Vista.

Figura 8.13. Vistas en miniatura.

Por supuesto, como cualquier otro panel, su tamaño puede cambiar, para que a su vez también cambie el tamaño de las miniaturas: a más tamaño del panel más grandes se verán las miniaturas, aunque habrá menos espacio en el área de documento. Para poder hacerlo deberemos proceder de igual manera que con el anterior panel, es decir, hacer clic sobre la línea vertical divisoria y sin soltar, arrastrar hasta la nueva posición.

8.4. Personalización

Aunque Word ha eliminado las barras de herramientas, que eran las opciones personalizables por excelencia, ya que cada usuario se podía crear en ellas lo que más le convenciera para sus propios documentos, aún existen fórmulas que periten una cierta personalización.

Especialmente, en la Barra de acceso rápido que aparece junto al **Botón de Office** en la parte superior izquierda de la pantalla (véase la figura 8.14).

Figura 8.14. Barra de acceso rápido.

En principio y por defecto, los iconos que muestra esta barra son los siguientes:

- Guardar: Haciendo clic sobre él, el documento sobre el que está trabajando se guardará automáticamente. No tendrá acceso, de esta forma, al menú de Guardar como, por lo que es recomendable que se asegure de que lo que va a grabar es lo correcto y de que lo que va a grabar tiene el nombre de documento apropiado, ya que, si no lo hace, es posible que pueda sobreescribir un documento ya escrito con algún tipo de modificación no deseada.
- Deshacer: Ya explicamos en otro capítulo la utilidad de esta acción que permite regresar a la última (o a las últimas) acción realizada, siendo especialmente útil cuando se realizan movimientos no deseados que provocan cambios inesperados o a disgusto.
- Rehacer: El movimiento contrario a Deshacer y también explicado previamente.

Como se puede observar, las acciones mostradas por defecto en esta pequeña barra de herramientas (la única que aparece en este remodelado Word 2007) son algunos de los más usados y de los más comunes. De todas formas, si lo que desea es añadir algunos otros que usted utiliza o pretende utilizar a menudo, no tiene más que seguir los siguientes pasos.

1. Haga clic en el icono ( ) que se encuentra justo después de Rehacer.
2. Al hacerlo, se desplegará un menú como el que muestra la figura 8.15. Seleccione allí el elemento que desea añadir a la Barra de acceso rápido e, inmediatamente, ese icono aparecerá en su pantalla.

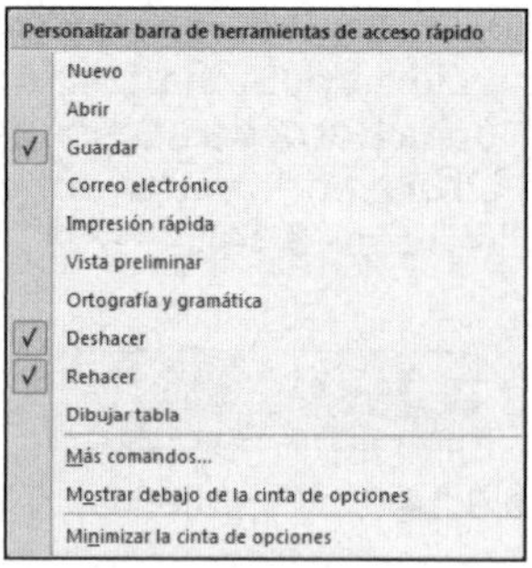

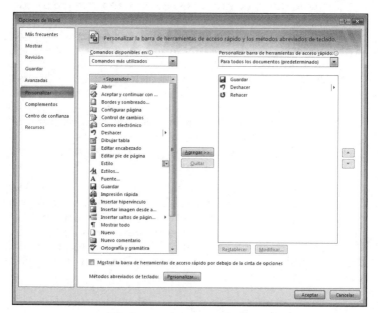

Figura 8.15. Personalizar Barra de acceso directo.

3. Si no encuentra el comando que está buscando, haga clic en **Más comandos** y le aparecerá una ventana como la que muestra la figura 8.16. Como habrá observado, forma parte de las Opciones de Word, más exactamente corresponde a la ficha **Personalizar**.

Figura 8.16. Más comandos.

4. Allí, simplemente elija los comandos que quiere seleccionar y haga clic en **Agregar**. Cuando haya terminado de configurar su barra, haga clic en **Aceptar**.

Si hace clic en la opción **Mostrar** debajo de la cinta de opciones, la Barra de acceso rápido cambiará de posición y se mostrará en el lugar que muestra la figura 8.17.

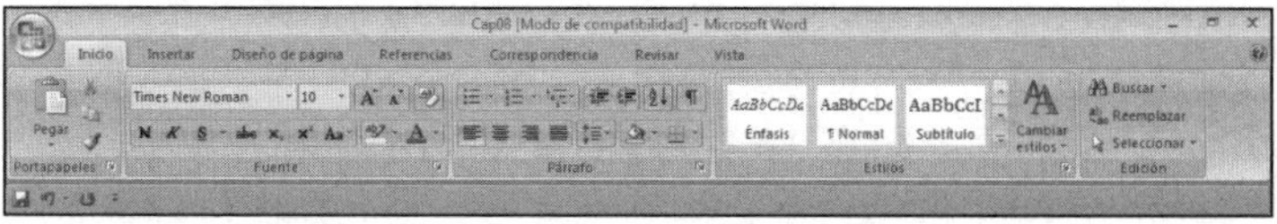

Figura 8.17. Cambio de posición Barra acceso rápido.

Otra interesante opción es hacer clic en la última de las opciones que aparece al desplegar este menú de personalización de la Barra de acceso rápido, la que reza **Minimizar la cinta de opciones**. Haciendo clic sobre ella, el contenido de las pestañas, que hasta ahora creíamos que era fijo, desaparecerá. Bueno, en realidad no es así, sino que se esconde para dejar más hueco para la ventana de edición del documento.

Así, si queremos utilizar alguna de las funciones de las pestañas, sólo tenemos que hacer clic sobre la que queramos y el texto que estamos acostumbrados a ver aparecerá de repente.

Haciendo clic de nuevo en el botón comentado, volveremos a establecer la posición original. Ya es sólo cuestión de gustos.

8.5. Acelerar el trabajo repetitivo: las macros

Seguro que si trabaja a menudo con Word habrá tareas que realice a menudo, y que además apenas cambien. Por ejemplo, podría ser la creación de algún tipo de lista con formatos y viñetas específicos, o la aplicación de varias herramientas en serie, una detrás de otra.

Pues bien, una macro es un conjunto de acciones memorizadas bajo un mismo nombre o identificador. Sólo tenemos que volver a acceder a ese identificador y se volverán a ejecutar la secuencia de acciones grabadas. Si nos fijamos, entonces sólo hará falta llamar a la macro que queramos en lugar de perder el tiempo haciendo una por una las acciones que solemos realizar a menudo.

Las macros se crean de dos maneras distintas: grabando una secuencia de acciones con la Grabadora de macros de Word 2007, o escribiéndolas a mano en el editor de Visual Basic. El primer método es el más sencillo, y será por el que empecemos primero.

8.5.1. Grabar una secuencia de acciones

La mejor manera de ver cómo se graba una macro es con un ejemplo sencillo. Pongamos el caso de que estamos escribiendo un documento donde se repiten algunas palabras largas o que a menudo se equivoca en su escritura, como "hardware". Además, imaginemos que siempre aparecerá en cursiva y subrayada. Cada vez que necesitemos escribirla y darle formato, lo haremos aplicando una macro. Los pasos a seguir serían:

1. Dentro de un documento cualquiera (en blanco también es posible) iremos al submenú Macro de la pestaña Vista, y haremos clic en la opción Grabar macro, que aparece si hacemos clic en la parte inferior del botón.

2. El cuadro de diálogo que aparecerá será el de Grabar macro (véase la figura 8.18.), donde primeramente escribiremos un nombre identificativo de la macro en el cuadro de texto Nombre de macro:. Utilizaremos uno que no exista y que además no tenga espacios (en su lugar podemos utilizar guiones bajos "_"). En nuestro ejemplo la llamaremos "Escribir_hardware".

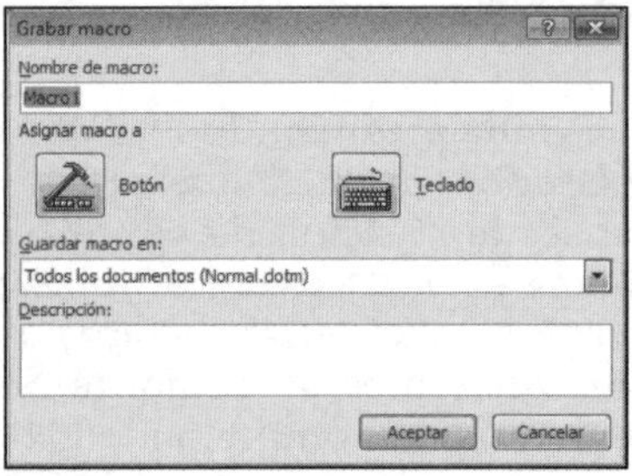

Figura 8.18. Grabar Macro.

3. El resto de opciones las veremos después, así que, de momento, sólo haremos clic en el botón **Aceptar**.

4. Al asignarle un nombre a la macro, aparecerá como nueva opción dentro del menú que aparece en **Macro, Detener grabación**. Los dos botones que contiene son bastante descriptivos, pues son los universales botones de *Stop* y *Pause* de cualquier cadena de música o grabadora de sonidos. Su similitud lo dice todo: el botón **Detener grabación** (▪ Detener grabación) parará y dará por finalizada la grabación de acciones que asignará a la macro. El otro botón, **Pausar grabación** (❚❚ Pausar grabación), detendrá temporalmente la grabación de acciones, para poder realizar algunas otras que no se quieran almacenar. Para seguir con la grabación se volverá a hacer clic sobre el mismo botón. Siguiendo con nuestro ejemplo, una vez empezada la grabación, empezaremos aplicando el formato de texto Cursiva (**Control-K**) y Subrayado (**Control-S**), escribiremos la palabra "hardware", de nuevo aplicaremos Cursiva y Subrayado (para quitar el formato anterior) y escribiremos un espacio detrás de la palabra (ésta ya no tendrá formato). Finalizaremos la grabación pulsando al botón **Detener grabación**.

> **Nota:** *Se habrá dado cuenta de que Word nos está indicando que estamos en plena fase de grabación de una macro cambiando el icono del puntero del ratón. En él se verá una pequeña cinta de casete junto a la flecha blanca habitual.*

En un principio, ya se ha finalizado la grabación y creación de la macro. Como querremos probar que funciona, seguiremos estos pasos:

1. Situamos el cursor donde queremos que aparezca la palabra guardada en la macro.
2. En la pestaña **Vista** abriremos el submenú **Macro**, o bien pulsamos la combinación de teclas **Alt-F8**.
3. En el cuadro de diálogo que aparece, **Macros** (véase la figura 8.19.), tenemos una lista con las macros disponibles en el documento o en la plantilla que estemos utilizando.
   Buscaremos en la lista la que tiene el nombre Escribir_hardware y haremos doble clic sobre dicha opción, o bien se selecciona con un clic y se hace otro clic sobre el botón **Ejecutar**.

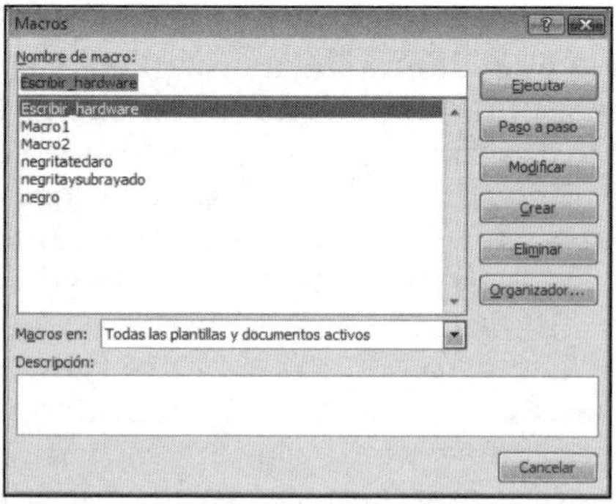

Figura 8.19. Cuadro de diálogo Macros.

4. Se cerrará el cuadro de diálogo y, automáticamente, se escribirá la palabra "hardware" con un espacio, y además aparecerá en cursiva y subrayada.

Evidentemente, si tenemos que ir a ese cuadro de diálogo y elegir la macro de la lista cada vez que queramos que aparezca esta palabra, a lo mejor merecería la pena hacerlo manualmente.

Lo ideal sería que se consiguiera ejecutar la macro con sólo una pulsación de teclas. Veamos cómo.

8.5.2. Asignar teclas

Para asignar una combinación de teclas a nuestra macro anterior, deberemos seguir los pasos anteriores para la creación, y quedarnos justo en el paso de la escritura del nombre identificativo:

1. Una vez que la macro ya tiene su nombre escrito, hacemos clic sobre el botón **Teclado**, con lo que veremos el cuadro de diálogo de la figura 8.20, **Personalizar teclado**.
2. En este momento veremos cómo el cursor del teclado está sobre el cuadro de texto **Nueva tecla de método abreviado:**, esperando una combinación de teclas. En nuestro ejemplo pulsaremos **Alt-H**, y veremos cómo se escribe automáticamente dicha combinación en el interior del cuadro.
3. Comprobaremos primero que esta combinación de teclas no está asignada previamente a otra macro u

opción de Word 2007. Lo veremos en una pequeña etiqueta del cuadro de diálogo llamada **Asignada a:** y lo normal es que veamos el texto [sin asignar].

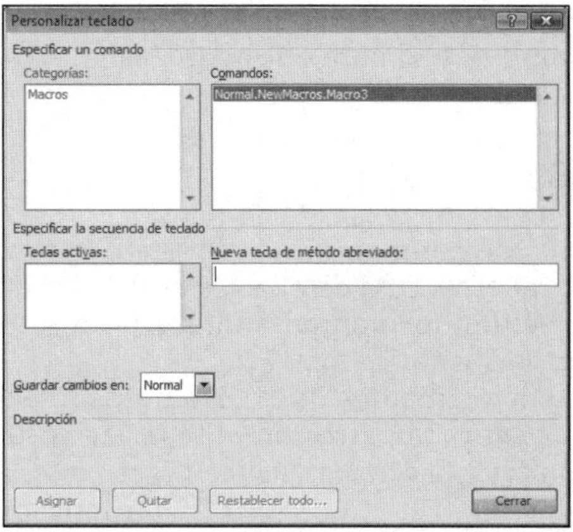

Figura 8.20. Asignar combinación de teclas.

> **Advertencia:** *En este cuadro de texto no se tiene que escribir la combinación de teclas, sólo pulsarlas como lo haría con una opción ya existente, como el formato Negrita con* **Control-N***.*

4. Elegimos la plantilla donde queremos que se guarde la macro. Si la plantilla es Normal.dot, significa que la macro la podremos utilizar en todos los nuevos documentos creados en Word 2003.

5. Hacemos clic en el botón **Asignar** y después en **Cerrar**. Veremos de nuevo la barra de herramientas Detener grabación. Seguiremos los mismos pasos que antes, finalizando con el botón **Detener grabación** (el *Stop*).

Ahora la prueba será mucho más sencilla que antes. Sólo tenemos que situar el cursor donde queremos escribir la famosa palabra, y pulsar la combinación de teclas **Alt-S**. La palabra aparecerá de nuevo, pero de una manera mucho más rápida.

De hecho, si dejamos pulsadas estas teclas un momento, veremos cómo se repiten sin cesar hasta que las dejemos de pulsar.

El problema que se nos plantea ahora es decidir si merece la pena (o no) perder estos pocos minutos para grabar una macro y memorizar su combinación de teclas. Lo lógico sería grabar una macro cuya combinación de teclas sea más sencilla y rápida que elegir muchos formatos de texto, párrafo y páginas, y/o para que aparezcan frases repetitivas más o menos grandes.

8.5.3. Editar

Acabamos de comentar que existen dos formas distintas de crear macros. Una de ellas es grabar las acciones que vayamos ejecutando manualmente y la otra es escribirla en el Editor de Visual Basic.

Antes mencionábamos que existen dos formas de crear macros, una es grabar directamente las acciones que estamos realizando, y la otra consiste en escribirlas en el Editor de Visual Basic. Y es que Word 2007 tiene muchas más funciones de las que vemos en los menús que empleamos normalmente. Eso sí, tenemos un completo sistema para poder acceder a las funciones o comandos que normalmente están ocultos.

Ya sabemos cómo automatizar algunos procesos simples grabando macros, pero no podemos crear nuevos comandos, como por ejemplo contar el número de veces que aparece una palabra repetida en el documento. O incluso algo mucho más complejo, como generar una lista con las imágenes que están incluidas en el documento. Por lo tanto, disponemos de la herramienta para que sepamos iniciar alguna acción que ya existe, o una combinación de varias. Pero también nos servirá para que podamos recorrer un documento e ir analizándolo según lo hacemos, para tomar decisiones y seguir diferentes caminos. En resumen, tenemos a nuestro alcance todo un lenguaje de programación en Word 2007, Visual Basic para Office 2007.

Los lenguajes de programación son herramientas tremendamente versátiles, muy útiles, pero también pueden llegar a ser muy difíciles de comprender. La gran ventaja de Visual Basic es que sólo necesitaremos acceder a él cuando sea necesario. Eso sí, cuando así sea, seremos capaces de realizar acciones de lo más variado.

Bien, para ver cómo es el contenido de una macro, lo más sencillo será verlo con la que acabamos de crear. Iremos a la pestaña Vista, hacer clic en la parte superior del botón **Macro** y opción **Modificar** o **Paso a paso**. Con esto haremos aparecer una nueva ventana de aplicación, la del Editor de Visual Basic. En la figura 8.21 nos podemos hacer una idea de lo que se verá.

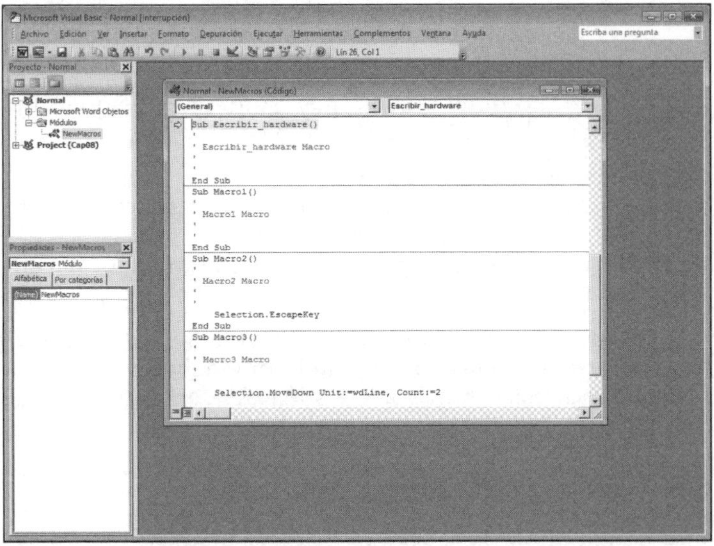

Figura 8.21. Microsoft Visual Basic.

> **Nota:** *Si la ventana del editor ocupa toda la pantalla parecerá que ha desaparecido la de Word 2007. No es así, sólo se ha puesto encima de la ventana de Word.*

Si ha tocado alguna IDE de programación, este entorno le sonará.

Si está dentro del resto de usuarios de ordenadores, este entorno quizás no le haga tanta gracia. No se preocupe, ya dijimos que existen libros muchos más gordos que este dedicados al lenguaje Visual Basic para Office. Pero aunque sea sólo por curiosidad, vamos a ver las tripas de esta herramienta, y así conocer y entender las posibilidades que ofrece a cualquier tipo de usuario, sobre todo a los más avanzados.

Lo primero será modificar la macro que acabamos de crear, Escribir_hardware. Ahora, lo que queremos es que en lugar de que escriba sólo "hardware" escriba la frase "hardware y software". Para ello haremos clic con el ratón sobre la línea

```
Selection.TypeText Text:="hardware"
```

Y modificamos el texto que hay entre las comillas por la nueva frase, con lo que quedaría algo como

```
Selection.TypeText Text:="hardware y software"
```

Y ya está, no tiene mucho más. Sólo tenemos que salir de la ventana del Editor de Visual Basic:

- Pulsando las teclas **Alt-Q**.
- Yendo al menú **Archivo** y eligiendo la última opción, **Cerrar y volver a Microsoft Word**.
- Cerrando la ventana como con cualquier otra ventana.

Para ver si todo ha salido bien, sólo tenemos que repetir la pulsación de teclas **Alt-H**, con lo que deberíamos ver si se escribe la frase "hardware y software" en cursiva y subrayado.

8.5.4. Ejemplo de macro avanzada

Para entender un poco mejor qué es lo que se hace realmente en una macro, iremos de este sencillo ejemplo a uno un poco más elaborado, contar cuántas veces aparece repetida una palabra en el documento. Aunque no lo parezca, este nuevo ejemplo también se trata de una macro sencilla, pero en la que se insertan nuevos conceptos relacionados con la programación. Resulta muy interesante conocer este mecanismo de programación, porque siempre podemos conseguir macros de Internet, o que nos la deje un compañero, y a lo mejor nos interesa cambiarla, o por lo menos, entender lo que hace. Además, este conocimiento nos puede sacar de más de un apuro en otras aplicaciones de Office y externas.

Para empezar, crearemos un documento nuevo en blanco, y escribiremos en él una palabra que se repita unas cuantas veces.

Lo mejor será que la copiemos una vez y la peguemos repetidas veces. Ahora seleccionamos la opción de menú **Macros**. En el cuadro de diálogo que aparece escribimos el nombre `ContarPalabras` en el cuadro de texto **Nombre de la macro:**, y hacemos clic en el botón **Crear**. Con esta última acción veremos de nuevo la ventana del Editor de Visual Basic, con el cursor al principio de la macro, justo después de su descripción:

```
Sub  ContarPalabras()
'' ContarPalabras Macro
' Macro creada el (fecha) por (autor).
'End Sub
```

Lo primero es imaginarnos que esta macro la conseguimos de Internet, por ejemplo, con lo que la escribiremos sin más. Después explicaremos la función de cada línea escrita. Por lo tanto, vamos a escribir las siguientes líneas de texto, sin olvidarnos de pulsar la tecla **Intro** al final de cada una:

```
Dim Respuesta, Mensaje As String
Dim Contador, OK As Integer
Respuesta = InputBox("Por favor, escriba la
palabra que quiere buscar")
If Len(Respuesta) > 0 Then
    Contador = 0
    Set Documento = ActiveDocument.Content
    Documento.Find.ClearFormatting
    Documento.Find.MatchWholeWord = True
    Documento.Find.MatchCase = False
    Documento.Find.Text = Respuesta
    While Documento.Find.Execute
     Contador = Contador + 1
    Wend
    Mensaje = "La palabra " & Respuesta & " se ha
    encontrado " & Str(Contador) & " veces" &
    Chr(13)
    OK = MsgBox(Mensaje, vbOKOnly)
End If
```

> **Nota:** *Si vemos cómo cambian de color algunas palabras según las escribimos, no debemos preocuparnos. Aunque no lo parezca, eso es buena señal, pues significa que el editor está reconociendo algunas palabras clave y, por tanto, las diferencia del resto.*

Si todo está bien escrito no deberíamos ver ninguna línea en rojo. Si es así, revise con cuidado el texto escrito. Y sobre todo mucho cuidado con diferenciar bien el cero de la o mayúscula, así como respetar todos los espacios en blanco que se insertan.

Para probar el funcionamiento de esta macro deberemos ejecutarla. Podemos hacerlo pulsando la tecla **F5** o bien hacer clic sobre el botón **Ejecutar**, en forma de flecha de un botón *Play* de radiocasete. Lo que deberíamos ver es un cuadro de diálogo, donde se nos pedirá la palabra que queremos buscar. Pues nada, tendremos que probar a escribir la palabra que escribimos antes repetidas veces en el documento y hacer clic sobre el botón **Aceptar**. Tardará un instante en realizar el proceso de búsqueda, tras el cual podremos ver otro cuadro de diálogo diciéndonos la cantidad de aciertos que ha encontrado.

Aunque no lo parezca, acaba de crear un miniprograma dentro de Word 2007. Además, se trata del típico programa: se pide información al usuario, se realiza un proceso con esa información y se muestra el resultado final de dicho proceso. Veamos exactamente que es lo que ha ido haciendo nuestra macro:

1. Las cinco primeras líneas no hace falta que las escribamos, pues ya lo ha hecho el propio Editor de Visual Basic. Definen el principio de esta macro (como un subprograma, de ahí lo de Sub) y unos cuantos comentarios (en verde) a método informativo:

```
Sub ContarPalabras()
'' ContarPalabras Macro
' Macro creada el (fecha) por (autor)
```

2. Las siguientes dos líneas declaran varias variables. En visual Basic es necesario definir antes de su uso algunos pequeños huecos de la memoria donde se guardarán datos, llamados variables. Esto le sirve al lenguaje para decirle al programa qué tipo de datos se almacenarán en dichas variables. Las hay de varios tipos, pero en nuestro caso sólo hemos utilizado las de tipo texto, String, y las numéricas, Integer. Si seguimos el orden de escritura, hemos declarado dos variables de tipo texto, Respuesta y Mensaje, y otras dos de tipo numérico, Contador y OK.

```
Dim Respuesta, Mensaje As String
Dim Contador, OK As Integer
```

3. Para que aparezca el cuadro de diálogo que nos pide la palabra a buscar, hemos recurrido a la función

interna `InputBox`. Entre sus paréntesis debemos escribir el texto que aparecerá en dicho cuadro de diálogo, junto a los botones de **Aceptar** y **Cancelar**, y el cuadro de texto. Lo curioso de las funciones es que, a la vez que hacen algo, normalmente devuelven un valor, generalmente el resultado del proceso que realizan. En esta en particular, además de pintar un cuadro de texto con un mensaje, nos devolverá el texto introducido por el usuario. Nosotros almacenamos ese valor en la variable `Respuesta`, para luego utilizarlo para tomar decisiones o realizar cálculos.

```
Respuesta = InputBox("Por favor, escriba la pala-
bra que quiere buscar")
```

4. Hasta ahora sólo hemos escrito una secuencia de acciones. Pero ahora veremos el verdadero potencial de un programa informático, realizando una pregunta y tomando decisiones. En la línea

```
If Len(Respuesta) > 0 Then
```

hacemos que la macro compruebe la longitud en caracteres de lo que hay almacenado en `Respuesta`, es decir, el texto introducido por el usuario. Preguntamos si es mayor que cero para comprobar que ha introducido al menos un carácter a buscar. La pregunta se hace con las palabra clave `If` y `Then`, y el cálculo del número de caracteres del valor de la variable lo realizamos con la función interna `Len()`. Las líneas que hay por debajo de ésta, entre el `If` y el `End If`, y que están tabuladas algunos caracteres a la derecha, son las que se ejecutarán si se cumple la condición.

Es decir, que si no se escribe nada en el cuado de diálogo, sencillamente no se ejecutará nada.

5. La primera línea dentro del `If` sólo prepara la variable que almacenará la cantidad de coincidencias en la búsqueda de la palabra, dándole un valor inicial de cero.

```
Contador = 0
```

6. Después declaramos una variable `Documento`, indicando que el rango de búsqueda es todo el documento actual:

```
Set Documento = ActiveDocument.Content
```

7. Indicamos que la búsqueda es de texto sin ningún formato en particular:

```
Documento.Find.ClearFormatting
```

8. La búsqueda es de palabras completas:

```
Documento.Find.MatchWholeWord = True
```

9. Las letras de las palabras que encuentre pueden ser mayúsculas o minúsculas, no tienen por qué coincidir con las de la palabra introducida:

```
Documento.Find.MatchCase = False
```

10. El texto a buscar está dentro de la variable `Respuesta`:

```
Documento.Find.Text = Respuesta
```

11. Iniciamos el proceso de búsqueda. Sólo con la línea `Documento.Find.Execute` ya se hubiera ejecutado la búsqueda, pero sólo habría encontrado la primera coincidencia y habría acabado. Para solucionarlo hemos incluido la palabra clave `While`, que sirve para repetir una serie de acciones mientras se cumpla cierta condición. La condición no se cumplirá cuando su valor sea *false* (falso), o el valor cero (para Visual Basic es casi lo mismo).
Como la función `Execute` devuelve cero cuando no encuentra más coincidencias en la búsqueda, nos servirá perfectamente para incluir su valor de respuesta en la condición de `While`. Además, cada vez que encuentre un resultado, como no será cero, se meterá en el interior del `While...Wend`, que en nuestro caso lo que hace es aumentar en una unidad el valor anterior de la variable `Contador`, o lo que es lo mismo, se incrementa contando una nueva coincidencia.

```
While  Documento.Find.Execute
     Contador = Contador + 1
   Wend
```

> **Truco:** *Si sabe un poco de inglés, si lee la primera sentencia se quedará como "Mientras el valor de la ejecución de la búsqueda del documento no sea cero". Parece que es cómo si le habláramos en inglés al propio programa.*

12. Al acabar de encontrar coincidencias se compone un texto con varios elementos, unidos entre sí por el carácter ampersand (&).

```
Mensaje = "La palabra " & Respuesta & " se ha
encontrado " & Str(Contador) & " veces" & Chr(13)
```

Los que se escriben entre comillas se incluyen literalmente, y los que no son el resultado de alguna función o el valor de una variable. En este mensaje incluimos el valor de la variable Respuesta, el valor numérico de la variable Contador (convertido en letras con la función Str), y el valor de la función Chr, que es el carácter cuyo número es el 13 en la tabla ASCII, es decir, el retorno de carro.

13. Para acabar, se llama a la función MsgBox y se le pasan el mensaje que acabamos de formar, junto con la variable interna vbOKOnly, que corresponde con una opción de presentación del cuadro de diálogo, sólo con el botón de **Aceptar** (OK).

```
OK = MsgBox(Mensaje, vbOKOnly)
```

14. Ya sólo faltan los cierres de los comandos If, y del proceso ContarPalabras:

```
End If
End Sub
```

Insistimos que este es un ejemplo sencillo de lo que se puede llegar a hacer con el editor de Visual Basic de Office 2007. Le aseguro que puede llegar a ser mucho más complicado el código, tanto casi como nuestra imaginación. Si le interesan las muchas posibilidades que le brinda la programación de macros, anímese a leer la ayuda de Office 2007 al respecto, o incluso consulte algún manual de programación en este lenguaje, mejor si es en el entorno particular de Office 2007.

8.6. Impresión avanzada

Ya vimos cómo imprimir nuestro primer documento algunos capítulos atrás.

Pero lo que no vimos son las opciones de impresión que tenemos, las cuales nos pueden ayudar a sacar un mejor partido al papel, o conseguir impresiones más óptimas y profesionales.

8.6.1. Vista preliminar

Antes de imprimir un documento, sobre todo para los más complejos, querremos saber cómo va a quedar en el papel, casi con total exactitud. Es verdad que tenemos la vista de Diseño de impresión, pero en ella se da más importancia a la colocación de elementos del documento, y no tanta a la presentación en papel de los mismos. Además, es posible que debido a la configuración de sangrías o de elementos flotantes (como gráficos o cuadros de texto) nos salgamos de los márgenes. En la vista preliminar seremos capaces de ver esos detalles finales antes de la impresión.

Para que aparezca la ventana de la vista preliminar, tenemos que hacer clic en el **Botón de Office** y, posteriormente, en Imprimir>Vista preliminar.

En la figura 8.22 vemos cómo la ventana de Word 2007 ha cambiado considerablemente. La idea es que se tenga el mayor espacio disponible para poder ver con más detalle la hoja de papel que se va a imprimir.

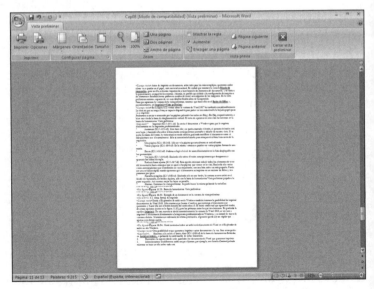

Figura 8.22. Vista preliminar.

Podremos avanzar o retroceder por las páginas pulsando las teclas **Av Pág** y **Re Pág**, respectivamente, o bien moviendo la barra de desplazamiento vertical. El resto de opciones en esta vista las tenemos en la nueva pestaña que se ha creado al respecto, Vista preliminar:

- Imprimir: Se envía el documento a Windows para que lo imprima directamente en la impresora predeterminada.

- Opciones: Haciendo clic aquí se accede de forma rápida al menú Opciones de Word para configurar los últimos detalles del documento antes de la impresión.

- Márgenes: Última oportunidad de cambiar los márgenes del documento. Se hace clic en el botón y aparecerá el desplegable que ya hemos visto en otro capítulo que presenta varias opciones prediseñadas de márgenes.

- Orientación: Aún está a tiempo de cambiar la orientación del documento para que figure en vertical o en horizontal.

- Tamaño: Cambie el tipo de papel, el formato del soporte de su documento, que viene por defecto preparado para un A4.

- Zoom: Haga clic en este botón y le aparecerá un cuadro de diálogo como el que muestra la figura 8.23. Allí podrá seleccionar diferentes distancias escritas en porcentajes que le permiten elegir lo cerca o lejos que desea ver su documento.

Figura 8.23. Zoom.

- 100%: Este botón es un nuevo acceso directo a la vista del documento al 100%. Una manera rápida de ahorrarse tiempo hasta encontrar lo que se busca.

- **Una página:** Sólo se ve la página que actualmente se está editando.
- **Varias páginas:** En la misma ventana se pueden ver varias páginas formando una matriz.
- **Mostrar la regla:** Haciendo clic sobre el botón conseguiremos que desaparezca o aparezca las barras de regla.
- **Encoger una página:** Esta opción intentará reducir todos los elementos de texto del documento hasta conseguir que se ajuste a las páginas que vemos en la vista. Haciendo clic varias veces conseguiremos que el contenido se vaya reajustando, con una letra cada vez más pequeña. Puede ser una solución rápida cuando queremos que el documento se imprima en un máximo de folios y nos pasamos por poco.
- Con **Página siguiente** y **Página anterior** se desplazará de una página a otra con suma facilidad.
- **Cerrar:** Cerramos la vista preliminar. Se puede hacer lo mismo pulsando la tecla **Esc**.

8.6.2. Otras formas de imprimir

Desde el Explorador de archivos de Windows también tenemos la posibilidad de imprimir documentos de Word 2007. Sólo tenemos que buscar el archivo que contenga el documento que queremos y hacer clic con el botón derecho del ratón sobre él. El menú contextual que aparecerá tendrá diversas opciones, pero las primeras serán las que nos interesen. En particular la opción **Imprimir**. De esta manera se abrirá automáticamente la ventana de Word 2007, se enviará a imprimir el documento directamente a la impresora predeterminada en Windows, y se cerrará de nuevo la ventana abierta. Si tenemos un ordenador de última generación, el proceso puede ser tan rápido que apenas nos demos cuenta.

8.6.3. Opciones de impresión

Por si no lo sabía de antes, las impresoras suelen tener programas controladores que permiten configurar cómo queremos que se impriman las hojas que se le envían. Depende del modelo y marca de la impresora que esos programas tengan más o menos funciones. Sin embargo, Word

2007 puede también controlar lo que se le manda a la impresora, y puede decidir cosas como el tamaño de la hoja, el orden en el que se imprimirán, y más cosas.

Para poder optar a cambiar esas opciones de impresión deberemos abrir el cuadro de diálogo Imprimir, yendo al Botón de Office, o bien pulsando la combinación de teclas **Control-P**. El contenido de dicho cuadro será como el de la figura 8.24, dividido en cinco zonas:

- En la sección Impresora tenemos la lista desplegable Nombre: con las diferentes impresoras instaladas en nuestro sistema operativo. Por defecto saldrá la impresora predeterminada de Windows. Aparte vendrá una pequeña información sobre dicha impresora, como su estado, el tipo o su ubicación. A su derecha tenemos los botones para ir a las propiedades particulares de la impresora y para buscar la impresora dentro de una red local. Las dos últimas casillas de verificación nos permitirán imprimir el documento en un archivo en lugar de en la impresora, y de activar el modo manual de impresión a doble cara. Este modo lo que hace es imprimir primero las páginas pares, para que luego las volvamos a meter al revés en el alimentador de la impresora, y que entonces imprima las impares.

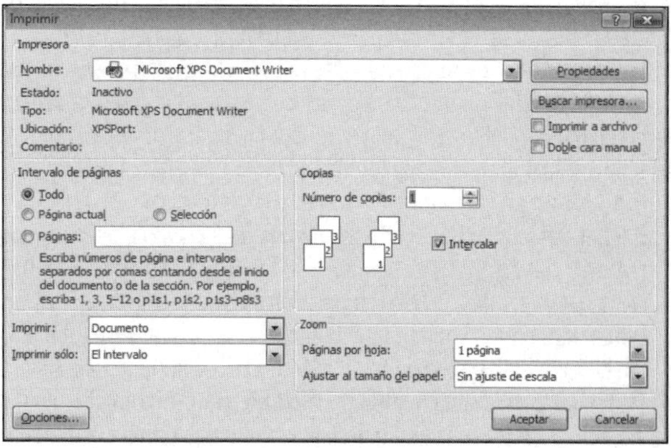

Figura 8.24. Imprimir.

- En la sección Intervalo de páginas decidiremos qué partes del documento queremos imprimir. Tenemos en un principio cuatro opciones a elegir: todo el documento (por defecto), la página actual (donde se encuentra el cursor), la selección de cualquier parte del documento, o unos intervalos de páginas. Para esta última opción deberemos escribir qué páginas son las que queremos que salgan por papel. Para páginas sueltas usaremos la coma (,) y para intervalos seguidos usaremos el guión. Es decir, para imprimir las páginas 3 y 20, y del 10 al 15, escribiremos 3,10-15,20. Si además queremos imprimir las secciones de una o más páginas, distinguiremos los números de sección con el prefijo "s", y los de página con el prefijo "p". Así, por ejemplo, escribiendo p4s1-p4s3, p7s2, p7s5 estaremos diciendo que queremos imprimir las secciones 1 a la 3 de la página 4, así como las secciones 2 y 5 de la página 7.

> **Nota:** *Para poder decidir qué impresora de las que tenemos es la predeterminada, deberemos ir al Panel de control y elegir el icono* **Impresoras***.*

- La sección **Copias** es de las más sencillas, porque en ella sólo tenemos que indicar el número de copias que queremos imprimir. La casilla de verificación **Intercalar** está activada por defecto, y significa que las copias saldrán por trabajos completos, es decir, todas las hojas de la primera copia del documento, después las hojas de la segunda copia del documento, y así sucesivamente. Si desactivamos la casilla, las páginas saldrán agrupadas, o lo que es lo mismo, primero todas las copias de la primera página, luego todas las de la segunda, etc.

- En la sección **Zoom** podremos elegir el tamaño de las páginas del documento con respecto a las hojas de papel de la impresora. En la lista desplegable **Páginas por hoja:** elegimos cuántas páginas queremos que se impriman agrupadas en una misma hoja de papel, a elegir entre 1 (por defecto), 2, 4, 6, 8, y 16. Esta última es más bien para imprimir las miniaturas de las páginas del documento aprovechando una misma hoja de papel. En la lista **Escalar al tamaño del papel:** podemos hacer que el tamaño de la página (y de todo lo que tiene dentro) aumente o disminuya, para que se ajuste a alguno de los tamaños de papel especificados en las opciones.

- Y en una última sección sin identificar, tenemos dos listas desplegables. En la primera, Imprimir:, no sólo se nos da la opción de imprimir el documento, sino que además tenemos otras opciones, como que se imprima el autotexto, los estilos, las marcas y alguna otra información. En la lista Imprimir sólo: podemos elegir entre imprimir el intervalo fijado en la sección Intervalo de páginas, o las páginas pares o páginas impares.

Aparte de las diferentes secciones, tenemos el botón **Opciones**, con el que se abrirá exclusivamente la ficha Mostrar que está situada normalmente dentro de las opciones generales de Word 2007, donde tenemos las opciones para imprimir las hojas en orden inverso al normal, empezando por el final (véase la figura 8.25). Esto es debido a que algunas impresoras van dejando las hojas impresas boca arriba, con lo que al acumularse, la primera hoja se queda en el fondo de la pila de folios, y la última la primera. Con esta opción conseguiremos que se vayan agrupando en el orden correcto, empezando por la última página.

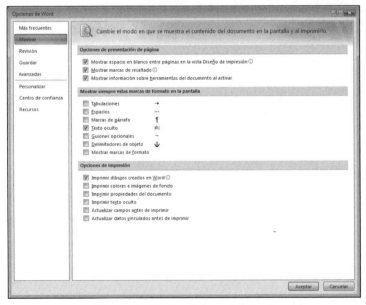

Figura 8.25. Opciones de Word.

9

Cree tablas en Word

Este capítulo lo vamos a dedicar a explicar a fondo uno de los elementos más prácticos de Word pero que, al mismo tiempo, es uno de esos objetos que suelen crear problemas a la hora de insertarlas en estos documentos. Con las tablas tenemos la posibilidad de organizar diversos datos sueltos en celdas de una matriz. Veremos cómo es posible hacer auténticas virguerías con las filas, las columnas y las celdas en general, como ponerles bordes y sombreados, alinearlas independientemente, convertirlas, ordenarlas, agruparlas, etc.

Con este capítulo, pretendemos acercar la inserción de una tabla al usuario de Word para que no termine desesperándose con ellas, ya que son un elemento más de Word, una forma práctica de ordenar datos y crear verdaderas estructuras útiles de información.

9.1. No se asuste, es fácil

Es más que probable que alguna vez haya tenido la necesidad de diseñar algún tipo de tabla, para representar el horario de clases o una factura, por ejemplo. Y es que la necesitad de agrupar la información en matrices es tan vieja como la famosa tabla de multiplicar. Es cierto, que las matrices de una hoja de cálculo ya sirven para esta función, pero la finalidad de éstas es realizar cálculos, y no la estética de la tabla. Para esto, tenemos mejor a Word.

La inclusión de tablas en los procesadores de texto ha ido tomando cada vez más importancia. Tanto es así, que en Word le asignaron un menú sólo para ellas. Este es uno de los síntomas que nos indican que se podrán realizar muy diversas acciones sobre las tablas, y así lo iremos viendo a lo largo de esta sección del capítulo. Hoy, al cambiar la forma de estructurar la apariencia gráfica de Word, los menús como tal han desaparecido dejando paso a las pestañas, y las tablas forman ahora parte de la pestaña Insertar, como todos los objetos que se pueden añadir a los documentos.

9.1.1. Creación

Como lo normal es empezar por el principio, lo primero es crear una tabla, para después saber los diferentes retoques que le podemos dar. Las diferentes maneras de insertar una tabla en nuestro documento son:

- Una de las formas más rápidas es mediante el botón **Tabla** (▦) de la pestaña Insertar. Al hacer clic sobre él aparecerá un panel flotante con una matriz de celdas. Moveremos el puntero del ratón hasta la medida deseada (en filas por columnas) y haremos clic.

Truco: A medida que se vaya realizando la selección del número de filas y columnas que compondrán la tabla, se irá viendo una vista previa en el propio documento de cómo quedará si se mantiene esa configuración. Así, podrá tener una idea clara de cómo es el objeto que está a punto de insertar. Cuando esté contento con el resultado, haga clic y la tabla se insertará.

- Otra forma es hacer clic sobre el botón Tabla, de la pestaña Insertar y, en lugar de elegir el formato de forma automática, seleccionar la opción Insertar Tabla. De esta manera, veremos aparecer el cuadro de diálogo Insertar tabla (véase la figura 9.1), donde podremos elegir la configuración de las siguientes características:

  - El número de columnas.
  - El número de filas.
  - El ancho de columna, a elegir entre uno fijo en centímetros, automático (para que todas las columnas tengan el mismo ancho), que se ajuste al contenido de la celda más ancha, o a toda la ventana.

Figura 9.1. Cuadro de diálogo Tabla.

- Autoajustar el contenido y autoajustar a la ventana.
- Además, en la última casilla de verificación podremos hacer que estas dimensiones se recuerden para la generación de las futuras tablas nuevas, es decir, cada vez que se utilice este cuadro de diálogo.

- La tercera opción es utilizar el dibujante de tablas, una herramientas para ir trazando los bordes de la tabla y de sus filas y columnas, como si lo hiciese como un lápiz. De hecho, al utilizar esta herramienta, el puntero del ratón se convertirá en un lápiz, que tendremos que arrastrar por donde queramos dibujar un borde. Para que aparezca dicho lápiz, deberemos ir de nuevo a Insertar>Tabla y elegir la opción Dibujar tabla. Para dejar de utilizar esta herramienta, sólo tendremos que pulsar la tecla Esc o volver a hacer clic sobre el botón o la opción Dibujar tabla.

Bien, siguiendo cualquiera de estos pasos (sobre todo los dos primeros) conseguiremos rápidamente insertar una tabla como la de la figura 9.2.

Ahora bien, que hayamos insertado una tabla no significa necesariamente que conozcamos perfectamente los elementos de los que está compuesta. Veamos ahora cuáles son y cómo se pueden añadir más, editar y eliminar. Hay que tener claro que, una vez se ha insertado una tabla en un documento, que cada vez que seleccione el objeto se mostrará en la parte superior de la pantalla una nueva pestaña automática, como con el resto de objetos a insertar, que regula los parámetros y características básicas de la tabla. En este caso, está formada por dos subpestañas: Diseño y Presentación.

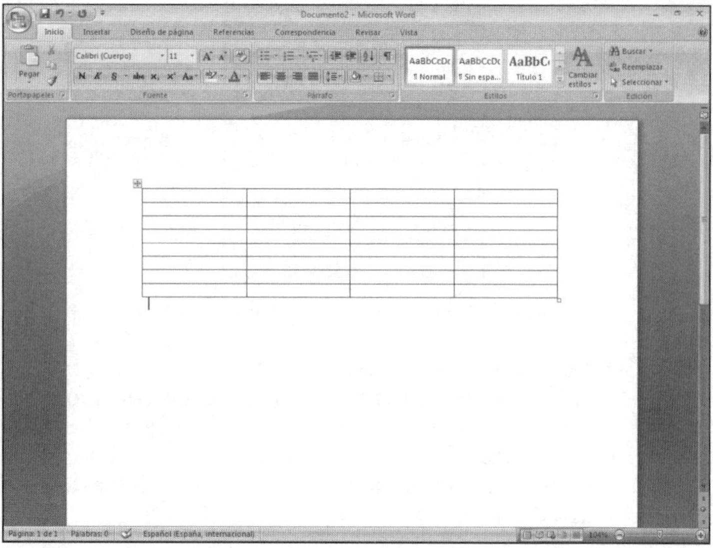

Figura 9.2. Tabla insertada en documento.

9.1.2. Eliminación

Para la eliminación de una tabla (no de su contenido), lo más fácil es ir a la subpestaña **Presentación**, que se encuentra dentro de la pestaña **Herramientas de tabla** y, allí, hacer clic en **Eliminar**, donde se abrirá un pequeño menú en el que debe hacer clic sobre **Eliminar tabla**.

También podemos seleccionarla por completo de manera similar a la selección de los párrafos, haciendo clic a la izquierda de la tabla, y en cuanto la flecha blanca cambia de sentido y, por tanto, esté seleccionada la tabla, haciendo clic en la tecla **Supr**.

9.1.3. Moverla y cambiarla de tamaño

Si nos hemos fijado un poco, seguro que hemos visto un par de iconos en dos de las esquinas de la tabla (cuando estamos trabajando en ella):

• El icono de la esquina superior izquierda es el icono de movimiento (⊞), y si hacemos clic sobre él y arrastramos el puntero del ratón, veremos cómo se mueve un recuadro de líneas discontinuas, simbolizando a la tabla, y ayudándonos a ver dónde quedará cuando se suelte el dedo del ratón.

- El icono de la esquina inferior derecha es el cambio de tamaño (⌐), con el que podremos hacer clic y arrastrar de la misma manera que hemos visto antes. Al cambiar el tamaño de la tabla, también lo harán proporcionalmente todas las celdas de su interior.

9.1.4. Dividir una tabla en dos

Es posible que nos interese en algún momento separar una tabla en dos partes, quizás porque el tamaño de ésta ha resultado ser demasiado grande y queramos dividirla. Para dividir una tabla en dos tenemos que:

1. Colocar el cursor en la fila que queremos que forme parte de la segunda tabla.
2. Haremos clic en Tabla y seleccionaremos la opción Dividir tabla.

Con estos pasos tan sencillos veremos cómo la fila donde estaba el cursor es ahora la primera fila de la segunda tabla.

9.1.5. Propiedades

Las propiedades de la tabla establecerán la configuración de cómo se verá la misma con respecto al resto del documento, sin tener en cuenta a las filas o columnas que tenga en su interior.

Para ver sus propiedades, deberemos abrir el cuadro de diálogo Propiedades de tabla, accesible en la subpestaña Presentación de la pestaña Herramientas de tabla o en el menú contextual al hacer clic con el botón derecho del ratón sobre la misma tabla.

Dentro de él deberemos abrir la ficha Tabla, como se ve en la figura 9.3. En ella podremos:

- Cambiar el ancho de la tabla, bien en centímetros, bien en porcentajes (habitual en muchas tablas de las páginas Web).
- Elegir la alineación de la tabla con respecto al ancho de la página, a elegir entre Izquierda, Centro y Derecha. Cada opción es a su vez una vista preliminar de cómo quedará colocada la tabla. Si la alineación es a

la izquierda, podremos establecer una sangría en centímetros.

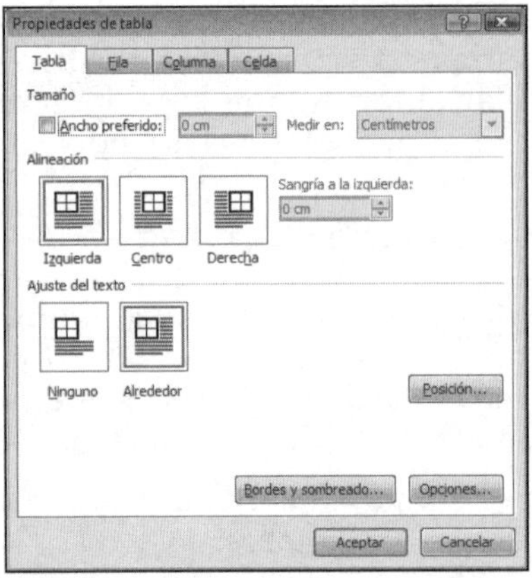

Figura 9.3. Propiedades de tabla.

- Elegir el ajuste del texto con respecto a la tabla. Podemos elegir que no haya ninguno, es decir, que la tabla ocupe un párrafo entero para ella sola, o bien, que el texto se pegue alrededor de la misma, como si fuese un gráfico en una revista o periódico. Para esta última opción tendremos activado el botón **Posición**, al hacer clic sobre él aparecerá el cuadro de diálogo Posición de tabla (véase la figura 9.4), donde elegiremos las opciones de ajuste con el texto y la posición de la tabla con respecto al párrafo.

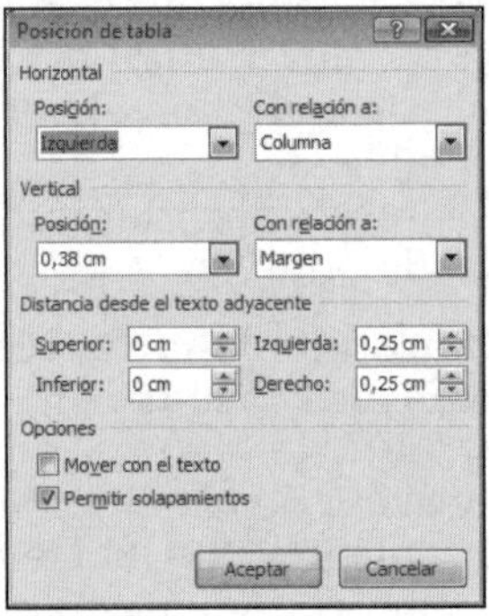

Figura 9.4. Posición de tabla.

9.1.6. Los elementos que la componen

Toda tabla puede dividirse en filas, columnas y celdas:

- Las celdas son cada recuadro que compone la matriz de una tabla. Estos serán los elementos donde realmente insertaremos los textos y otros elementos del documento, incluso otras tablas.
- Las filas son la agrupación horizontal de celdas, en todo lo ancho de la tabla.
- Las columnas son la agrupación vertical de las celdas, a lo largo de todo el alto de la tabla.

Tanto las filas como las columnas nos van a definir el tamaño de la tabla y el número total de celdas que tendrá (a menos que se combinen algunas). Basta con multiplicar las filas por las columnas y ya lo tendremos. A continuación, aprenderemos a utilizar estos elementos.

Filas y columnas

Antes de escribir o insertar objetos dentro de las celdas, comenzaremos por explicar cómo podemos tratar las agrupaciones de las mismas, las filas y las columnas. De esta manera reorganizaremos la tabla, haciendo que crezca o disminuya, por ejemplo.

Las acciones que podremos realizar con las filas y las columnas de una tabla son:

- **Seleccionar filas y columnas:** Lo primero que tendremos que aprender es a seleccionar estos componentes, pues muchas de las acciones se harán sólo sobre los que estén seleccionados.

  - Para seleccionar una fila, sólo tenemos que llevar el puntero del ratón a la izquierda de una, y cuando éste se transforme en una flecha blanca que cambia de sentido, como apuntando hacia la fila, haremos clic. Si queremos seleccionar múltiples filas, lo haremos como con las líneas de texto del documento, es decir, arrastrando el puntero, con la tecla **Control** o **Mayús** pulsada, etc.
  - Para seleccionar una columna, haremos algo parecido. Situamos el puntero justo encima de la columna elegida, y cuando se convierta en una flecha negra apuntando hacia abajo, haremos clic. La se-

lección de varias columnas es similar a la selección de las filas.

- **Inserta nuevas filas y columnas:** Para añadir una nueva fila o columna tenemos tres maneras fundamentales de hacerlo:

  - Situamos el cursor de teclado en la zona donde queremos que se inserte el nuevo elemento, y hacemos clic en la opción que más nos interese dentro de las que se encuentran en el apartado Filas y columnas de la subpestaña Herramientas de tabla. Podemos elegir entre las opciones Insertar arriba, Insertar debajo, Insertar a la izquierda e Insertar a la derecha, dependiendo de dónde queramos colocar la inserción.

  - Seleccionamos una fila o una columna al completo (o varias), y hacemos clic con el botón derecho sobre la selección. En el menú contextual veremos la opción Insertar. Se abrirá un pequeño menú; dependiendo de lo que queramos insertar, ya sean filas o columnas y dependiendo de la posición que queremos que ocupen, debemos hacer clic en cada una de ellas. El resultado será la inserción de un número de filas o columnas idéntico a las seleccionadas, que ocuparán el lugar de éstas últimas. Por lo tanto, si son filas se desplazarán hacia abajo, y si son columnas, hacia la derecha.

- **Eliminar filas y columnas:** Para eliminar uno o varios de estos elementos tendremos dos formas de hacerlo:

  - Situamos el cursos en alguna de las celdas del elemento a eliminar, o lo seleccionamos (uno o varios), y hacemos clic en Eliminar, dentro de Herramientas de tabla. Ahí podremos elegir entre las opciones Columnas o Filas, según sea el caso, e incluso podremos eliminar celdas.
  - Seleccionamos una fila o columna (o varias) y hacemos clic con el botón derecho del ratón sobre la selección. En el menú contextual veremos una opción que dice Eliminar celdas, y haremos clic sobre ella. Aparecerá un menú como el que muestra la figura 9.5. Elija la opción que más se ajuste a lo que estaba buscando y Word la realizará automáticamente.

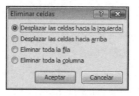

Figura 9.5. Eliminar celdas.

> **Nota:** *La eliminación de una fila y columna significa que la tabla se quedará sin ese elemento, con lo que disminuirá de tamaño. Otra tarea diferente es borrar el contenido de la fila, que es igual que el borrado del contenido de las celdas, es decir, pulsando la tecla* **Supr**.

- **Ajustar el ancho de las columnas:** Aquí disponemos de diversas posibilidades:

  - Seleccionar la columna o columnas que queremos variar de anchura y, bien con el menú Tabla, bien con el menú contextual al hacer clic con el botón derecho, elegimos la opción Propiedades de tabla En el cuadro de diálogo con su mismo nombre seleccionaremos la ficha Columna, donde tenemos la opción de indicar el ancho preferido de la columna (aunque luego podría cambiar por diversos motivos), así como de la unidad de medida: en centímetros, o en porcentaje sobre la anchura total de la tabla (muy común en tablas de páginas Web). Con los botones **Columna anterior** y **Columna siguiente** podemos iterar por las diferentes columnas de la tabla sin tener que salir del cuadro de diálogo.

- Vamos a la regla horizontal (en la parte superior) y dejamos el puntero del ratón sobre la marca de margen interno de las columnas. Automáticamente, el puntero del ratón se cambiará a un icono con dos flechas opuestas, lo que nos indicará que podemos hacer clic y arrastrar para cambiar el tamaño de la columna. Según arrastramos veremos una línea vertical discontinua, que nos indicará dónde quedará situado el borde vertical de la columna.

Nota: *También podemos hacer clic y arrastrar directamente sobre el borde vertical de una columnas. De cualquiera de las dos formas se puede hacer, siempre y cuando no haya ninguna selección de celdas cerca. Si es así, sólo se ajustará el ancho de las celdas seleccionadas, y no de la columna al completo.*

Truco: *Para un ajuste mucho más preciso, según arrastramos la marca de márgenes internos podemos dejar pulsada la tecla* **Alt**. *La regla se verá indicando el ancho de las columnas en centímetros. Además, según arrastramos el ratón, el desplazamiento de la línea discontinua es mucho más suave, y no a saltos como es normalmente. Este truco también servirá para modificar el alto de una fila.*

- Para que todas las columnas se distribuyan automáticamente, tenemos diversas opciones, como vimos en las primeras líneas de este capítulo en el submenú Insertar tabla: Autoajustar al contenido (el ancho de todas las columnas será el mínimo para que al menos quepa el contenido de la celda más grande de cada una), Autoajustar a la ventana (las columnas se ensanchan proporcionalmente para que la tabla ocupe todo el ancho de la ventana), Ancho de columna fijo (el ancho de las columnas no variará dependiendo del contenido de las celdas).

- **Ajustar el alto de las filas:** Aquí podemos actuar de manera muy parecida a las columnas, con alguna ligera diferencia:

  - Seleccionar una o más filas, abrimos el cuadro de diálogo **Propiedades de tabla**, tanto en el menú **Tabla**, como el menú contextual al hacer clic con el botón derecho del ratón sobre la selección. Seleccionaremos la ficha **Fila** y activaremos la casilla de verificación **Alto específico:**, con lo que se activará el cuadro de texto donde escribiremos la altura en centímetros. En la lista desplegable **Alto de fila:** podemos elegir entre el alto mínimo (se ajusta al contenido de las celdas) o el exacto escrito. Además, disponemos de dos opciones relacionadas con los saltos de página dentro de una tabla: **Permitir dividir las filas entre páginas** (las filas podrán partirse al saltar de página) y **Repetir como fila de encabezado en cada página** (si estamos en la primera fila, cada nueva página se repetirá esa misma fila, como la continuación de la cabecera de la tabla). Con los botones **Fila anterior** y **Fila siguiente** iteraremos por las filas de la tabla sin salir de este cuadro de diálogo.

  - En la regla vertical (a la izquierda) actuaremos de la misma manera que con las columnas, con la salvedad de que no siempre aparecerá el puntero del ratón de desplazamiento al situarse en las marcas de los márgenes internos.

- **Dar formato a filas y columnas:** El formato de una columnas o fila al completo es idéntico al que se le dará a una celda en particular. De esta manera, provocamos el efecto del formato a varias celdas a la vez, para darles color de fondo o de borde, elegir el tipo de línea y color para sus bordes, la alineación del texto, etc.

Celdas

Llegamos a la unidad más pequeña que forma una tabla, la celda. En ella se puede insertar de todo: texto, imágenes, objetos, más tablas, etc. Las celdas también se podrán ajustar, formatear, insertar y eliminar en la tabla, al igual que con las columnas y filas, además de tener algunas propiedades que afectan al contenido de cada una de ellas.

Si somos de los que les gusta más usar el teclado que el ratón, deberemos saber qué teclas utilizar para desplazarse por las celdas. Las universales teclas de dirección servirán para movernos por las celdas, sobre todo cuando estén vacías, porque si tienen texto, tiene preferencia éste último.

Un método seguro de avanzar por las celdas es pulsando la tecla **Tab**, o bien, la combinación **Mayús-Tab** para retroceder.

Vayamos, una a una, por las acciones más importantes que se pueden realizar con una o varias celdas.

- **Seleccionar una celda:** Tenemos varias posibilidades:

  - Dejar el cursor de escritura en la celda a seleccionar, y hacer clic en la opción Seleccionar>Celda, dentro de la pestaña Presentación de las Herramientas de celda.

  - Situar el puntero del ratón en el margen interno izquierdo de una celda, hasta que el icono del mismo cambie a una pequeña flecha negra, y hacer clic. Para selecciones múltiples podremos arrastrar la selección, o bien, utilizarla en combinación con las teclas Control y Mayús, como con la selección de texto normal.

  - Situar el puntero del ratón en el contenido de la celda, hacer clic y arrastrar hacia fuera de ella. Según lo hacemos, se seleccionará la celda de origen y las contiguas por donde vaya pasando el puntero del ratón.

- **Insertar una celda:** Los pasos a seguir son:

  1. Se deja el cursor en la celda donde queremos insertar la nueva.
  2. Seleccionamos la opción Insertar celda que aparece al hacer clic con el botón derecho sobre el lugar en el que queremos añadirla
  3. Aparecerá el cuadro de diálogo Insertar celdas, donde tendremos cuatro opciones. La primera hace que se añada una celda más a la fila, con lo que la celda actual y todas las demás se desplaza-

rán a la derecha, saliendo incluso del resto de la tabla. La segunda es la de por defecto, donde la celda actual y las que hay por debajo en su misma columna se desplazan una altura hacia abajo, generando una última fila a la tabla. Las dos siguientes son más evidentes, pues lo que hacen es insertar una columna o una fila completa, como ya hemos visto antes.

4. Haremos clic en el botón **Aceptar**.

- **Eliminar una celda:** Los pasos son muy parecidos a los anteriores para añadir una celda:

1. Dejaremos el cursor en la celda a eliminar.
2. Abriremos el cuadro de diálogo Eliminar celdas en la opción Eliminar>Celda, o bien, en la opción Eliminar celdas, en el menú contextual al hacer clic con el botón derecho sobre la celda.
3. La primera de las cuatro opciones hará que todas las celdas a la derecha de la actual se muevan una posición a la izquierda, dejando un hueco de celda (no hay celda) en el borde derecho de la tabla. La segunda hace que se muevan las celdas que hay por debajo una posición hacia arriba, dejando una celda en blanco en la última fila. Las otras dos eliminan una fila o columna, como ya hemos visto anteriormente.

- **Combinar celdas:** La combinación de celdas hace que un grupo de ellas se conviertan en una sola. Esto rompería un poco el aspecto uniforme de una matriz de celdas normal, pero se utiliza mucho para, por ejemplo, poner las celdas de totales de una factura. Los pasos son verdaderamente sencillos:

1. Seleccionar las celdas que se fusionarán en una sola.
2. Seleccionar la opción Combinar celdas de la pestaña Herramientas de tabla>Presentación, o también hacer clic con el botón derecho del ratón sobre la selección y elegir la opción Combinar celdas del menú contextual.

- **Dividir celdas:** Esta opción es la opuesta a la anterior. Se trata de hacer que una celda se divida en varias subceldas más pequeñas, dentro de sus propios límites.

Los pasos a seguir son los siguientes:

1. Seleccionar o tener el cursor en la celda a dividir.
2. Elegir la opción **Dividir celdas** de la pestaña **Herramientas de tabla>Presentación**, o del menú contextual al hacer clic con el botón derecho del ratón.
3. Con estos pasos aparecerá el cuadro de diálogo **Dividir celdas**, en el cual tenemos los cuadros de texto para escribir el número de columnas y de filas por el que se dividirá la celda.
4. Si en lugar de una sola celda hemos seleccionado varias, estará disponible la casilla de verificación **Combinar celdas antes de dividir**. Si se deja activada, significa que las celdas seleccionadas se tratarán como una sola (se combinarán) antes de dividir. Si la desactivamos, significa que cada celda seleccionada será independiente, luego la división se realizará para cada una de ellas.

- **Cambiar la alineación del texto de una o más celdas:** El texto de una celda puede colocarse en diferentes lugares dentro de ella. Para ver cómo elegir la alineación del mismo:

1. Seleccionar las celdas deseadas.
2. Hacer clic con el botón derecho sobre la selección y desplegar la paleta **Alineación de celdas**, o bien elegir la alineación deseada en el apartado **Alineación de Herramientas de tabla>Presentación**.

- **Cambiar la orientación del texto de una o más celdas:** Aquí, al igual que en los cuadros de texto, también se podrá cambiar la orientación del texto del interior de una celda. Los pasos son:

1. Seleccionar una o más celdas.
2. Hacer clic sobre el botón **Dirección del texto** ( ) de la barra de herramientas Tablas y bordes, o elegir la opción con el mismo nombre del menú contextual, cuando hacemos clic con el botón derecho del ratón sobre la selección (véase la figura 9.6).
3. Observaremos que la dirección del texto ha girado un cuarto en el sentido de las agujas del reloj. Sólo tenemos que repetir el paso dos para que siga girando la orientación (el texto no se quedará boca abajo).

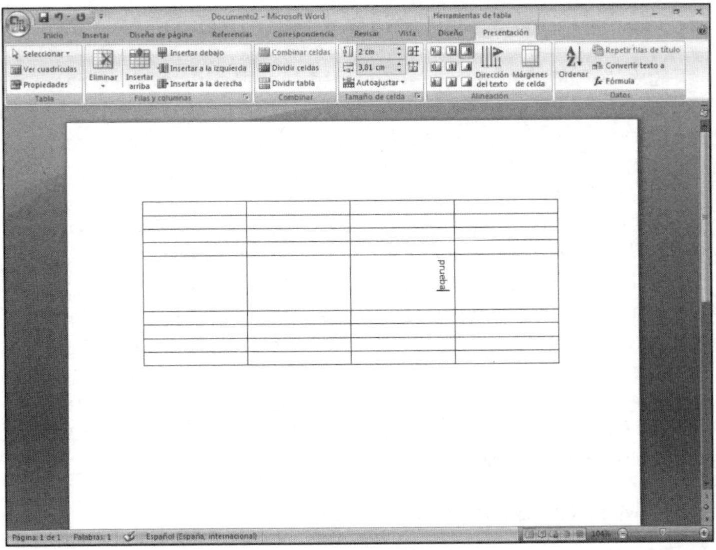

Figura 9.6. Cambiar dirección del texto.

En la figura 9.7 tenemos un ejemplo de combinación y división de celdas dentro de una misma tabla.

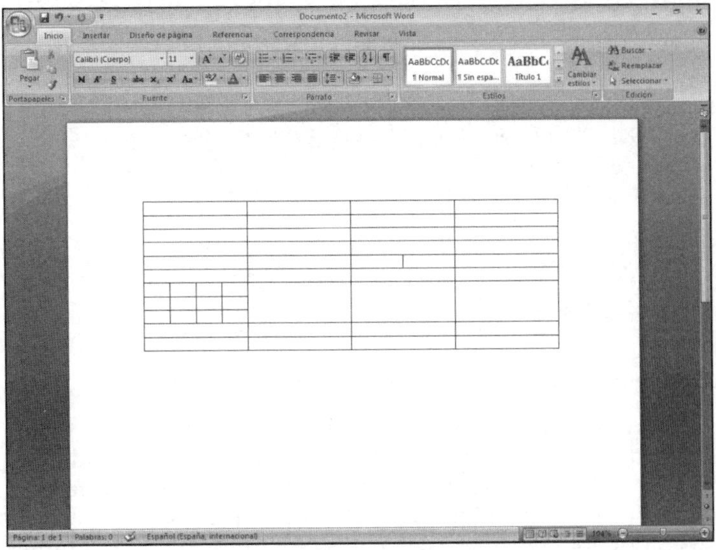

Figura 9.7. División y combinación de tablas.

9.1.7. Formatos: bordes y sombreados

Las tablas sabemos que están compuestas de celdas, normalmente con bordes. Lo que quizás no sabemos es que se puede elegir el formato para dichos bordes y celdas. Incluso se puede eliminar el borde que queramos de la tabla, fila, columna o celda.

Básicamente hay tres maneras para cambiar los bordes y sombreados de las celdas: usando los elementos rápidos que se encuentran en Herramientas de tabla>Diseño, en el apartado Estilos de tabla, utilizando las posibilidades que permite la opción Dibujar bordes o con el cuadro de diálogo Bordes y sombreado (la más completa), al que se puede acceder haciendo clic a las flechas que se encuentran justo al final de la pestaña Herramientas de tabla>Diseño en el apartado Dibujar bordes.

Herramientas de tablas y bordes

Ya hemos utilizado antes algunas de las herramientas de tablas y bordes, pero hay muchas, especialmente en la subpestaña Diseño. Nos interesan los botones con los que podremos dibujar una tabla ( ), borrar líneas ( ), establecer un estilo de línea y un grosor (½ pto), un color del borde (Color de la pluma ▾), elegir qué bordes pintar (Sombreado ▾) y sombrear celdas (Bordes ▾).

> **Nota:** *Si quitamos algún borde, en su lugar aparecerá una línea más fina y gris. Esto nos quiere decir que la división de celdas todavía existe, pero que no se ve porque se eligió que el borde sea "transparente" (por decirlo de alguna forma). Además, al servir sólo de guía, no se imprimirán en el papel. Si queremos que no se vean estas guías, deberemos ir al menú* Tabla *y elegir la opción* Ocultar líneas de división.

Con el cuadro de diálogo Bordes y sombreado

Todo lo que hemos visto con las herramientas de tablas y bordes lo podremos también realizar con el cuadro de diálogo Bordes y sombreado, pero con alguna que otra opción más. Lo único que se recomienda es que antes de abrir dicho cuadro, elijamos las celdas en las que vamos a dar formato, seleccionándolas. El cuadro de diálogo aparecerá haciendo clic en las flechas que aparecen al lado del texto del apartado Dibujar bordes en el final de la pestaña Herramientas de tabla>Diseño.

Para los bordes tenemos la ficha Bordes, y que podemos ver en la figura 9.8.

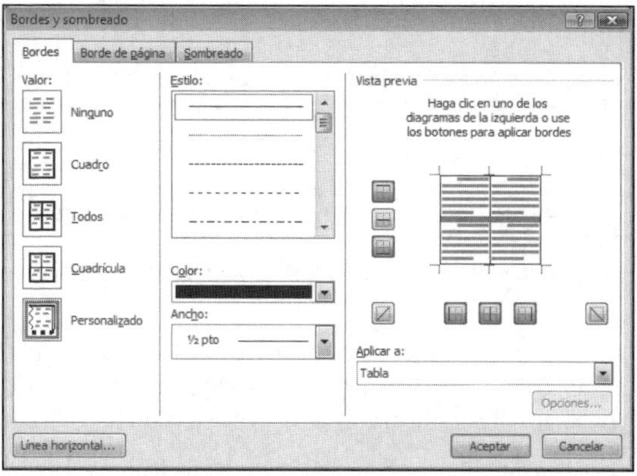

Figura 9.8. Cuadro de diálogo Bordes.

Se divide en tres secciones:

- Valor:. Es una combinación de visualizaciones de bordes: Ninguno (no se pinta ningún borde), Cuadro (se pintan sólo los bordes exteriores, el resto se borran), Todos (se pintan todos los bordes con el mismo estilo), Cuadrícula (se pintan los bordes exteriores con el estilo elegido, y las líneas internas con el estilo de línea por defecto), Personalizado (se seleccionará automáticamente al cambiar los bordes manualmente)
- Estilo:. Es una combinación de tipo (estilo), color y ancho de línea.
- Vista previa. Aquí tendremos el resultado de cómo quedarán los bordes de las celdas seleccionadas, así como los botones para cambiar manualmente algunos de los bordes que queremos que se pinten o no.

Para los sombreados está la ficha Sombreado (por supuesto). En la figura 9.9 vemos sus tres secciones:

- Relleno: Tenemos una paleta para elegir los colores de relleno de las celdas, así como el botón **Más colores...** para disponer de paletas más avanzadas.

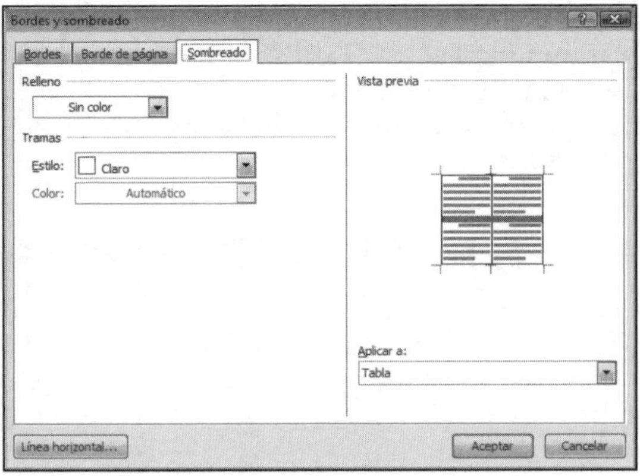

Figura 9.9. Cuadro de diálogo Sombreados.

- **Tramas**: Las tramas son como rejillas de puntos y de líneas que se ponen encima del color, para darle algún que otro efecto más o menos interesante. Tenemos la elección del tipo de trama y del color de la rejilla o patrón.
- **Vista previa**: Aquí iremos viendo cómo se aplica el color al fondo de la celda de prueba.

Autoformato

Esta opción nos permitirá crear tablas con estilos elaborados de forma casi inmediata. Con el autoformato dispondremos de combinaciones de bordes, sombreados, alineaciones y otras propiedades de las celdas, pero combinadas de diferentes formas para aplicarlas a toda una tabla.

Para poder aplicar el autoformato a la tabla deberemos hacer clic en alguno de los estilos que Word 2007 nos presenta a modo de vista previa, al igual que con tantos otros elementos que ya hemos visto a lo largo de esta guía, y que se encuentran en Herramientas de tabla>Diseño, dentro del apartado Estilos de tabla (véase la figura 9.10).

9.1.8. Conversión de una tabla

Esta es una de las funciones más interesantes que nos podemos encontrar. Se trata de dos procesos de transformación, uno para convertir el contenido de una tabla en texto (fuera de ella), y el otro para convertir texto (organizado de alguna forma) en el contenido de una tabla.

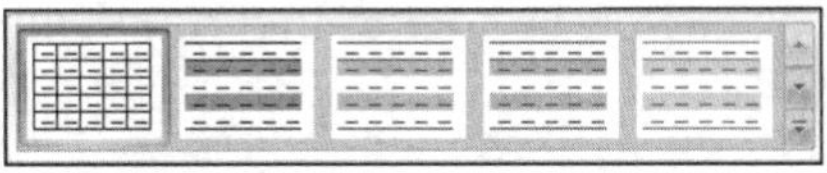

Figura 9.10. Estilos de tabla.

Para convertir una tabla en texto:

1. Seleccionamos el texto a organizar en una tabla. Los elementos que aparecerán en cada una de las celdas deberían separarse de alguna manera, como con retornos de carro (párrafos), tabulaciones, puntos y comas (;) u otro carácter delimitador.
2. Vamos a la pestaña Herramientas de tabla>Presentación y hacemos clic en Convertir texto a.
3. El cuadro de diálogo que aparecerá nos preguntará en qué tipo de texto queremos convertir el contenido de las tablas. De esta forma, como observamos en la figura 9.11, es posible convertir en texto como marcas de párrafo, de manera que cada celda se mostrará en un párrafo distinto a modo de listado, a modo de tabulaciones, con lo que se mantendrá el espacio entre el texto que contiene cada celda y en el mismo formato, a modo de puntos y comas, separando cada palabra con un signo de puntuación, o a modo personalizado, donde podremos decidir si el texto aparece separado por guiones, por números, etc.

Figura 9.11. Convertir tablas en texto.

4. Y para finalizar, haremos clic en el botón **Aceptar**.

Inmediatamente veremos cómo el texto seleccionado se ha convertido en texto, según la forma que hayamos elegido.

Para el proceso contrario, pasar el contenido de un documento textual a una tabla:

1. Situamos el cursor en el texto elegido.
2. Hacemos clic en la opción Insertar>Tabla>Convertir texto a tabla.
3. El cuadro de diálogo que aparecerá (véase la figura 9.12) le mostrará las opciones de configuración; seleccione las más oportunas.

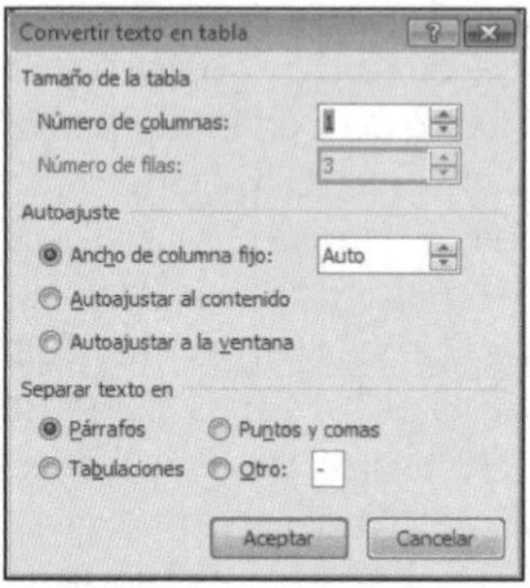

Figura 9.12. Convertir texto en tabla.

4. Para acabar, sólo nos queda hacer clic sobre el botón **Aceptar**.

Después de estos sencillos pasos veremos el texto en celdas, organizado según le hayamos indicado a Word 2007.

9.1.9. Ordenación de celdas

El propio concepto de tabla nos da a entender que los elementos que hay dentro de ellas están organizados. Esta organización necesitará más de una vez una ordenación de los datos de alguna de las columnas (o de varias).

La manera más rápida de ordenar es ésta:

1. Dejar el cursor en la columna por la que queremos ordenar.
2. Hacemos clic en el botón Ordenar (🔼) que se encuentra en la pestaña Herramientas de tabla>Presentación.
3. Con esto habrá terminado. Lo que sí notará es que la primera fila no se ordena, porque Word la considera por defecto como la cabecera, y esa información no se suele ordenar.

Nota: *Es importante saber en qué idioma está escrito el texto de las celdas de la tabla, porque la ordenación no será igual en todas las alfabetizaciones. Por ejemplo, para el español tenemos la alfabetización tradicional y la internacional. Para la primera, la palabra "churro" estará después de "cuna", porque considera la letra "ch" como una sola. Sin embargo, para la segunda, cada carácter es una letra (como en inglés) y, por tanto, la palabra "churro" estará antes que "cuna", porque la "h" tiene menos peso que la "u". Para saber más sobre las opciones del lenguaje en Word 2007, diríjase a la configuración de idiomas de Word 2007.*

Al abrir el cuadro de diálogo Ordenar (véase la figura 9.13), podrá seleccionar allí la forma en la que quiere llevar a cabo este proceso. Puede decidir si quiere ordenar sólo texto, números o fechas. Además, debe elegir si quiere que la clasificación se realice de forma ascendente o descendente, si lleva o no encabezado, etc.

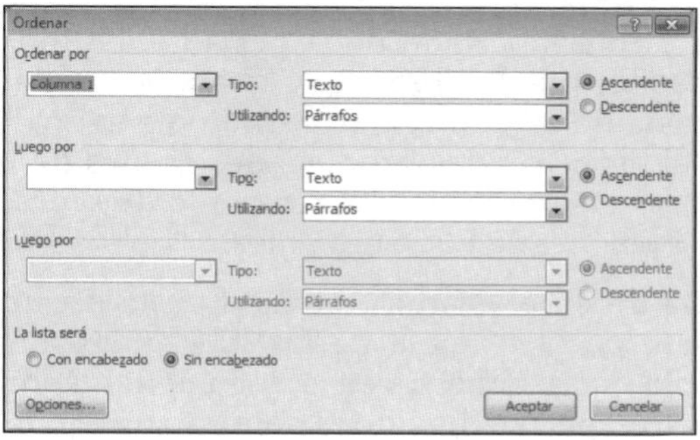

Figura 9.13. Ordenar.

Advertencia: *Ojo, Word 2007 no puede ordenar tablas que tengan celdas divididas o combinadas, así que tenga este detalle en cuenta a la hora de planificar su tabla, no sea que, después de combinar celdas a su gusto, no pueda finalmente llevar a cabo una ordenación que tenía pendiente.*

Es importante que añada varios parámetros de ordenación, ya que es posible que ciertas palabras o datos puedan compartir un mismo criterio. De ahí que aparezcan hasta tres tipos de órdenes, uno principal y otros secundarios que "desempatan" entre unos contenidos y otros y son las reglas que deciden en qué orden aparecerán los elementos en la presentación final.

> **Truco:** *La función de ordenación no sólo es apta para las tablas. Sólo tenemos que seleccionar los elementos de una lista, por ejemplo, para que también se ordenen, utilizando cualquiera de los métodos que acabamos de comentar.*

> **Advertencia:** *No es lo mismo ordenar cifras de números de forma alfabética que numérica, pues de la primera manera, "1000" sería menor que "9". Lo mismo ocurre con las fechas. Si las ordenamos como números, la fecha "20-10-2006" sería menor (anterior) que "31-09-2006", y no es así.*

9.1.10. Opciones de estilo de tabla

En el primer apartado de la pestaña Herramientas de tabla>Diseño, puede observar que aparecen algunas opciones bastante evidentes que permiten personalizar más, si cabe, el aspecto y las propiedades finales de una tabla que va a ser insertada en un documento de Word.

Estas opciones son las siguientes:

- **Fila de encabezado:** Activando esta opción, el formato de la primera de las filas que conforman la tabla que se muestra en el documento tendrá un formato especial, distinto al del resto de la tabla. Es útil cuando se trata de una tabla que tiene títulos, para que se puedan distinguir fácilmente del resto de contenidos de la tabla.
- **Fila de totales:** Igual que en el primero de los casos pero con la última de las filas. Esta opción es fundamental cuando se está realizando una tabla numérica que muestra al final los resultados totales de cualquier tipo de operación: sumas, restas, multiplicaciones, etc.
- **Filas con bandas:** Se puede decir que esta opción permite otorgar a la tabla un formato arlequinado, en el que las filas pares e impares se muestran con

formatos distintos y presentan así un color mucho más animado y variopinto.

- **Primera columna:** Esta opción permite dar formato diferente a la primera de las columnas. Es útil cuando se utiliza esa primera columna para delimitar los campos de las tablas.
- **Última columna:** Activar esta opción tiene el mismo efecto que la anterior pero con respecto a la última de las columnas, que cambiaría su formato para permitir su diferenciación.
- **Columnas con bandas:** Activando esta casilla se consigue el mismo efecto arlequinado para la tabla pero en esta ocasión con respecto a las columnas pares e impares, en lugar de a las filas.

9.1.11. Fórmulas

Las fórmulas que se pueden integrar en las tablas que se pueden insertar en los documentos de Word son una función interesantísima para conseguir dar valor añadido a un documento.

Gracias a ellas, es posible tener a mano lo que podría ser considerado como una pequeña muestra del programa Microsoft Office Excel, pero sin necesidad de tener que abrirlo.

Su función fundamental es calcular automáticamente un montón de posibilidades matemáticas: sumas, restas, multiplicaciones y un sinfín de operaciones que hacen que una tabla genere muchos datos automáticos una vez se hayan introducido en ella los datos necesarios para que lo pueda calcular. Para introducir fórmulas en las tablas sólo hay que hacer clic en Herramientas de tabla>Presentación> Fórmulas y aparecerá un cuadro de diálogo como el que muestra la figura 9.14.

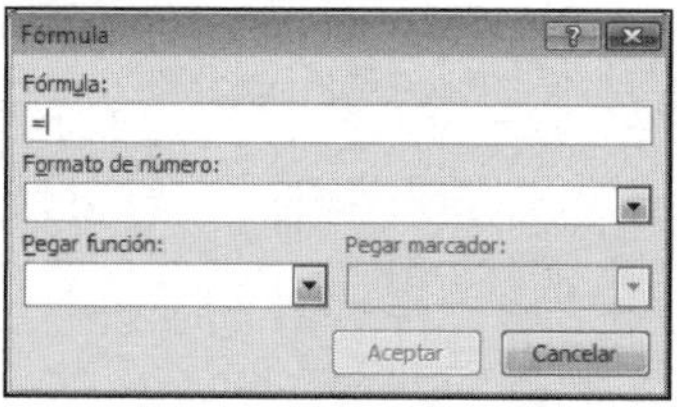

Figura 9.14. Fórmulas.

9.1.12. Tamaño de celda

No sólo es posible personalizar el número de filas, columnas o celdas que configuren nuestra tabla. También se puede personalizar el tamaño que cada uno de estos elementos ha de ocupar en nuestro documento para que nada se pueda ir de nuestras manos. Para eso, Word 2007 ha integrado un sencillísimo editor que se encuentra en **Herramientas de tabla>Presentación** y que contiene dos casillas que permiten modificar de forma manual el tamaño de las filas y las columnas. Sólo hay que escribir el tamaño nuevo que se le quiere dar a cada elemento y hacer clic en el botón que se muestra justo después de cada una de las celdas (véase la figura 9.15).

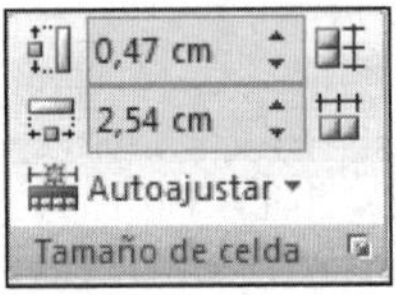

Figura 9.15. Tamaño de la celda.

10

Probando, probando

10.1. Un repaso

Ya hemos visto a lo largo de toda la guía cómo se puede crear un documento de Word y nos hemos aproximado a casi todas las cosas que se pueden hacer con esta nueva versión del editor de textos más famoso de todos los tiempos.

Pero no todo es teoría. Aunque es cierto que esta guía está diseñada para ir aprendiendo poco a poco mezclando continuamente la teoría y los ejercicios prácticos apoyados en las imágenes reales que se van creando paralelamente para dar consistencia al contenido, hemos querido dar a este libro el final que el lector se merece. Un resumen, a modo de ejemplos prácticos y claros, de todo lo que se puede hacer para conseguir documentos definitivos. En las próximas líneas, vamos a realizar un repaso de todo lo que ya habrá ido aprendiendo y veremos cómo va configurándose un documento de ese estilo. Para que le sirva de recordatorio y de manual básico de consulta para cuando desea realizar algún tipo de función en especial y no se lo ocurre cómo hacerlo o no se acuerda de los pasos que hay que dar para llevarlo a cabo. Aún así, recuerde que esta guía no pretende ser una manual fiel e inigualable, sino sólo una ayuda simple al usuario, una guía sencilla estructurada para que el usuario que apenas conoce el mundo de la informática o los procesadores de textos o aquellos que saben lo mínimo pero quieren ampliar miras tengan lo que buscan. Por eso, le recordamos que Word es, ante todo, un gran programa que necesita ser analizado poco a poco por los usuarios, que se va descubriendo a ratos. Un software especial, ya que casi nunca será aprovechado al máximo por los usuarios más comunes y que tiene mucho más de lo que la gente se imagina. Además, es normal que un usuario no detecte ni utilice todas las funciones que se pueden llegar a realizar con Word en uno o dos documentos sencillos, sino que, cada vez, podrá ir descubriendo unos u otros según sus necesidades. Para eso está este libro. Para explicar lo que hay y no se ve, para conocer lo que se desconoce, para ver el paso a paso de cada cosa y para servir de apoyo cuando uno no recuerda algo, además de para iniciar a los menos avanzados.

10.2. Un documento sencillo

Vayamos al grano. Comencemos por el principio, como se suele decir. Por lo más fácil. Por lo más común. En general, los usuarios más habituales de Word son simplemente usuarios de ordenador que quieren escribir un documento sencillo o que quieren presentar un trabajo para los estudios, una carta para un amigo o algún tipo de escrito de fácil creación que no requiera mucho tiempo en su preparación y que quede lo suficientemente apañado para hacerlo público.

Pues comencemos.

10.2.1. El papel en blanco

Siempre se ha dicho que los escritores tienen el gran mérito de saber rellenar un papel en blanco y que sus momentos de crisis son aquéllos en los que la inspiración no les permiten avanzar y escribir letras que formen palabras y palabras que formen frases en un trozo de papel blanco. Hoy, casi todos los escriben a ordenador y muchos de ellos lo hacen en Word. Y para comenzar a escribir, han tenido que realizar los mismos pasos que a continuación detallamos y que ha de realizar todo usuario que pretenda rellenar un papel con algún tipo de escrito.

Lo primero es abrir un documento nuevo. Para abrirlo, haga clic en el **Botón de Office** , que a estas alturas ya debería dominar, y seleccione Nuevo (véase la figura 10.1). Una vez lo haya hecho le aparecerá una nueva pantalla, como ya hemos visto, en la que le permitirá elegir entre un nuevo documento en blanco o una entrada para blog. Como en este caso vamos a realizar un escrito común, escoja la primera opción, como se pude ver en la figura 10.2.

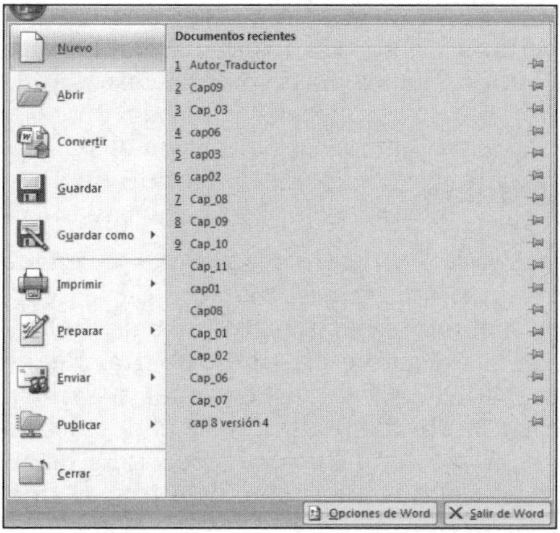

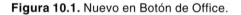

Figura 10.1. Nuevo en Botón de Office.

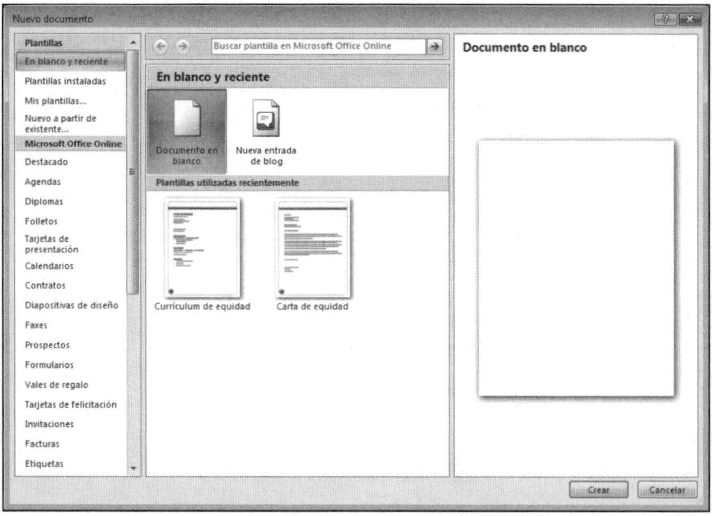

Figura 10.2. Abrir documento nuevo.

Ya tenemos nuestro nuevo documento, blanco y reluciente. Ahora, sólo hay que empezar a escribir en él para tener lo que estamos buscando. Vamos a imaginar que lo que se pretende realizar en este primer ejemplo es una especie de trabajo. Un documento generalmente de texto en el que de vez en cuando podemos introducir algún tipo de elemento (imágenes, gráficos, etc.) y que va a tener una estructura y un diseño sencillo. Con sus títulos de comienzo y de separación de capítulos, con un pie de página y un paginado, etcétera.

10.2.2. El título

Vamos a realizar nuestro primer paso, que va a ser la creación de un título para el primero de los capítulos de los que se va a componer nuestro trabajo. ¿Qué hacer en primer lugar? Seleccione un tipo de letra. Recuerde que, por defecto, Word 2007 viene con la letra Calibri incorporada. Si desea cambiarla, haga clic en el desplegable que se encuentra en la pestaña Inicio y seleccione la que más le guste. Vamos a elegir, para este ejemplo, el tipo de letra Batang (véase la figura 10.3.).

Figura 10.3. Tipo de letra.

Ahora, seleccione un tamaño de la letra en el desplegable de al lado. A partir de este momento, todo lo que escriba tendrá ese tamaño.

El siguiente paso es ya escribir el título. Esta sería la forma más fácil de hacerlo. Normalmente, los títulos, como es lógico, suelen llevar un formato diferente al resto del documento y, además, suelen tener un tamaño distinto, más grande. Para realizarlo así, lo único que tiene que hacer es realizar el proceso que acabamos de describir de forma doble: una vez para el título y otra vez igual para el resto del texto, eligiendo para cada uno de los dos momentos dos tamaños distintos de la fuente.

Eso sí, hay otra opción mucho más divertida, sencilla y que le permite aprovechar las virtudes de Word. Escriba el título que quiere y con el tipo de letra que quiere. Da igual.

Después de hacerlo, vaya a la pestaña Inicio (ya se encontrará en ella si no ha cambiado a otra porque siempre se comienza desde allí) y mire en la parte derecha, en el apartado Estilos.

Haciendo clic en las flechas que aparecen tras el tercero de los ejemplos, pase con el puntero del ratón sobre el Título 1 o sobre la opción que desea. Al hacerlo, verá que el texto cambia directamente al formato elegido, sin necesidad de hacer clic sobre él. Como queremos que el texto tenga ese formato, haga clic sobre él. La figura 10.4 es un claro ejemplo de este proceso.

Figura 10.4. Aplicando estilos.

En primer término aparece el texto escrito para el título en el ejemplo anteriormente comentado. En segundo término, aparece el resultado de pasar por encima del estilo Título.

Como el título ha quedado bastante bonito, lo mantendremos. Si no es de su agrado, elija otro estilo o personalícelo a su modo. Ya acabamos de explicarle cómo hacerlo, así que no debería de tener problemas.

10.2.3. Alineando el texto

Lo siguiente ya es comenzar a escribir. La dificultad de ese proceso ya depende de cada cual. Para escribir texto, sólo tiene que pulsar las teclas apropiadas y la pantalla comenzará a llenarse de caracteres emulando una página de papel y el proceso de escribir a máquina.

Recuerde de aprovechar las distintas opciones de formato que Word permite. En el texto de ejemplo que estamos creando, el inicio es de lo más sencillo, de lo más común. Texto apenas sin formato. Pero poco a poco iremos introduciendo cambios. Por ejemplo, vamos a mostrar cómo quedaría un texto si le cambiamos la alineación. El resultado se puede ver en las figuras 10.5 y siguientes.

Figura 10.5. Texto alineado a la izquierda.

Figura 10.6. Texto alineado al centro.

Figura 10.7. Texto alineado a laderecha.

Como la forma de realizar el alineado y la utilidad y función de cada uno de los elementos está explicado pormenorizadamente en capítulos previos de esta guía, nos limitaremos a mostrarle los resultados prácticos y no a repetir de nuevo la teoría.

Figura 10.8. Texto justificado.

10.2.4. Las viñetas

Lo siguiente que vamos a realizar es dar paso a un listado de texto. Esta opción es muy habitual en todo tipo de documentos. Se utiliza para enumerar un determinado tipo de opciones o características y se recurre mucho a ello cuando se escribe un documento para Word. Como ya hemos explicado anteriormente, para hacer un listado puede realizarlo mediante boliches sencillos, mediante listas numeradas o incluso mediante listas multinivel. Las distintas opciones, por si no lo recuerda, las tiene disponibles en el apartado Párrafo de la pestaña Inicio. Si lo que quiere es realizar una enumeración con boliches, haga clic en el botón adecuado ( ) y verá un efecto como el que muestra la figura 10.9. Si, por el contrario, lo que desea es realizar una lista numérica, haga clic en el icono adecuado ( ). Si ya había escrito lo que deseaba y había probado con una lista de boliches, por ejemplo, no se preocupe. Simplemente seleccione el texto que va a formar parte del listado, y cuando tenga todo lo que desea cambiar de formato seleccionado, haga clic en el icono que le acabamos de mostrar. El resultado será el de la figura 10.10.

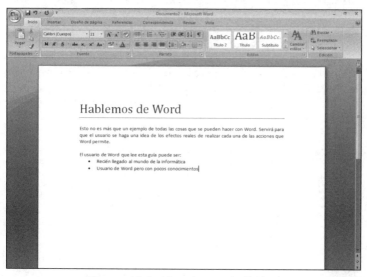

Figura 10.9. Listado con boliches.

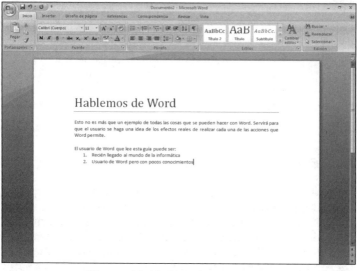

Figura 10.10. Listado numérico.

Que lo que le interesa finalmente es realizar un listado pero a varios niveles, pues tiene dos opciones. O hacerlo manualmente utilizando las opciones de aumentar o disminuir sangría, que ya debería dominar porque ahondamos profundamente en ellas, o selecciona el icono oportuno (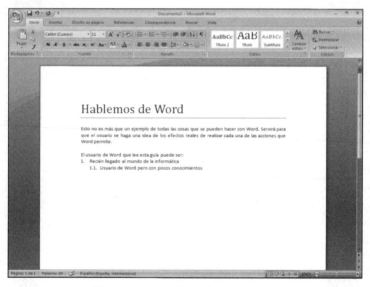) para que Word lo haga automáticamente. Esta opción es muy recomendable si el listado multinivel va a contener una estructura ya predefinida en la que sabe cuántas opciones tendrá. El resultado será como el que muestra la figura 10.11. Si no lo consigue a la primera, no se preocupe. Haga clic en el icono de **Aumentar sangría** y todo solucionado.

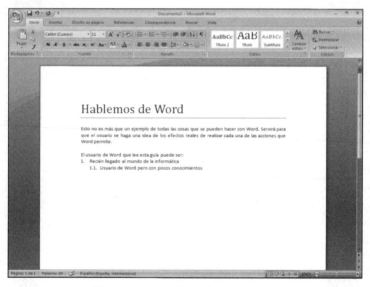

Figura 10.11. Listado multinivel.

10.2.5. Dando color al texto

Puede ser que un usuario escriba un texto plano que no necesite de ningún añadido para que su texto sea más comprensible o entendido. Todo dependerá, seguramente, del fin último del documento, de la verdadera razón de ser de ese texto. De todas formas, las opciones de formato de fuente de Word son muy interesantes y la verdad es que conviene utilizarlas para enriquecer los textos de forma notable. Hasta el más sencillo de los escritos gana una barbaridad si se le aplica una pequeña dosis de maquillaje. Y no es que la belleza natural no sea suficiente, no es eso. Sólo es cuestión de adornarlo un poco porque, en la mayoría de los casos, se hace un texto mucho más comprensible. Es como cuando se está estudiando sobre unos apuntes o un libro. En esos casos, hay que reconocer que los textos bien estructurados, detallados, son mucho más fáciles de memorizar porque el cerebro asocia fácilmente palabras a formatos. Por eso, este tipo de opciones son más que interesantes.

Vayamos a nuestro ejemplo.

Estamos hablando de Word. Por tanto, Word es una palabra que es bastante relevante en nuestro texto y que, seguramente, aparecerá en bastantes ocasiones. Pues bien, es posible que queramos resaltar Word de alguna forma para que al lector le quede claro que se trata de un término importante en el documento. En este caso, por ejemplo, vamos a señalarlo en cursiva. Además, es muy habitual que en determinados textos se escriba con formato en cursiva aquellas palabras que no pertenecen al diccionario, que provienen de otra lengua. El resultado sería el que se puede ver en la figura 10.12.

Figura 10.12. Poniendo texto en cursiva.

Hemos seleccionado la palabra Word y hemos hecho clic en el botón correspondiente de la pestaña Insertar para convertir esa palabra al formato cursiva. Sin embargo, podría ser un buen momento para recordar la utilización de las propiedades de Buscar y Reemplazar. ¿Por qué? Porque si hemos decidido cambiar a cursiva la palabra Word porque proviene del inglés y, además, va a aparecer mucho en nuestro texto, es más recomendable realizarlo ya en todas las ocasiones en las que aparezca esta palabra en nuestro documento. Es cierto que lo más recomendable es hacer este proceso al final de la creación para que no tengamos que escribir siempre la palabra en cuestión en cursiva, pero es un buen momento para comentarlo.

Así, vamos a cambiar todas las palabras "Word" de nuestro documento de ejemplo que no estuvieran en cursiva por las que sí que lo estén. Para ello, vaya al botón Reemplazar que aparece en la pestaña Inicio justo al final, en el apartado Edición.

Le aparecerá el cuadro de diálogo Buscar y Reemplazar que ya conoce. Ahí, lo primero que ha de hacer es escribir la palabra Word en el apartado correspondiente a Buscar. Después, haga lo mismo en el apartado Reemplazar. Eso sí, ahora tiene que dejarle claro al programa que lo que pretende hacer es cambiar las que están en formato normal para convertirlas en cursiva. Para ello, estando aún en el apartado Reemplazar y una vez haya escrito la palabra en cuestión, haga clic en Más. Después, haga clic en Formato. Y luego en Fuente. Ahora, seleccione Cursiva. Regresará al cuadro de diálogo inicial pero debajo de Reemplazar ya le aparecerá la condición de cursiva, como se puede observar en la figura 10.13.

Después de hacer clic en **Aceptar**, aparecerá la imagen que muestra la figura 10.14 que le informará del número de reemplazos realizados.

En la figura 10.15 se puede ver cómo Word ha cambiado todas las palabras que cumplían las condiciones explicadas de forma automática.

Pero no sólo de cursiva vive el formato en Word. Para conseguir interesantes resultados, es muy útil realizar combinaciones de distintos formatos. La negrita es otra de las funciones muy prácticas de los editores de textos. Se utilizan mucho para resaltar algunas palabras que tienen verdadera importancia en un párrafo o para comenzar párrafos con algún tipo de nombre, por decirlo de alguna manera.

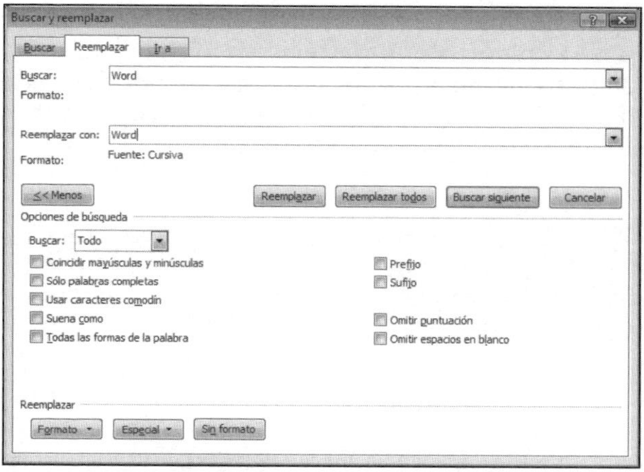

Figura 10.13. Buscar y reemplazar.

Figura 10.14. Número de reemplazos realizados.

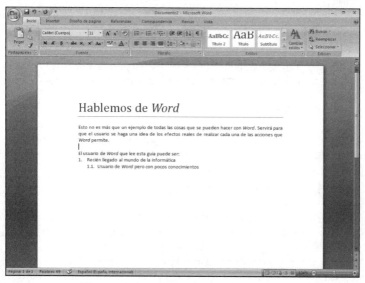

Figura 10.15. Reemplazo realizado.

Si, por ejemplo, se está realizando una explicación de los tipos de plantas que pertenecen a una familia y después se pone un ejemplo de cada una, la negrita podría ir para dejar claro que el tipo de familia es importante y separarlo de los ejemplos (véase la figura 10.16).

Figura 10.16. Texto con palabras en Negrita.

Otra opción interesante es el subrayado. También otorga cierta relevancia al texto y permite encontrarlo fácilmente.

Es muy útil para localizar palabras en documentos extensos o para recordar su ubicación. Además, las palabras subrayadas suelen quedarse más grabadas en el lector (véase la figura 10.17).

10.2.6. Insertando objetos

Habíamos dicho que íbamos a realizar un documento de ejemplo sencillo, sin muchas complicaciones, para que sirviera de utilidad al usuario más práctico. Por eso, es interesante recordar también que es posible insertar objetos que otorguen a nuestro documento gran calidad visual y, además, que añadan muchísimas funciones útiles.

Figura 10.17. Texto con palabras subrayadas.

Todo este tipo de acciones se realiza en la pestaña In-sertar que ya vimos detalladamente en uno de los prime-ros capítulos de esta guía.

Imágenes

Las imágenes en Word pueden ser un elemento intere-santísimo. Antiguamente, insertar fotografías en documen-tos de texto no sólo no era sencillo sino que, además terminaba siendo casi una odisea. Hasta hace pocos años no era habitual integrar estos formatos en documentos de texto porque tampoco era sencillo adquirirlos en formatos compatibles. Para empezar, el *boom* de la fotografía digital aún no había llegado y la gente no tenía fotografías a su alcance en formato digital y, por otro lado, las imágenes que se podían encontrar en los propios programas o en Internet distaban mucho de lo que se puede conseguir hoy en día. Tanto es así, que ahora no es nada extraño encon-trarse con documentos de todo tipo en los que las imáge-nes tienen mucho que decir.

Además, Word ha evolucionado para permitir este tipo de integración de forma mucho más sencilla hasta llegar a un punto en el que introducir una fotografía o imagen en Word no sólo ya no es difícil sino que es recomendable.

Desde que es posible, además, convertir los documentos de Word en formato PDF (recordemos que es una de las novedades de esta versión 2007) y conseguir así documentos finales de altísima calidad que pueden ser utilizados para maquetar productos hasta profesionales, este tipo de acciones son cada vez más importantes en este editor de textos.

Para insertar una imagen o una imagen prediseñada, recuerde que tiene que ir a la pestaña Insertar y, dentro del apartado Ilustraciones, hacer clic en el botón que prefiera según lo que vaya a integrar en el documento. En nuestro ejemplo, vamos a incluir una imagen prediseñada. Queríamos un animal y buscamos en las colecciones seleccionadas por animales.

Seleccionamos la imagen que queríamos presentar en nuestro documento y el resultado se puede ver en la figura 10.18.

Figura 10.18. Imagen prediseñada en documento.

Recuerde que, cuando inserta un objeto, de inmediato se abre una nueva pestaña automática que regula infinidad de opciones que se pueden realizar con los objetos en cuestión. Nosotros vamos a darle algo de forma a nuestra imagen para que quede lustrosa.

Lo primero que vamos a hacer es cambiarle la luz y el contraste. Esas acciones se regulan desde la nueva pestaña **Herramienta de imagen>Formato** y se encuentran en el apartado **Ajustar**. Para modificar las características de brillo y contraste de la imagen sólo hay que hacer clic sobre los iconos correspondientes y moverse por los menús que aparecen al gusto. En nuestro ejemplo, hemos modificado en -20% el brillo y aumentado en la misma proporción el contraste. El resultado se puede ver en la figura 10.19.

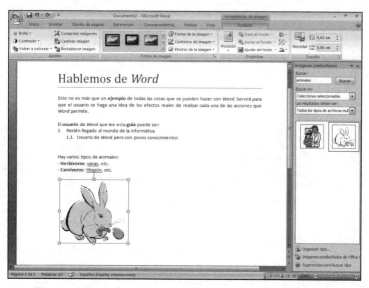

Figura 10.19. Cambiando brillo y contraste a imagen.

Además, como nos parecía poco, hemos decidido darle a la imagen un marco de color que le permita resaltar algo más en el documento. Para hacer eso con su imagen, vaya al apartado **Estilos de imagen** y seleccione el que más le guste de los estilos predeterminados disponibles. Pasando el puntero del ratón sobre ellos se irá mostrando automáticamente cómo quedaría la imagen si finalmente se decide a otorgarle ese formato.

Cuando tenga decidido el elegido, haga clic sobre él y quedará configurado. De todas formas, siempre estará a tiempo de volver a la imagen inicial seleccionando **Restablecer imagen** o de cambiar de estilo seleccionando cualquier otro.

El resultado del estilo que hemos seleccionado al ejemplo es el que muestra la figura 10.20.

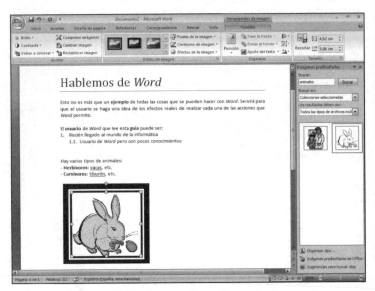

Figura 10.20. Aplicando estilos a imágenes.

Seguimos poco a poco personalizando la imagen. El siguiente paso que vamos a llevar a cabo es darle un efecto especial a nuestra imagen prediseñada. Lo que vamos a hacer es darle una sombra, pero se pueden realizar multitud de acciones que permiten obtener resultados interesantísimos y sorprendentes. Y lo mejor es que es muy sencillo. Sólo hay que hacer clic en Efectos de la imagen y moverse por el menú para seleccionar aquél que más le gusta. El resultado de un efecto se puede ver en la figura 10.21.

Pero es que Word 2007 ha mejorado una barbaridad con respecto a las opciones de configuración de las imágenes y su integración en el documento. En versiones anteriores, situar una imagen en un documento era algo así como la lotería. No era nada sencillo hacerlo y, además, lo más habitual era que la imagen se insertara más o menos donde a ella misma o al propio programa le viniera en gana. Si se intentaba colocar una figura separada del texto: problemas. Que se intentaba colocar al lado de un texto como para demostrar que esa imagen se correspondía con eso: problemas.

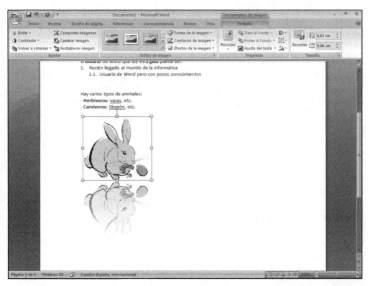

Figura 10.21. Efecto de sombreado en imagen.

Y así sucesivamente, pero eso ahora ha cambiado, y es de agradecer. Lo vamos a demostrar en la figura 10.22.

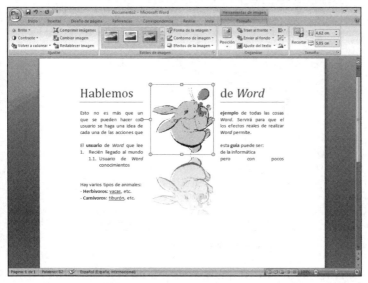

Figura 10.22. Cambiando posición de la imagen.

Sólo hay que hacer clic en el botón Posición que se encuentra en el apartado Organizar dentro de la famosa pestaña Herramientas de imagen>Formato y, una vez hecho, elegir qué posición queremos que ocupe la figura en nuestro documento. Cuando la insertamos, automáticamente Word la situó al final del texto, donde teníamos colocado el cursor. Ahora la hemos integrado en el mismo centro y el programa, de forma totalmente automática y en lo que es claramente un acierto brillante de programación moderna, ha separado el texto en dos columnas perfectas para integrar en todo el centro la imagen sin que en ningún momento se haya perdido información o se hayan tenido que hacer ajustes de ningún tipo.

Estilos de imagen

Hay algún elemento de Word que aún no habíamos tratado a lo largo y ancho de esta guía hasta este momento. Es el caso del cuadro de diálogo Formato de imagen. Para abrirlo, sólo hay que hacer clic en las flechas que se encuentran justo al lado del nombre del apartado Estilos de imagen de la pestaña especial Herramientas de imagen> Formato, que recordemos que sólo aparece cuando se está seleccionando una imagen insertada. El cuadro de diálogo en cuestión se puede observar en la figura 10.23.

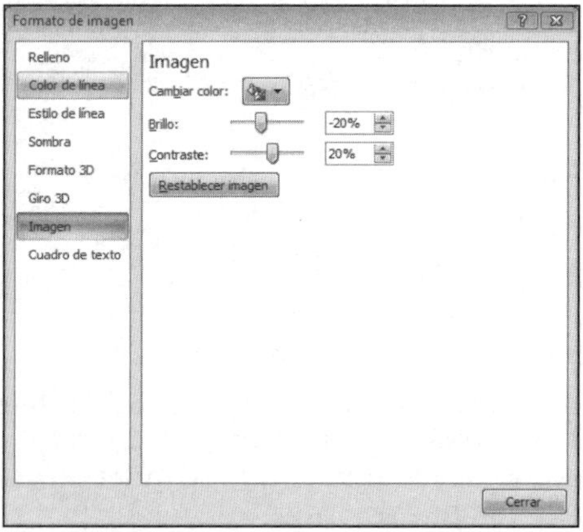

Figura 10.23. Formato de imagen.

Este cuadro de diálogo presenta una elevadísima cantidad de opciones que permiten modificar a mano casi todos los parámetros de configuración de las imágenes que insertamos. Cada opción que vamos descubriendo abre ante nosotros un nuevo mundo de posibilidades. Lo que más llama desde un principio la atención es la novedosa apariencia que muestra el cuadro de diálogo. Se puede ver claramente que este cuadro no existía hasta esta versión y que al ser creado desde cero ya tiene una forma y un diseño totalmente distinto al resto, mucho más moderno y acorde a las nuevas tendencias.

Vamos a ver, paso a paso, cada una de estas opciones para poder conocer de forma rápida todo lo que se puede hacer con ellas:

- **Relleno:** Es la primera de las fichas que nos podemos encontrar en este cuadro de diálogo. Como su propio nombre indica, lo que permite es decidir sobre el relleno que tendrá la figura en cuestión. Presenta, a su vez, varias opciones que se puede decir que hablan por sí solas:

  - Sin relleno.
  - Relleno sólido.
  - Relleno degradado.
  - Relleno con imagen o textura.

- **Color de línea:** La segunda de las opciones determina el color que se le quiere dar a las líneas que conforman la imagen. También contiene varias opciones muy intuitivas:

  - Sin línea.
  - Línea sólida.
  - Línea degradado.

- **Estilo de línea:** Esta nueva ficha es un poquito más complicada que las anteriores y sus opciones son mayores.

  - **Ancho:** En primer lugar, es posible determinar el ancho de la línea escribiendo en el hueco correspondiente el tamaño que se quiere que tenga.
  - **Tipo compuesto:** Aquí se puede elegir el formato del tipo de línea que conforma la imagen: doble, sencillo, etc.
  - **Tipo de guión:** Este es el lugar apropiado para determinar si la línea ha de ser continua, discontinua, punteada…

- **Tipo de remate:** Puede ser cuadrado, redondo o plano.
- **Tipo de combinación:** Redondo, bisel o ángulo.
- **Configuración de flechas:** Si la figura está compuesta por flechas, aquí se puede elegir cada una de sus características (de principio, de final...).

- Sombra: Veíamos antes que era posible otorgar efectos a las imágenes y, entre esos efectos, uno de ellos era el de la sombra que, de hecho, era el que decidimos aplicar. Las opciones que muestra esta ficha son las siguientes:

  - **Preestablecidos:** Aquí se puede acceder a las opciones de personalización de las sombras que ya vienen por defecto en Word 2007.
  - **Color:** El desplegable que aparece al hacer clic sobre el botón correspondiente permite al usuario elegir el color que desea que tenga la sombra que se va a añadir a la imagen que se está insertando en el documento.
  - **Transparencia:** Mueva la barra hacia la posición deseada o escriba el porcentaje elegido para determinar el nivel de transparencia de la sombra.
  - **Tamaño:** Igual que con la transparencia, en este apartado puede determinar el tamaño de la sombra de dos formas distintas. Verá que al modificar alguno de los parámetros relacionados, todos cambiarán paralelamente.
  - **Desenfoque:** Otra opción que permite desenfocar la sombra para darle así un toque original y difuminado.
  - **Ángulo:** Determine aquí el ángulo de apariencia de la sombra con respecto a la imagen original y juegue con las formas.
  - **Distancia:** Elija la distancia que quiere que tenga la imagen con respecto a su sombra.

- Formato 3D: Gracias a las nuevas características de Word, es muy sencillo dar vida a las imágenes. Se les puede añadir relieve de forma muy sencilla y otorgar así una apariencia muy distinta a todos los objetos que se introducen en los documentos de texto. Que sus documentos queden planos depende únicamente de usted. Aquí se puede acceder a varias opciones:

- **Bisel:** En este apartado es posible configurar un bisel superior o inferior para la imagen y determinar su tamaño en todas sus dimensiones. La utilidad del bisel es añadir relieve a las figuras. Aplicar un bisel a una figura puede parecer un trabajo algo inútil pero, en realidad, el resultado obtenido puede merecer verdaderamente la pena ya que los objetos así presentados ganan mucho en originalidad.
- **Profundidad:** En este apartado es posible configurar la profundidad de la imagen 3D. Se puede cambiar el color y su profundidad, el contorno, la superficie, e incluso el material y la iluminación que se le quiere dar al objeto, consiguiendo resultados impactantes si se juega bien con las elecciones.

- **Giro 3D:** Esta opción permite dar curiosísimos efectos de movimiento a las figuras, pudiendo hacer que las imágenes giren sobre su eje, diferenciarlas del texto, etc.
- **Imagen:** Aquí es posible cambiarla de color, aumentar su brillo o su contraste o restablecer la imagen a la posición original que tenía antes de que comenzaran los experimentos.
- **Cuadro de texto:** Los cuadros de texto funcionan en Word de la misma forma que las figuras. En esta ficha es posible:

  - **Diseño del texto:** Elegir la alineación y la dirección del texto insertado en el cuadro.
  - **Autoajustar:** Ya se vio en su momento esta opción que permite ajustar el tamaño del texto a la forma del objeto.
  - **Margen interno:** Una opción útil para configurar los márgenes internos y las columnas.

Como se ha podido ver, en general este cuadro de diálogo contiene en un mismo cuadro y de forma ampliada la mayor parte de las opciones que se pueden realizar con las imágenes y que ya aparecen en la pestaña Herramientas de imagen>Formato.

SmartArt

Los SmartArt suponen en Word 2007 una importante novedad con respecto a sus predecesores. Hasta ahora, ya era posible añadir gráficos y diagramas de forma predeterminada sin necesidad de tener que perder horas y horas en la confección de los mismos. Pero este tipo de gráficos de última generación poco tienen que ver con sus hermanos mayores.

Los gráficos SmartArt están pensados para poder transmitir las ideas a un papel de la forma más sencilla. Es decir, en muchas ocasiones, ciertos trabajos exigen a las personas diseñar planes de comunicación o estrategias que han de quedar plasmadas en papel para posteriormente mostrarlas a un tercero, de la misma forma que le puede ocurrir a un maestro con respecto a sus alumnos. Hasta ahora, si conoce el paquete de Office previamente a esta nueva edición 2007, el programa más utilizado para realizar este tipo de acciones siempre ha sido Microsoft Office PowerPoint.

Hoy, seguirá siendo así, y más con las mejoras que se han añadido en esta ocasión, pero, además, va a ser posible realizar pequeñas integraciones de este tipo en documentos de Word gracias a los SmartArt, que permiten plasmar en papel de forma casi automática un montón de conceptos interesantes e inteligentes.

La gran ventaja que tienen estos elementos con respecto a otros es que, hasta hoy, no había opciones prediseñadas de este tipo de objetos, teniendo que personalizarlo de manera tediosa ajustando anchos, altos, cuadros de texto, figuras, formas, colores…Hoy, los SmartArt pueden crearse en Word, en PowerPoint y en algún otro programa del Office y compartirse entre ellos de forma rápida y sencilla. De hecho, es hasta posible convertir alguna diapositiva de presentaciones de PowerPoint en gráficos SmartArt para poder incluirlas en documentos Word.

En la propia ayuda de Word se incluyen algunos consejos que pueden ser muy útiles para dejar claro lo que se puede hacer con los gráficos Smartart. Son los siguientes;

- Para mostrar información no secuencial utilice el tipo de SmartArt Lista.
- Para mostrar etapas en un proceso o escala de tiempo utilice el tipo Proceso.
- Para mostrar un proceso continuo utilice el tipo Ciclo.
- Para crear un organigrama utilice el tipo Jerarquía.
- Para mostrar un árbol de decisión utilice el tipo Jerarquía.
- Para ilustrar conexiones utilice el tipo Relación.

- Para mostrar cómo las partes se relacionen con un todo utilice el tipo **Matriz**.
- Para mostrar relaciones proporcionales con el mayor componente en la parte superior o inferior utilice la pirámide.

Además, cada uno de los SmartArt tiene muchas variedades gracias a los **Temas** ya personalizados que se pueden añadir, por lo que todo depende del estilo que le quiera dar su autor (véase la figura 10.24).

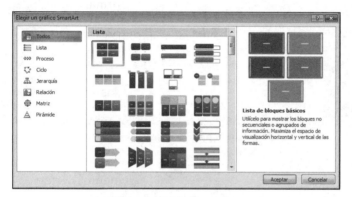

Figura 10.24. SmartArt.

Continuando con la configuración de nuestro documento de ejemplo, vamos a insertar un objeto SmartArt del tipo **Relacional** para ver cómo funcionan. Para ello, sólo hay que hacer clic en el gráfico deseado en el cuadro de texto que acabamos de ver y hacer clic en **Aceptar** y se insertará automáticamente en el documento (véase la figura 10.25.).

Según se integra el gráfico, aparecerá de forma automática el **Panel de escritura** (véase la figura 10.26.), creado específicamente para que la escritura en este tipo de gráficos sea de la forma más sencilla e intuitiva posible.

La gran ventaja de los SmartArt es que su configuración es tan sencilla como práctica. En unos minutos, es posible obtener un resultado apasionante con simplemente curiosear entre unas funciones y otras. Lo primero que se puede hacer, al menos lo más lógico, es rellenar el gráfico con el contenido del texto que le queremos dar. Después ya habrá tiempo para toquetear y cambiar colores o diseños.

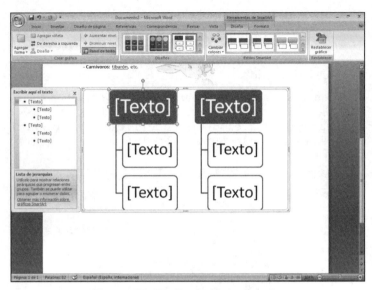

Figura 10.25. SmartArt insertado.

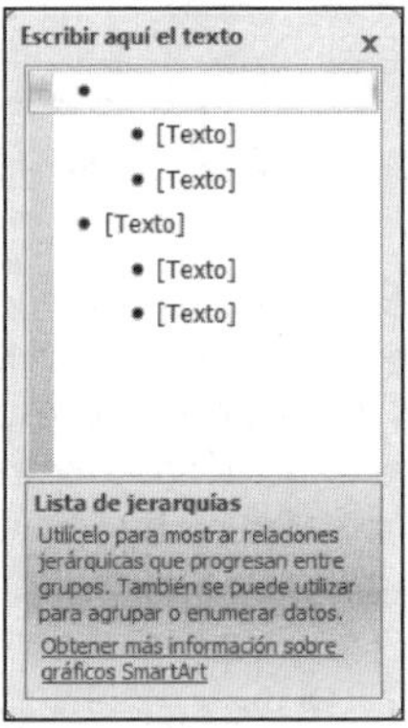

Escribir aquí el texto ✕

- •
  - • [Texto]
  - • [Texto]
- • [Texto]
  - • [Texto]
  - • [Texto]

Lista de jerarquías
Utilícelo para mostrar relaciones jerárquicas que progresan entre grupos. También se puede utilizar para agrupar o enumerar datos.
Obtener más información sobre gráficos SmartArt

Figura 10.26. Panel de escritura de SmartArt.

Siguiendo los consejos que dábamos anteriormente, hemos decidido incluir en nuestro documento de ejemplo un gráfico Relacional para ilustrar conexiones. No hay más que escribir el texto deseado en el Panel de escritura.

Automáticamente se configurará sólo para que el texto quepa sin problemas en el tamaño apropiado del cuadro donde va incluido. Sin tocar nada de la configuración inicial y nada más introducir el texto, la apariencia del documento con un SmartArt creado es la que se puede ver en la figura 10.27.

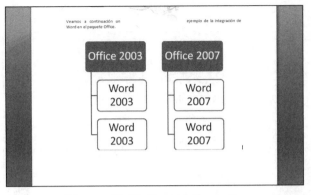

Figura 10.27. SmartArt creado.

Ahora ha llegado el momento de personalizar al máximo su apariencia. En la nueva pestaña que aparece al seleccionar el gráfico, llamada **Herramientas de SmartArt,** hay, de nuevo, otras dos subpestañas que incluyen todos los parámetros que se pueden personalizar: **Diseño** y **Formato.** En la pestaña **Diseño** vamos a cambiar los colores de nuestro nuevo gráfico. Es muy fácil. Seleccionando el botón **Colores** que se encuentra en el apartado **Estilos SmartArt** se pueden hacer virguerías. Al hacer clic sobre él, se verá el desplegable que muestra la figura 10.28, donde podrá elegir entre alguno de los muchos estilos predeterminados que se incluyen.

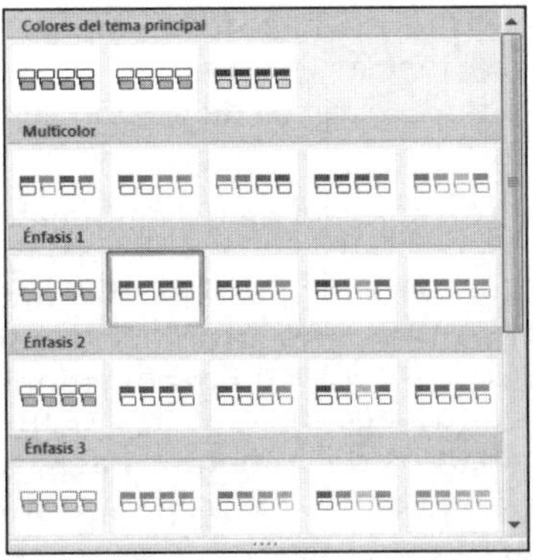

Figura 10.28. Colores en SmartArt.

Elija el que más se adapte a su interés y haga clic sobre él. Al hacerlo, el resultado será como el que muestra la figura 10.29.

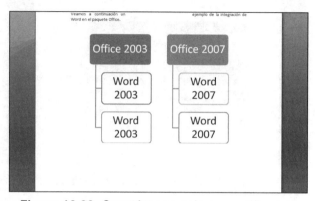

Figura 10.29. SmartArt con colores modificados.

Pero no sólo son los colores lo que se puede personalizar en estos gráficos. Vayamos más allá. En el apartado Diseños se pueden cambiar de forma automática y sin que suponga un trauma para nuestro documento ya que se mantiene toda la configuración inicial, los diseños de los gráficos. Así, podemos ir probando para saber cuál es el que más se ajusta a lo que buscamos. De nuevo, como casi todo en este nuevo Word 2007, estamos ante un proceso muy sencillo y que muestra una vista previa con sólo pasar el puntero del ratón por encima, por lo que no aplicaremos el cambio hasta que no hagamos clic, pero veremos los efectos con sólo arrastrar el ratón.

El resultado de un cambio de diseño se puede ver en la figura 10.30.

Mientras, en la pestaña Formato se pueden realizar multitud de acciones para conseguir personalizar al máximo el gráfico SmartArt. Se puede editar en dos dimensiones, cambiar su forma, cambiar el estilo de la forma, su color de relleno, su contorno, se le pueden dar efectos tridimensionales (de hecho se utiliza el mismo cuadro de diálogo que acabamos de comentar para las imágenes), se puede integrar texto en WordArt para conseguir un efecto visual más atractivo en nuestro gráfico y se puede organizar de mil y una formas distintas cambiando su posición en el documento, alineándolo hacia la dirección que se desee o personalizando su tamaño.

Figura 10.30. Cambiando el diseño en SmartArt.

En la figura 10.31 veremos un ejemplo de lo que se puede hacer partiendo desde el diseño básico que mostrábamos antes.

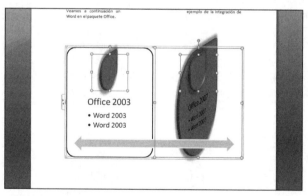

Figura 10.31. Cambiando el formato en SmartArt.

10.2.7. Textos multimedia

Ya hemos hablado de lo interesante que es compartir documentos de Word para que sean interactivos y poder disfrutar de multitud de ventajas en Internet. En este apartado vamos a recordar cómo se incluyen hipervínculos en los documentos y vamos a ver ejemplos prácticos para que todos los usuarios puedan hacerlo de la forma más sencilla posible.

Hay que recordar que los hipervínculos son los enlaces que se ponen a determinadas palabras o frases en los documentos para que, haciendo clic sobre ellos, se pueda ir directamente, siempre que se disponga de conexión a Internet, hacia el lugar de destino que indica, normalmente, una página Web relacionada con el contexto en el que se encuentra el documento.

Mientras, las referencias cruzadas son lo más parecido a los hipervínculos pero en el propio documento y permiten facilitar la lectura ya que se puede ir de una parte a otra de un mismo documento largo sin necesidad de tener que pasar todas las páginas.

Para insertar un hipervínculo, sólo hay que seleccionar la palabra o frase que se desea enlazar y hacer clic en Insertar>Hipervínculo. Ahí aparecerá el cuadro de diálogo que ya comentamos en su momento. Escribimos la dirección hacia la que queremos enlazar y el resultado se puede ver en la figura 10.32.

Figura 10.32. Hipervínculo insertado.

Como se puede ver en la propia imagen, para seguir el enlace sólo hay que pulsar **Control-clic** sobre la palabra seleccionada y se abrirá directamente la página Web hacia la que se ha direccionado. En este caso, la página oficial de Microsoft Office 2007.

> **Nota:** *Lo más habitual es situar hipervínculos hacia páginas relacionadas directamente con la palabra o frase seleccionada para que el usuario pueda ampliar información sobre ese contenido. Los hipervínculos, como ya hemos comentado, son fundamentales en los blogs y enriquecen de forma clara las consultas de los documentos.*

Para insertar una referencia cruzada, el proceso es muy similar pero, tras seleccionar el texto, hay que hacer clic en Insertar>Referencia cruzada.

10.2.8. Encabezados y pies de página

Es cierto que no todos los documentos suelen realizarse con encabezados y pies de página, pero también es verdad que aquellos que lo presentan parecen, al menos aparentemente, documentos más elaborados.

En realidad, insertar estos elementos son dos funciones de lo más básico que se puede hacer con Word y sus ventajas son numerosas, por lo que es altamente recomendable perder un par de minutos en preparar uno de estos elementos y conseguir elevar el caché visual de nuestro documento. A continuación vamos a insertar un encabezado para demostrar su sencillez y para ver el resultado final en el documento. Para hacerlo, simplemente hay que hacer clic en Insertar>Encabezado y se abrirá una ventana que muestra una buena selección de estilos de encabezados que nos ahorrarán muchísimo tiempo y quebraderos de cabeza. Seleccione la que más le guste. Al hacerlo, el encabezado se insertará de forma automática en el espacio reservado para él en la parte superior de todas las páginas que conformen en el documento. Después, sólo tiene que rellenar el texto a su gusto y quedará algo como lo que se puede ver en la figura 10.33.

Por otro lado, insertar un pie de página es otra labor de lo más sencilla. El proceso es el mismo pero, lógicamente, lo que hay que realizar es seleccionar Pie de página en la pestaña Insertar. De nuevo, el contenido del pie de página se insertará automáticamente en el documento, obviamente, en este caso, en la parte inferior, y allí puede ser personalizado al máximo: desde el contenido del texto hasta su apariencia pasando por todo tipo de acciones, ya que, como habrá observado, nada más insertar un encabezado o un pie, Word 2007 ha abierto una nueva pestaña denominada **Herramientas de encabezado y pie de página** en la que se puede hacer de todo: insertar nuevos, incluir números de página, cambiar el formato de aparición de la fecha y la hora, incluir elementos rápidos, imágenes o imágenes prediseñadas, habilitar ciertas funciones como la aparición o no de los encabezados y los pies en la primera página o diferenciar las páginas pares de las impares, cambiar la posición de estos elementos y alguna que otra cosa más que puede resultar muy útil.

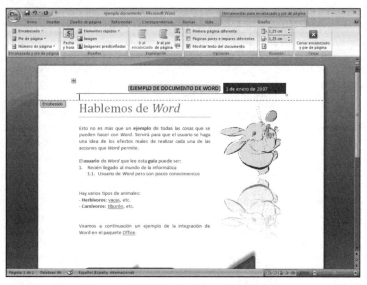

Figura 10.33. Insertar encabezado.

En la figura 10.34 se puede ver cómo queda un pie de página insertado en un documento.

10.2.9. Una portada rápida

Es muy habitual crear portadas para los documentos escritos en Word.

Suelen ser atractivas y llamativas y, además, permiten proteger el contenido del documento, por lo que es muy recomendable realizarlas siempre que el documento se pretenda imprimir y compartir.

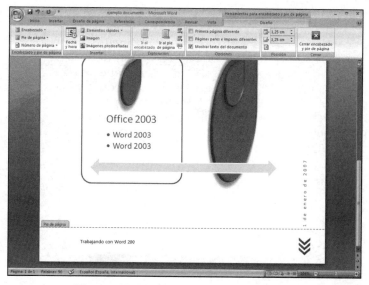

Figura 10.34. Pie de página insertado.

Para hacer una portada rápida y aprovecharse de alguno de los múltiples estilos que están disponibles en Word, sólo tiene que hacer clic en Insertar>Portada. Después, seleccione la que más le convenga o la que más se adapte a su proyecto y se insertará automáticamente como primera página de su documento. Verá que es muy sencillo. El resultado se puede ver en la figura 10.35. Una vez tenga la portada insertada, sólo tiene que hacer clic sobre los distintos elementos flotantes para personalizarlos y escribir en los cuadros de texto respectivos lo que le interese destacar o el título final de su trabajo o documento.

10.2.10. Vista del documento

Ya tenemos toda una página de Word rellena y preparada, si quisiéramos, para compartir o imprimir. Por eso, es interesante ver cómo nos ha quedado para poder terminar con los últimos detalles y saber si estamos o no a gusto con lo que hemos realizado. Lógicamente, nuestro documento no tiene mucho de interesante, sino que lo único que pretendía era servir de ejemplo para recordar las funciones más básicas que se pueden realizar con Word 2007 y poder ser una muestra para el usuario menos avanzado.

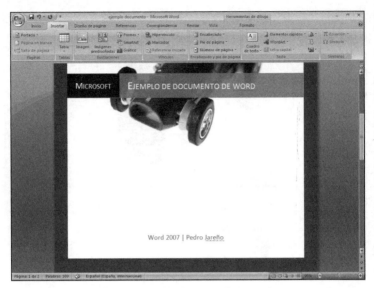

Figura 10.35. Portada insertada.

Para ver el documento a pantalla completa, vaya a la pestaña **Vista** y seleccione **Lectura de pantalla completa**. Verá las distintas páginas que conforman su proyecto y se hará una idea de cómo quedarán cuando quieran ser impresas. Así, en nuestro caso, vemos nuestro documento como se puede observar en la figura 10.36.

10.3. Unos últimos trucos

Ya estamos llegando al final de esta Guía Práctica y podemos decir que un usuario que haya aguantado hasta aquí ya debe tener una buena idea de lo interesante que puede llegar a ser Word y ya estará comenzando a entender las razones por las que este software se ha convertido en un referente mundial y, además, las razones por las que en el comienzo de este libro se recomendaba encarecidamente la actualización hacia esta nueva versión 2007. Las novedades de esta última versión son muchas y su utilidad es fantástica. Word ha dejado de ser un programa de los de antes para convertirse en algo mucho más vanguardista y próximo a la realidad. Internet ha revolucionado el panorama de los programas y ha obligado a todas las empresas informáticas a reciclarse y a integrarse de lleno en los nuevos procesos creativos de programación y diseño.

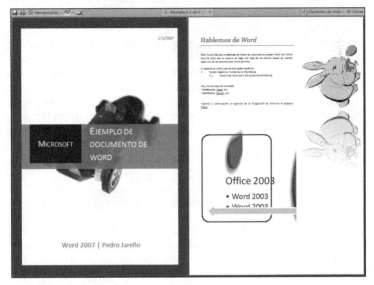

Figura 10.36. Vista de lectura del documento de ejemplo.

Y eso se nota en Word. A día de hoy, existe el *boom* en Internet de lo que se ha denominado Web 2.0, todo un fenómeno de masas que consiste en dar el poder al usuario: los blogs, las redes sociales, las comunidades activas online, los vídeos que circulan por todos los lugares del mundo en minutos, las galerías de fotografías compartidas, los foros de contenidos específicos, los lectores de sindicación de contenidos... Y todo eso se puede ver ya en Word. Desde sus funciones hasta su diseño. Se nota evolución y se agradece. En este último apartado del libro vamos a ver algunos detallitos interesantes que permiten mejorar la usabilidad de Word para el usuario, que le permiten acercarse de forma más rápida y dinámica a este software.

10.3.1. La ventana flotante de formato

No sé si ya se habrá fijado. Seguramente sí. Cada vez que ha probado a seleccionar texto en algún documento de Word (y si ha seguido nuestros consejos seguro que ya lo ha hecho), habrá visto como, casi de la nada, aparece una ventanita muy pequeña casi transparente que se va si no se le hace ni caso. Es una barra de herramientas de acceso rápido que sirve para dar formato al texto sin necesidad de tener que acudir siempre a la pestaña de Inicio. Se trata de un elemento más que útil. Es un elemento hecho para poder disfrutar de verdad con Word, para facilitar el trabajo y para ganar mucho tiempo. Porque utilizando esta barra (véase la figura 10.37) es posible estar con otra de las pestañas abiertas, la que sea, y no tener que volver a la primera para hacer ligeros retoques de negritas, cursivas, subrayados, tipos de letra, etc.

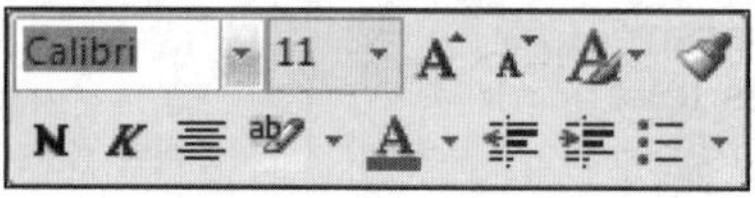

Figura 10.37. Barra flotante de herramientas de formato.

Esta barra está tan bien programada que hasta la captura de la imagen que acabamos de mostrar ha sido bastante compleja de realizar. Se trata de una pestaña flotante que aparece, como decíamos, cuando se selecciona algún texto del documento, pero aparece de forma leve, casi transparente, y sólo se activa y se mantiene fija si se va hacia ella con el puntero del ratón. Para utilizarla sólo tiene que apuntar hacia ella con él y, después, utilizarla como quiera: tipos de letra, tamaños, etc. En el momento en el que deje de estar con el puntero del ratón sobre ella, la pestaña desaparecerá y se irá por donde ha venido. Un gran acierto tanto visual como práctico.

10.3.2. Los atajos

Word siempre se ha caracterizado, al igual que el resto del paquete Office, por la facilidad con la que ciertas funciones podían ser llevadas a cabo con combinaciones sencillas de teclas que permitían evitar tener que usar siempre el ratón para todo y que, por tanto, agilizaban mucho los procesos a la hora de crear documentos. Y es que en Word estamos, habitualmente, escribiendo con las dos manos, por lo que el uso del ratón lleva consigo tener que dejar de escribir y perder unos segundos que en ocasiones podrían ser evitables. Por eso, estas combinaciones de teclado han sido siempre tan demandadas por los usuarios y se han convertido en elementos básicos de uso para aquellos que realmente utilizan Word para el desarrollo de su labor profesional o para quienes, simplemente, son usuarios habituales de este procesador de textos.

Antiguamente, en las versiones anteriores, cuando se desplegaban los menús con las funciones, al lado de cada una de ellas se podía ver una leyenda que indicaba cuál era la combinación de teclas que habilitaba esa función sin necesidad de acudir al ratón, por lo que era muy sencillo aprendérselas y, en caso contrario, siempre se podía consultar de forma sencilla para recordarlo.

Hoy, como ya hemos comentado y como ya habrá visto, los menús desplegables y las barras de herramientas de Word han desaparecido para dejar paso a las pestañas y, por tanto, estas leyendas tampoco están disponibles. Pero tranquilo. Para empezar, las combinaciones más habituales han mantenido a todos los efectos su practicidad. De forma que si usted ya era usuario de alguna versión antigua de Word y conocía alguna de ellas no tendrá que aprenderse una combinación nueva sino que le valdrá con lo que ya tenía aprendido.

Pero es que, además, como existe una nueva organización a través de pestañas y como la interfaz gráfica ha sido rediseñada utilizando grandes avances tecnológicos, la solución que Word 2007 presenta para solucionar este detalle es brillante.

Y si no, haga la prueba. Para conocer cuál es el camino más corto para llegar a cualquiera de las pestañas, al **Botón de Office** o a los iconos mostrados en la **Barra de acceso rápido**, sólo tiene que realizar una acción: haga clic en la tecla **Alt**. Le aparecerá lo que puede ver en la figura 10.38.

Figura 10.38. Combinación de teclas.

Habrá visto que, justo al lado de cada uno de los elementos que conforman la parte superior de la pantalla y que contienen todas las funciones disponibles, ha aparecido un pequeño cuadro con un número o una letra nada más pulsar la tecla **Alt**. ¿Y eso qué significa? Pues lo que se imagina. Que si hace clic en los números o las teclas indicadas, se llevará a cabo el proceso al que este número acompaña. Así, si hace clic en el número 1 del teclado, el documento se guardará automáticamente, etc. Como verá, no es necesario mantener apretada la tecla **Alt** y, además, tampoco es necesario aprenderse las combinaciones (aunque siempre ayuda) ya que con sólo hacer clic de nuevo le volverán a aparecer.

Pero es que eso no es todo. Porque todas y cada una de las funciones que muestran las pestañas en su interior, tienen también una combinación rápida de teclas. Para conocerla, sólo hay que seguir los pasos anteriormente detallados y continuar de la misma forma: después de hacer clic en la tecla **Alt**, hay que hacer lo mismo en la tecla elegida y seguirá marcando el acceso directo hacia la función elegida. Veamos un ejemplo:

1. Haga clic en **Alt**.
2. Haga clic en **B** y verá que será dirigido al interior de la pestaña Insertar y que, además, todas las funciones tienen una tecla rápida asociada (véase la figura 10.39.).

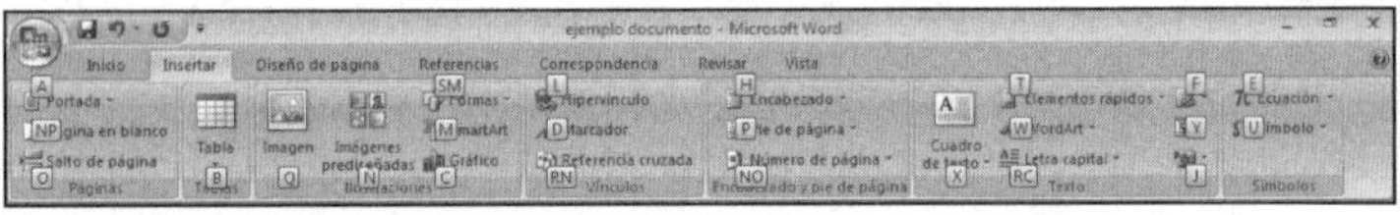

Figura 10.39. Teclas rápidas de pestaña Insertar.

3. Haga clic de nuevo en la tecla **B** y, automáticamente, se abrirá el desplegable de Tabla que le permite insertar una tabla. Si hace lo propio con cualquier otra combinación, el resultado será el mismo pero realizando la acción asociada pertinente.

Así que no tiene más que aprovechar todas estas características para conseguir un aprovechamiento mayor de las funcionalidades de Word 2007 y disfrutar al máximo de esta nueva versión del popular software de Microsoft.

Índice alfabético

A

A4, 121
Abiword, 24
Abriendo documentos, 151
Acces, 14, 26
Acceso a Internet, 15
Acciones, 250
Acelerar, 249
Acrobat Reader, 14
Actas, 41
Actualizar, 131, 150
Administrar 49, 213
    credenciales, 189
    cuentas, 213
Adornar, 117
Advertencia, 70
Agendas, 40
Agregar franqueo electrónico, 143
Ajuste del texto, 84
Alineación, 106
Alineando el texto, 298
Alinear el texto, 63
Alternativa, 22
Alternativas, 18, 175

Amigos, 11
Anaya, 17
Ancho y espacio, 115
Anchura, 56
Ángulo, 105
Añadir, 79
Apellidos, 148
Área de documentos, 186
ASCII, 103
Asignar teclas, 252
Asistente, 147
Atajos, 328
Aumentar, 57, 232
    nivel, 243
    sangría, 62
Autocorrección, 169
Autoformato, 177
Automático, 164
Avance, 13

B

Barras de herramientas, 13
Bibliografía, 139

Bibliógrafos, 138
Bill Gates, 24
Bitácora, 202
Bloggers, 205
Blogs, 193
Boletines, 41
Boliches, 60-61
Bordes, 105, 284
Borrador, 211
Botón
    de Office, 38
    derecho, 173
Brevemente, 12
Brillo, 218
Buscar, 13
    Referencias, 174
    siguiente, 66
    todo, 66
Búsquedas, 65

C

Calendarios, 40
Calibri, 55
Cambiar, 49, 60
    color de fuente, 60
    de estilos, 65
    imagen, 220
    mayúsculas, 59
    vistas, 14
Cambios, 178
Cancelar, 66
Capas, 108
Caracteres, 55, 102
Carátulas, 99
Carta, 129, 145
    de equidad, 158-160
    de equidad, 159
    intermedia, 158
Cartas, 156
CD, 12
Celdas, 288
Centro de confianza, 49
CGM, 109
Cifrar documento, 46
Citas, 139
Clipart, 110
Coincidencia, 71
Colección, 55

Color, 83
Colores, 107
Columnas, 114
Combinar correspondencia, 145
Cómic, 61
Comillas, 103
Comodín, 69
Comparar documentos, 183-185
Complejidad, 17
Complementos, 49
Componen, 275
Comprimir imágenes, 220
Conectores, 89
Configurar la página, 112
Contar palabras, 176
Contorno, 220
Contraste, 218
Contratos, 40
Control
    de cambios, 179
    parental, 175
Conversión, 285
Copy-paste, 53
Copyright, 103
Corel Draw, 109
Correcciones, 65
Corrector, 163
Correspondencia, 37, 142
Cortar, 54-55
Costumbres, 13
Courier, 56
Creación de tablas, 270
Crear listas, 61
Crear viñetas, 60
Cuadrado de texto, 74, 95-96
Currículos, 156
Currículum urbano, 159
Cursiva, 58

D

Datos adjuntos, 47
De acceso rápido, 14
Decimal, 127
Definir idioma, 190
Delante del texto, 108
Descuadrs, 118
Deshacer, 76
Destacado, 40

Detener grabación, 253
Detrás del texto, 108
Diagramas, 31
Diapositiva de diseño, 40
Diccionario, 171
Diplomas, 40
Disco duro, 32
Diseño, 37
Diseños de fondo, 41
Disminuir nivel, 243
Disquetes, 153
Dividir tabla, 272
doc, 50
Documentalistas, 138
Documentos
    interactivos, 90
    para blogs, 202

E

Ecuación, 102
Edición de textos, 20
Editar, 55
    textos, 55
Efectos especiales, 109
Elementos, 275
    útiles, 137
Eliminación de tablas, 272
E-mails, 47
Encoger una página, 254
Entorno de trabajo, 231
Entrada, 208
Enumeración, 61
Enviar
    al fondo, 108
    atrás, 108
Época, 20-21
Equipo, 153
Escala, 105
Escritorio, 153
Espaciado doble, 124
Esquemas, 242
Estándar, 119
Estilo, 64
Etiquetas, 143
Evolución, 23
Excel, 27, 32
Expectativas, 12
Extensión, 50

F

Facilidades, 14
Fax combinado intermedio, 158
Faxes, 156
Fecha y hora, 100
Ficheros, 49
Ficheros Word, 49
Fijar, 127
Fijos, 13
Fila
    con bandas, 290
    de totales, 290
Firma digital, 15
Flechas, 64
Folio, 118
Folletos, 40
Forma de la imagen, 220
Formato de columnas, 115
Formatos, 49
    gráficos, 109
Formularios, 28
Fórmulas, 291
Francesa, 123
Fuente, 55

G

Gestor de correo electrónico, 29
GIF, 109
Globos, 190
Google, 202
GPL, 24
Grabar, 250
Groove 27-28
Grueso, 221
Guardando documentos, 155
Guardar como, 43
Guardar formato, 135
Guía Práctica, 16
Guiones, 117

H

Herramientas, 11
    de gráficos, 227
Hipervínculos, 197
Historia, 18, 95

Hogares, 12
Hoja de Excel, 82
Horarios, 41
HTML, 23, 51

I

Icono, 62
IDE, 255
Ilustraciones, 84
Impresión avanzada, 231
Índice, 140
InfoPath, 28
Informática, 72
Informes, 41
Ingenieros, 13
Inicio, 36
Insertando objetos, 306
Insertar, 36
Insertar categoría, 211
Inspeccionar documento, 45
Instalación, 19, 156
Instalar ahora, 32
Interfaz, 35
Interlineado, 63
Invitaciones, 41
Ir a, 69

J

JPEG, 49
Justificado, 63

K

Kodak Photo CD, 109

L

Lavado de cara, 13
Letra capital, 100
Libreta de direcciones, 52, 143
Libro, 13, 175
    de consulta, 16
Líder, 21
Lienzo, 83

Línea
    entre columnas, 115
    horizontal, 196
Líneas, 125
    viudas y huérfanas, 125
Lista desplegable, 68
Listas, 41

M

Macintosh PICT, 109
Macros, 249
Mailings, 142
Manual, 166
Mapa
    de bits, 109
    del documento, 243
Maquetas, 14
Máquina de escribir, 19
Marcadores, 201
Marcar
    como final, 46
    entrada, 141
Marcas, 63
Marco de destino, 191
Márgenes, 119
    personalizados 113
Marketing, 30
Matemáticas, 146
Memorandos, 41
Metarchivo, 109
Microsoft, 24
Microsoft Office, 15, 162
Modificar vínculo, 101
Modo abreviado, 67
Mostrar, 48
    notas, 139
Mover tablas, 272

N

Negrita, 58
Nivel de esquema, 122
Notas al pie, 139
Novato, 72
Número
    de columnas, 115
    de página, 95

O

Objetos
    incrustados, 101
    vinculados, 100
Oficinas, 12
olk, 51
Omitir, 143
    todas, 169
    una vez, 169
OneNote, 29
Online, 210, 221
Opciones de impresión 264
OpenOffice Writer, 23
Ordenación, 108, 288
Ordenador, 11
Ordenar, 63
Órdenes de compra, 41
Orientación, 96
Ortografía, 163
Outlook, 29

P

Página a medida, 111
Páginas Web, 193
Paintbrush, 110
Panel
    de Referencias, 173
    en blanco, 294
Párrafos, 60
PC, 22
PDF, 14
Pegar 54-55
Personal, 26
Personalice, 93
Personalización, 246
Pestañas, 36
Planes, 41
Plantillas, 156-157
    globales, 157
    instaladas, 40
    online, 162
png, 110
Poner bordes, 64
Pormenorizadamente, 12
Portable Document File, 56
Portada rápida, 324
Posición, 220

Postales, 41
Post-it, 29
Power Point, 29
Preestablecidas, 115
Preparar, 45
Primera línea, 123
Probando, 293
Procesador, 5, 11, 15
Proceso natura, 20
Procesos empresariales, 28
Productos, 12
Programaciones, 41
Programadores, 41
Project, 30
Propiedades, 104
Propiedades tabla, 273
Prospectos, 40
Proteger documentos, 15, 186
Publisher, 30
Pulgada, 120
Pulsar, 66
Puntero, 72
Puntos de ajuste, 107

R

Raster, 110
Reanudar, 169
Recursos, 49
Reemplazar, 70
Referencia cruzada, 92
Referencias, 37
Regla superior, 125
Rehacer, 76
Rellenos, 105
Remite, 143
Repaso, 293
Requisitos, 31
Resaltado, 60
Resolución del monitor, 32
Restablecer imagen, 220
Restringir permiso, 46, 188
Retorno de carro, 73
Revisar, 37
Revisiones, 163
Revolución, 202
Rich Text Format, 50
Romper vínculo, 98
rtf, 50

S

Salto, 69
Salto de página, 80
Saltos, 116
Sangrías, 122
Secuencia, 250
Selección, 71
Seleccionar destinatarios, 147
Selecciones múltiples, 74
Sencillo, 294
Serif, 56
Setup, 32
SharePoint Designer, 30
Siglo XXI, 208
Signo de admiración, 103
Símbolos, 102
Sin formato, 68
Sinónimos, 172
Sitios recientes, 153
SmartArt, 90
Sobres, 143
Sociedad globalizada, 203
Sombreado,64, 284
Subíndices, 59
Subpestaña, 228
Subrayado, 58
Superposición de capas, 118

T

Tabla de autoridades, 142
Tablas, 81, 216, 227
    de contenido, 138
Tabulaciones, 125
Tachar texto, 59
Tamaño, 105
    del papel, 120
Tarjetas de felicitación, 41
Textos, 79
    multimedia, 321
tif, 110
Times New Roman, 55
Tipo, 95
    de tabulación, 128
Título, 296
Títulos específicos, 140
Traducir, 190
Traer al frente, 108

Transparencias, 107
TrueType, 56
Type Manager, 56

U

Últimos trucos, 326
Universal Code, 103
Utilidades, 176

V

Vales de regalo, 41
Ventana flotante, 327
Verificación, 115
Vínculos, 87
Viñetas, 300
Visio, 31
Vista, 38
Vista preliminar, 262
Vistas, 232
    en miniatura, 245
    para escribir, 233
    para leer, 235
    para navegar, 240
    para organizar, 240
Visualmente atractivos,13
Volver a colorear, 218

W

Weblog, 202
Wildcards, 69
Windows 20-22
Word, 13, 16-17, 264
WordArt, 98
WordPad, 51
WordPerfect 20-23
Work, 51
WorldLingo, 190
WYSIWYG, 21
XPS, 43

Z

Zoom, 263